La planification des soins

Un système intégré et personnalisé

Margot Phaneuf, Ph. D.

Chenelière/McGraw-Hill
MONTRÉAL • TORONTO

La planification des soins:
un système intégré et personnalisé

Margot Phaneuf

© 1996 Les Éditions de la Chenelière inc.

Coordination: Hélène Day
Révision linguistique: Suzanne Delisle
Correction d'épreuves: Antonine Pilon
Conception graphique: Josée Bégin
Infographie: Rive-Sud Typo Service inc.
Couverture: Norman Lavoie

Données de catalogage avant publication (Canada)

Phaneuf, Margot

    La planification des soins: un système intégré et personnalisé

Comprend des réf. bibliogr.

    ISBN 2-89461-041-6

    1. Soins infirmiers — Planification. 2. Diagnostics infirmiers. 3. Soins infirmiers — Plans. 4. Collaboration infirmière-médecin. I. Titre.

RT49.P44   1996   610.73   C96-940089-6

Chenelière/McGraw-Hill
7001, boul. Saint-Laurent
Montréal (Québec)
Canada H2S 3E3
Téléphone: (514) 273-1066
Télécopieur: (514) 276-0324
chene@dlcmcgrawhill.ca

ISBN 2-89461-041-6

Dépôt légal: 3e trimestre 1996
Bibliothèque nationale du Québec
Bibliothèque nationale du Canada

Imprimé et relié au Canada

 4 5 ITG 05 04 03

Afin de faciliter la lecture du texte, le terme «infirmière» a été utilisé dans cet ouvrage. Il est entendu que cette désignation n'est nullement restrictive et qu'elle englobe les infirmiers.

«Dis-moi quels outils tu utilises rarement, fréquemment, abondamment ou jamais pour donner des soins et je te dirai quels soins tu donnes.»

Marie-Françoise Collière (1982)

«Sans une pensée directrice, le geste de la main n'a pas de sens, il est déshumanisé; sans gestes d'amour, sans une main tendue vers celui qui souffre, les soins infirmiers n'ont plus leur raison d'être.»

Margot Phaneuf

INTRODUCTION

Cet ouvrage fait suite à un autre ouvrage, intitulé *La Démarche scientifique*, publié il y a quelques années. Depuis la parution de ce livre, la planification des soins a subi des modifications importantes. Les infirmières ont mûri; elles visent la maîtrise de leur art et un haut degré de professionnalisme. Aussi, pour favoriser leur cheminement, le besoin d'un livre de base servant à l'apprentissage de la démarche de soins et du diagnostic infirmier devient-il pressant.

L'évolution des soins infirmiers amène les infirmières à faire face à de nouvelles exigences auxquelles les structures de formation doivent répondre. Par conséquent, les volumes qui servent à leur formation doivent refléter ces changements. Les infirmières qui arrivent sur le marché du travail doivent connaître les outils conceptuels et pratiques qui leur permettront d'assumer leurs tâches et leurs responsabilités.

L'évolution ressemble à une vague de fond: elle touche la base avant d'émerger à la surface. Ainsi, les étudiantes doivent acquérir de solides connaissances scientifiques et techniques, mais, sans les concepts philosophiques et organisationnels nécessaires à la prestation des soins, le travail des infirmières ne peut atteindre ni l'efficacité ni la qualité attendue.

L'évolution du monde de la santé pose de nouveaux défis à la fois dans le domaine de la prestation des soins et dans celui de la formation. La complexité médico-technique croissante des soins, l'état plus sérieux des malades pendant leur hospitalisation en raison de la politique des courts séjours, le vieillissement de la population dans nos milieux qui alourdit souvent la charge de travail, tout cela milite en faveur d'une planification judicieuse et efficace des soins.

Le virage ambulatoire amorcé depuis peu au Québec suppose aussi des changements dans le rôle des infirmières. En effet, elles seront de plus en plus appelées à travailler de façon autonome à l'extérieur du milieu hospitalier. Cela signifie qu'elles devront faire face à de nouvelles responsabilités, et s'adapter à de nouvelles façons de prodiguer les soins et de les planifier. Le plan de soins d'une personne hospitalisée quelques heures ou soignée à la maison ne peut être identique à celui d'une personne hospitalisée à plus long terme. Toutefois, quel que soit le contexte et en dépit des conditions difficiles, le maintien de la qualité des soins et le souci d'offrir un service personnalisé demeurent essentiels. Par conséquent, les concepts fondamentaux et organisationnels que sont le modèle conceptuel, la démarche de soins et le diagnostic infirmier sont loin d'être dépassés: au contraire, leur application dans un contexte aussi précaire doit atteindre une maîtrise et une efficacité inégalées. Plus le travail des infirmières s'oriente vers l'autonomie et plus il se situe en dehors d'un cadre structuré, plus il doit reposer sur des mécanismes sûrs.

La planification des soins infirmiers, plaque tournante de l'ensemble des interventions faites auprès des malades et de leur famille, doit être envisagée de façon systémique puisqu'elle englobe de multiples dimensions interreliées. Dans le vaste système de soins où évolue le malade, les soins infirmiers constituent un sous-système essentiel. Il suffit de considérer l'importance des interventions qui le caractérisent, le temps que les infirmières accordent aux malades ou le nombre des membres de l'équipe soignante qui le composent pour réaliser le rôle vital de ce sous-système.

En somme, les exigences du monde hospitalier actuel et les implications de l'éthique professionnelle font que la planification des soins devient une condition *sine qua non* de leur qualité. Par ailleurs, compte tenu de la réalité complexe où s'inscrit la planification, il faut la situer par rapport aux autres composantes du système de soins. C'est pourquoi cet ouvrage offre une dimension plus large que la simple démarche de soins et le diagnostic infirmier, qui en constituent néanmoins la base. Il vise à apporter à l'étudiante ou à l'infirmière de solides connaissances sur le processus de la démarche de soins et sur l'utilisation des diverses formes du diagnostic infirmier. L'approche du *Guide d'apprentissage de la démarche de soins* en fait un ouvrage étoffé qui présente les notions avec simplicité, en les situant dans la réalité actuelle. Le monde infirmier, soumis à divers courants administratifs et professionnels, est en mouvance. Même si les concepts fondamentaux demeurent le point d'ancrage, les infirmières doivent s'adapter pour mieux épouser les modalités du changement.

Cette version améliorée de *La Démarche scientifique* reprend bien sûr certains concepts déjà abordés, mais elle propose aussi des moyens pour administrer les soins infirmiers de l'an 2000: des plans de soins standard modifiés, des plans de soins abrégés pour les courts séjours, une utilisation claire et simple du problème en collaboration, le développement de problèmes en collaboration en psychiatrie, etc.

Ce livre se veut un instrument d'apprentissage non seulement des concepts de la démarche de soins et des diagnostics infirmiers, mais aussi du contexte historique et des engagements professionnels et légaux de la profession. L'étudiante connaîtra ainsi les grandes orientations de la profession. Cet ouvrage vise aussi à préparer des infirmières capables d'assurer des soins plus humains et plus complets, et de les armer pour faire face à une réalité difficile.

Cet ouvrage est accompagné d'un cahier d'exercices présenté dans un format pratique pour que l'étudiante puisse le transporter facilement et que l'enseignante puisse en faire la gestion sans être trop encombrée. L'utilisation du cahier d'exercices est primordiale pour aider l'étudiante à faire ses propres représentations mentales d'un processus complexe, faciliter l'apprentissage et préparer le transfert des connaissances dans la réalité. Les enseignantes connaissent toutes la valeur d'une participation active des étudiantes dans le processus d'apprentissage et elles sauront trouver dans ce cahier d'exercices les applications nécessaires à un enseignement efficace.

La partie théorique du *Guide d'apprentissage de la démarche de soins* comprend 12 chapitres dont voici une synthèse. Le chapitre 1 aborde les concepts fondamentaux de l'ouvrage, soit la philosophie humaniste et le principal concept organisationnel de nature systémique. On ne saurait trop insister sur la nécessité de présenter à l'étudiante des connaissances empreintes des valeurs professionnelles actuellement préconisées.

Le chapitre 2 traite les modèles conceptuels, leur utilité et leur importance sur le plan professionnel. Il développe particulièrement le modèle de Virginia Henderson. Le chapitre 3 porte sur les besoins humains: il les définit et en explique succinctement la dynamique et les diverses dimensions. Ce chapitre n'est pas une étude exhaustive de la physiologie ni des concepts liés aux besoins. Il rappelle simplement quelques notions, notamment pour l'étudiante débutante qui, au moment de l'apprentissage de la démarche de soins, n'a pas encore suivi les cours de biologie humaine qui sont nécessaires à la compréhension de ce modèle.

Le chapitre 4 amorce l'étude de la démarche de soins proprement dite. Il touche des généralités et présente les étapes et les caractéristiques de la démarche. Le chapitre 5 concerne la collecte des données. Il touche l'observation, la communication et les habiletés qui permettent de faire émerger l'information au cours de l'entrevue. Il présente les différents types de collecte de données et une variété d'instruments ouverts conventionnels ou d'instruments fermés dont certains permettent la mise à jour des données. Le chapitre 6 aborde l'analyse et l'interprétation des données de façon non conventionnelle, en les considérant sous deux aspects: les activités de la vie quotidienne et le processus de diagnostic infirmier avec ses diverses composantes et conséquences.

Le chapitre 7 traite de façon assez large le processus de jugement clinique et l'utilisation des divers diagnostics infirmiers. Il foisonne d'exemples concrets et de mises en situation qui permettent de mieux comprendre les diverses modalités du diagnostic infirmier, ses répercussions et ses applications. Le chapitre 8 est consacré à la planification des soins, et notamment aux objectifs et aux interventions avec leurs particularités et leurs règles de rédaction. Ce chapitre propose différents types de plans de soins personnalisés, des plans standard modifiés et des plans standard abrégés. Le chapitre 9 porte sur l'exécution du plan de soins et la documentation des soins. On y trouve des exemples de formulaires utilisés pour rédiger des observations: certains sont traditionnels, d'autres plus fermés. Le chapitre 10 met en lumière la nécessité de l'évaluation pour assurer la qualité des soins.

Le chapitre 11 aborde les problèmes en collaboration qui portent si souvent à confusion. Ils sont séparés du diagnostic infirmier traité au chapitre 7 tout d'abord pour établir une nette distinction entre les deux, ensuite parce que les collèges et les instituts de formation en soins infirmiers ne les enseignent pas nécessairement au même moment. Certains n'y touchent pas du tout. Dans ce chapitre, il est aussi question des problèmes en collaboration pour la psychiatrie, développés pour répondre aux besoins de certains centres.

Le chapitre 12 s'articule autour de l'enseignement à la personne soignée. Ce concept, sans être traité de façon exhaustive dans cet ouvrage, expose les principes de base du processus. Il présente la communication pédagogique, quelques principes utiles à l'enseignement, l'organisation d'un cours et certaines particularités liées aux divers types de clientèles: enfants, personnes âgées, personnes ayant des limites intellectuelles, visuelles ou auditives. Des plans d'enseignement sont proposés pour répondre aux besoins de clientèles variées.

Table des matières

Chapitre 4
La démarche de soins: généralités et vue globale   53

Chapitre 5
La collecte des données, étape 1 de la démarche de soins   75

Chapitre 6
Les activités de la vie quotidienne, niveau 1 de l'analyse et de l'interprétation
113

Chapitre 7
Le diagnostic infirmier, niveau 2 de l'analyse et de l'interprétation
129

Chapitre 8
La planification des soins, étape 3 de la démarche de soins   **183**

Chapitre 9
L'exécution et la documentation,
étape 4 de la démarche de soins   **221**

Chapitre 10
L'évaluation, étape 5 de la démarche de soins   **241**

Chapitre 11
Les problèmes en collaboration et les protocoles de soins   **251**

Chapitre 12
L'enseignement à la personne soignée   **271**

Les concepts fondamentaux

Objectifs terminaux

Dans sa planification des soins, l'étudiante prendra conscience:

1° de l'interrelation et de l'interdépendance des différents secteurs d'intervention auprès des personnes soignées et de la nécessité de situer cette planification dans un système global et intégré;

2° de l'importance de situer ce système dans une orientation philosophique qui lui donne un sens.

Objectifs intermédiaires

De façon plus spécifique, l'étudiante sera capable:

1° de comprendre la complexité de la réalité organisationnelle d'un milieu de soins;

2° de nommer les grandes composantes d'un système de soins;

3° de prendre conscience de l'importance de la personne, qui est au cœur du système de planification des soins;

4° de voir l'influence de l'orientation philosophique au sein d'un système de soins.

La situation du secteur infirmier au sein du système de soins

INTERRELATION
Ensemble des liens établis entre divers éléments.

INTERDÉPENDANCE
Rapport de causalité réciproque entre des éléments d'une réalité.

Dans un établissement de soins, un grand nombre de membres de l'équipe soignante et de l'équipe multidisciplinaire gravitent autour de la personne soignée auprès de laquelle ils exercent des fonctions diverses. Les membres du secteur médical sont bien connus pour l'importance de leur rôle par rapport à la maladie et au traitement; les membres du secteur infirmier assument un double rôle: ils collaborent avec les médecins pour administrer les traitements prescrits et donnent des soins infirmiers. Quant aux membres des autres secteurs, ils participent chacun à leur façon. La coordination de leur travail vise à favoriser l'évolution de la personne vers un mieux-être.

Le secteur infirmier se situe donc dans un ensemble où tous les secteurs sont en **interrelation** et en **interdépendance**. C'est pourquoi l'apprentissage de la planification des soins doit être perçu dans un contexte de relations au sein de l'établissement et du service de santé.

La planification des soins: une vision systémique

APPRÉHENSION
Compréhension d'une idée, d'une situation.

FINALITÉ
But ultime.

Il est difficile de saisir une réalité aussi complexe, mais une approche systémique permet d'y voir clair. La systémique est une approche moderne de la complexité qui facilite l'**appréhension** d'une situation et permet de mettre en lumière ses multiples interactions sans perdre de vue son aspect global ni sa **finalité**. Elle peut être considérée à la fois comme concept philosophique et comme concept organisationnel. Elle est née de l'évolution de la cybernétique et de la théorie générale des systèmes. De nombreux biologistes et mathématiciens l'ont développée, dont Norbert Wiener (1948) et Ludwig von Bertalanffy (1954). Dans cette approche, la démarche de la pensée recherche les détails dans une perspective globale et s'inscrit dans un ensemble d'interactions dynamiques.

Les principes fondamentaux de cette approche sont la globalité, la rétroaction, l'équilibre des composantes, leur finalité commune et leur autonomie.

Nous pouvons comparer les réalités qui nous entourent à des poupées russes qui s'emboîtent les unes dans les autres. Dans le domaine qui nous intéresse, la plus grande de ces boîtes est la société elle-même, à l'intérieur de laquelle se trouve le système de santé, à l'intérieur duquel se situe le système de planification des soins où prend place le système de planification des soins infirmiers. À ce dernier s'ajoutent d'autres systèmes d'intervention comme le système médical et les divers systèmes paramédicaux (psychologues, travailleurs sociaux, diététistes, physiothérapeutes, etc.)

Ces systèmes sont étroitement liés et ne peuvent être considérés isolément. Il faut tenir compte de leur ouverture réciproque et de leurs relations avec l'environnement.

Une organisation systémique est caractérisée par une structure particulière; elle est orientée et projetée vers un point de convergence de l'ensemble qui est sa finalité. La finalité du système de planification, par exemple, est de concevoir des soins de qualité.

Les principes systémiques appliqués à cet ouvrage

Cette façon d'envisager la planification des soins se distingue du modèle connu, un peu artificiel, qui présente la démarche de soins détachée de son contexte. Elle se veut plus proche de la réalité et, par conséquent, plus fonctionnelle.

L'étudiante ou l'infirmière peut alors mieux se situer par rapport au fonctionnement habituel d'un service de soins infirmiers.

La planification des soins s'inscrit dans une approche systémique qui permet de montrer ses interrelations dynamiques avec les autres services et les autres membres du milieu médical de même qu'avec l'environnement de la personne, c'est-à-dire sa famille et son milieu de travail.

Les principes de la systémique qui sont appliqués dans cet ouvrage sont les suivants:

- l'organisation des différents domaines d'intervention intégrés dans un tout (domaine infirmier, domaine médical et domaines des autres membres du monde de la santé);
- la mise en lumière des interrelations et de l'interdépendance des différents domaines d'intervention auprès de la personne soignée;
- l'ouverture sur l'environnement (famille, services communautaires, milieu de travail, de loisirs, etc.);
- la personne considérée comme un tout;
- l'organisation de la réalité dans un modèle afin de la mieux comprendre;
- l'orientation des composantes en vue de la finalité de l'ensemble, qui est d'offrir des soins plus personnalisés et de meilleure qualité.

Les fondements de la planification des soins

Une approche humaniste

Un système de planification des soins ne se résume pas à un agencement organisationnel visant le bon fonctionnement d'un établissement. Il doit être «habité» par une pensée qui lui donne un sens, qui oriente les décisions et justifie les actions. Le système proposé dans cet ouvrage est fondé sur une approche philosophique de nature humaniste qui place l'être humain au centre et qui fait converger toutes les interventions vers lui. L'humanisme est un mouvement d'esprit représenté par certains penseurs de la Renaissance (Pétrarque, Érasme, et d'autres), caractérisé par un effort pour relever la dignité de l'esprit humain et le mettre en valeur. De nos jours, il s'agit d'une orientation de pensée et de culture qui reconnaît la place de l'être humain comme «mesure de toutes choses».

FONDEMENT
Base sur laquelle se construit une idée, un système.

La pensée philosophique est le **fondement** d'un système et vient en influencer toute l'organisation. La philosophie humaniste implique le respect de la personne avant tout: respect de sa dignité, de son intimité, de son potentiel, c'est-à-dire sa capacité de décider, de s'adapter et d'agir par elle-même. Cette approche se veut à la mesure de l'être humain vu dans la totalité de ses diverses dimensions.

Une approche holiste

ESPRIT CARTÉSIEN
Façon de penser inspirée du philosophe Descartes qui, au temps de la Renaissance, a influencé la science par sa méthode logique déductive et dont l'action perdure dans les sciences actuelles.

La philosophie holiste, sur laquelle reposent les soins infirmiers selon plusieurs auteurs, possède des racines profondes qui remontent à l'Antiquité grecque où l'on voyait déjà l'être humain comme un tout. Hippocrate, né en 460 av. J.-C. et considéré comme le père de la médecine, voyait la personne dans sa totalité plutôt que la maladie ou l'organe malade pris isolément. L'**esprit cartésien** qui sépare le corps de l'esprit et le rationalisme scientifique qui apparaissent en médecine au XIXe siècle, notamment avec Claude Bernard et son *Introduction à l'étude de la médecine expérimentale*, ont certes permis des découvertes extraordinaires, mais ont aussi instauré une façon de voir où l'objet de l'étude n'est plus la personne elle-même mais sa maladie.

Comme l'écrit Jean-Pierre Lebrun (1993, p. 27), cette objectivation scientifique dépersonnalise l'approche des soins et invite à l'appellation par cas, (par exemple, un cas d'estomac), par numéro de chambre ou par le nom de l'organe atteint dont on se sert hélas trop souvent pour désigner la personne soignée. Cette compartimentation de la science a permis le développement de spécialités de pointe, mais elle entraîne le risque de perdre de vue l'ensemble de la personne et de son vécu.

L'approche holiste a été reprise par le biologiste Jan Smutts qui proposait une vision plus globale de la personne. Son nom provient du terme anglais *whole*, qui signifie «tout». Elle s'appuie aussi sur la philosophie de la pérennité poursuivie par Aldous Huxley (1958) et elle est soutenue par les travaux de H. H. Harman effectués au Stanford Research Institute (1972-1984) de même que par divers mouvements holistes liés aux soins ou à l'éducation.

Les principes les plus connus de cette approche sont:
- la complémentarité des expériences vécues sur les plans physique, émotif, intellectuel, social et spirituel;
- la personne considérée comme un tout;
- le développement de l'autonomie et de la responsabilité de la personne face à elle-même et à la société;
- la reconnaissance de valeurs fondamentales supérieures, l'interprétation spiritualiste de la vie;
- la présence du but ultime de la vie et de la société: participer à la croissance individuelle de la personne.

Il faut admettre que certains sont en désaccord avec cette philosophie. Certains y voient une illusion, car elle diverge des sciences exactes qui fonctionnent par découpage, et son approche globalisante, inspirée des sciences humaines, paraît suspecte. Pour Pierre Marchal, par exemple, il ne suffit pas de sommer les parties biologiques, psychologiques et sociales de la personne pour les récupérer (Fryns et Paquet, 1995, p. 50).

Il ressort de cette vision un profond malentendu. Dire que l'approche holiste tient compte des dimensions biopsychosociales et spirituelles de la personne ne signifie pas que l'infirmière se charge de résoudre les difficultés qu'éprouve le malade à tous ces points de vue. Cela signifie plutôt qu'elle les reconnaît et qu'elle comprend l'influence que ces dimensions exercent sur le cheminement de la personne vers un mieux-être.

L'approche holiste de la personne tient compte de son corps, de ses possibilités et de ses maux; elle tient compte aussi de son esprit, à la fois intelligence et affectivité; finalement, elle tient compte de sa capacité de se relier aux autres et de **transcender** le matériel pour s'élever vers des valeurs supérieures. Elle situe la personne dans son milieu, sa famille, son lieu de travail et permet ainsi d'établir des liens avec sa culture, sa situation sociale et économique.

TRANSCENDER
Dépasser les réalités concrètes et les pratiques quotidiennes.

> **Le système de soins proposé dans cet ouvrage considère l'être humain dans ses dimensions:**
>
> - physique,
> - cognitive,
> - affective,
> - sociale,
> - spirituelle.
>
> Il considère aussi ses liens avec l'environnement.

Les trois principales composantes du système de planification des soins

Ce système est formé de trois composantes principales: le système de soins infirmiers avec les fonctions autonomes de l'infirmière, le système médical avec lequel cette dernière est en étroite collaboration et le système des membres de l'équipe multidisciplinaire avec lequel elle est en situation d'interdépendance. Les moyens et les outils conceptuels et organisationnels que l'infirmière utilise reflètent ces relations. La figure 1.1 montre ces moyens fonctionnels et met en lumière leurs relations avec les autres membres de l'équipe multidisciplinaire.

Le système de planification a pour objet la personne vue dans l'ensemble de ses dimensions et située dans son environnement; tout converge vers elle dans une finalité bien définie, qui est la prestation de soins de qualité, personnalisés et efficaces. Les moyens qu'utilise l'infirmière pour y arriver exigent l'exercice de diverses fonctions: les **fonctions autonomes**, les **fonctions de collaboration** avec le médecin et les fonctions d'interdépendance avec les autres professionnels de la santé.

La figure 1.1 illustre deux types de relations: des relations directes pour des actions exécutées par l'infirmière, ayant un rapport intime avec l'ordonnance médicale (ligne plus soutenue pour les activités de la vie quotidienne et pour les problèmes en collaboration); des relations indirectes avec les autres membres paramédicaux pour des actions de consultation et de partage d'interventions (ligne pointillée pour les activités de la vie quotidienne, les problèmes en collaboration, les protocoles de soins). Les rapports liés tant à l'ordonnance qu'à l'action des autres professionnels de la santé reflètent non seulement ce que vit le malade et ce que fait l'infirmière, mais aussi tout ce qui se passe autour de lui.

FONCTIONS AUTONOMES
Ensemble de fonctions délibérées qu'exerce l'infirmière et qu'elle remplit à partir de sa formation et de son propre jugement, sans l'intervention de l'ordonnance médicale.

FONCTIONS DE COLLABORATION
Rôle où l'infirmière assiste le médecin en exécutant des actions qu'il lui prescrit.

Figure 1.1

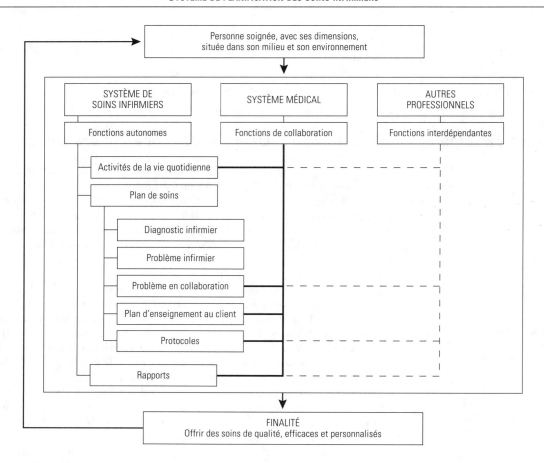

SYSTÈME DE PLANIFICATION DES SOINS INFIRMIERS

B*ibliographie*

BERTRAND, Yves (1991). *Théories contemporaines de l'éducation.* Laval, Éditions Agence d'Arc.

CAPRA, Fritjof (1983). *Le Temps du changement.* Monaco, Le Rocher.

FOUCAULT, M. (1978). *Naissance de la clinique, une archéologie du regard médical.* Paris, P. U. F.

FRYNS, G. et PAQUET, C. (1995). *Réforme de l'enseignement infirmier au Grand-Duché du Luxembourg.* Mémoire présenté à la Faculté ouverte pour enseignants, éducateurs et formateurs (F.O.P.A.) de l'Université catholique de Louvain-la-Neuve, Belgique.

HUXLEY, Aldous (1958). *The Perennial Philosophy.* Londres, Fontana Books.

LEBRUN, Jean-Pierre (1993). *De la maladie médicale.* Bruxelles, De Boeck.

LE MOIGNE, Jean-Louis (1990). *La Modélisation des systèmes complexes.* Paris, Dunod.

MILLER, John P. (1988). *The Holistic Curriculum.* Toronto, Oise Press.

MONTGOMERY DOSSEY, Barbara *et al.* (1988). *Holistic Nursing.* Rockville, Maryland, Aspen Publication.

MORIN, Edgar (1982). *Science avec conscience.* Paris, Fayard.

PHANEUF, Margot (1992). *Modèles pour l'enseignement collégial, 2ᵉ partie: modèles, stratégies et techniques.* Thèse présentée à la faculté des études supérieures de l'Université de Montréal pour l'obtention du doctorat en didactique.

ROSNAY, Joël de (1975). *Le Macroscope.* Paris, Éditions du Seuil.

TROCHMÉ-FABRE, Hélène (1987). *J'apprends, donc je suis.* Paris, Éditions d'Organisation.

Le modèle conceptuel en soins infirmiers

Objectifs terminaux

L'étudiante prendra conscience:

1° de la nécessité organisationnelle et professionnelle d'utiliser un modèle conceptuel à la base de la planification des soins;

2° de l'importance d'un modèle conceptuel en vue de personnaliser et d'humaniser les soins.

Objectifs intermédiaires

De façon plus spécifique, l'étudiante sera capable:

1° d'expliquer ce qu'est un modèle conceptuel en soins infirmiers;

2° de démontrer les avantages de l'utilisation d'un modèle conceptuel;

3° de définir le modèle de Virginia Henderson:

- préciser le rôle de l'infirmière dans ce modèle;
- expliquer la définition de l'être humain selon ce modèle;
- définir ses grands paramètres;
- énumérer les besoins fondamentaux;
- relier les besoins aux facteurs qui peuvent les influencer et démontrer les interactions qui existent entre les besoins;
- établir des priorités d'action;
- définir les concepts de dépendance et d'indépendance;

4° de préciser le rôle autonome de l'infirmière;

5° de définir l'exercice infirmier.

Le modèle conceptuel en soins infirmiers: une représentation de la réalité

Le modèle conceptuel en soins infirmiers constitue un élément fondamental de la planification des soins. C'est un concept de passage, de transition entre la pensée philosophique qui sous-tend la prestation des soins et les actions que fait l'infirmière au quotidien.

L'utilisation de modèles ou modélisation est un concept issu de la systémique.

Modèle conceptuel
Manière concrète de composer avec une réalité complexe, présentée schématiquement afin de l'envisager globalement, et de saisir les liens entre ses composantes **intrinsèques** et ses relations avec l'extérieur.

INTRINSÈQUE
Qui appartient au sujet lui-même.

HYPOTHÈSE
Proposition à partir de laquelle on raisonne pour résoudre un problème.

Un modèle conceptuel est une **hypothèse** sur l'organisation de la réalité, une illustration symbolique de l'exercice de l'action professionnelle, dans un domaine donné.

Plusieurs professionnels utilisent la modélisation dans leur travail. Elle revêt parfois une forme concrète, telles les maquettes qu'utilisent les architectes ou les ingénieurs pour construire des édifices ou des ponts.

En soins infirmiers, les modèles ne peuvent pas être aussi concrets: il s'agit plutôt de descriptions théoriques, d'une image abstraite de ce qu'est la personne soignée et de ce qu'elle vit. L'expérience humaine est si complexe que les modèles ne peuvent tenir compte de tous les aspects. Pour faciliter la planification des soins et restreindre notre champ d'observation et d'intervention, ils s'articulent essentiellement autour des besoins (modèle de Virginia Henderson), des interactions (modèle de Peplau), de l'adaptation (modèle de Roy) et de l'homme unitaire (modèle de Rogers).

Il existe un grand nombre de modèles en soins infirmiers, presque tous aussi intéressants les uns que les autres. Dans cet ouvrage, nous suivons le modèle de Virginia Henderson parce qu'il est actuellement le plus utilisé au Québec et en Europe.

Les avantages de l'utilisation d'un modèle conceptuel

L'utilisation d'un modèle conceptuel présente de multiples avantages d'abord pour la personne soignée, ensuite pour l'organisation du travail et l'identité professionnelle de l'infirmière.

Le concept d'identité touche les caractères fondamentaux des personnes ou des groupes. Il comprend des éléments qui leur sont propres, des caractéristiques qui les distinguent des autres et leur permettent d'être reconnus sans risque d'erreur. Cette identité est faite d'attributs personnels, de fonctions, de rôles sociaux qu'ils assument. Elle comporte aussi une notion de «territorialité», c'est-à-dire de démarcation de certaines frontières à l'intérieur desquelles évoluent les personnes (Monnig dans Chaska, p. 38-41).

Ainsi le modèle conceptuel permet-il une délimitation assez claire des frontières du travail infirmier. Les 14 besoins fondamentaux, par exemple, en circonscrivent en quelque sorte le «territoire». Les axes principaux de ce modèle sont la responsabilité de l'infirmière face aux besoins de la personne et la nécessité de l'aider à évoluer vers un mieux-être et une plus grande indépendance pour les satisfaire.

L'infirmière doit assumer la responsabilité de l'ensemble des besoins d'une personne, et ce, en dépit de la présence d'autres membres de l'équipe soignante et interdisciplinaire. Toutefois, il arrive que les infirmières se sentent déchargées de certains soins auprès d'un malade dont l'état nécessite l'intervention d'autres professionnels. Ainsi, si un malade reçoit les soins d'une physiothérapeute (ou kinésithérapeute), la soignante agit souvent, hélas! comme si le besoin de se mouvoir dépendait entièrement de cette thérapeute!

Pourtant, les infirmières sont au cœur des soins. Nuit et jour, sept jours par semaine, elles offrent leurs services aux malades, alors que les autres membres de l'équipe ne les voient que sporadiquement. De plus, les infirmières demeurent toujours responsables de l'ensemble de la personne, même si cette dernière reçoit des soins spécialisés. L'infirmière doit soutenir la motivation du malade, l'aider au besoin à poursuivre son traitement, en observer les effets bénéfiques ou secondaires et voir avec l'autre thérapeute ce qu'elle peut faire pour collaborer et compléter son action.

Avantages d'un modèle conceptuel
- Cerner de façon plus claire le champ d'action de l'infirmière: c'est elle qui assume la responsabilité de satisfaire à l'ensemble des besoins de la personne, et ce, quelle que soit l'action des autres membres de l'équipe.
- Fournir une grille d'observation et d'analyse de la réalité afin de saisir les détails de la situation et d'apprécier rapidement l'étendue des difficultés vécues par la personne.
- Organiser les soins de façon cohérente pour l'équipe, c'est-à-dire de façon que toutes les infirmières qui en font partie tendent vers un même but: la satisfaction optimale des besoins de la personne.
- Mieux personnaliser et humaniser les soins en répondant aux besoins de la personne.
- Permettre aux soignantes d'utiliser un langage commun.
- Mettre en lumière l'apport des soins infirmiers dans le domaine de la santé et du travail **multidisciplinaire**.
- Revaloriser le rôle autonome de l'infirmière.

MULTIDISCIPLINAIRE
Qui réunit plusieurs disciplines (médecine, pharmacie, physiothérapie, etc.)

Betty Kershaw et Jane Salvage (1986, p. 2-3) résument ainsi les avantages des modèles conceptuels en soins infirmiers: «Ils sont une représentation de la réalité et mettent en lumière les facteurs impliqués et leurs relations; une bonne part de leur utilité est de rendre explicites les facteurs influençant une situation de soins. Ils deviennent un outil qui nous rappelle différents aspects des soins que nous avons tendance à ignorer ou à oublier.»

En l'absence d'un modèle défini, adopté collectivement dans un milieu donné, il paraît évident que la plupart des soignantes développent leur propre modèle de planification des soins. Toutefois, l'adoption d'un modèle formellement reconnu assure une meilleure cohésion de l'équipe de soins.

Une adaptation du modèle de Virginia Henderson

L'auteure du modèle proposé dans cet ouvrage, Virginia Henderson, est une infirmière américaine mondialement connue. Elle a œuvré dans le domaine des soins infirmiers de 1939 jusque dans les années 1980. Par ses écrits et ses enseignements, elle a exercé une influence dans de multiples sphères en raison de l'importance qu'elle a accordée à l'utilisation de la démarche de soins, selon un modèle conceptuel qu'elle a elle-même élaboré, et à cause de sa volonté de développer les soins infirmiers à partir de bases scientifiques et de les enrichir de principes interpersonnels. Préoccupée de la définition des fonctions de l'infirmière et de sa place dans le monde de la santé, elle s'est faite l'avocate d'une meilleure formation pour les soignantes où s'allient les habiletés intellectuelles et techniques (Wesley, 1995, p. 27).

Elle a œuvré particulièrement en pédiatrie, en psychiatrie et dans le domaine de la recherche. L'une de ses contributions les plus importantes demeure sans doute la rédaction d'un index des études, des recherches et de tous les éléments historiques liés aux soins infirmiers de 1900 à 1959 (*Nursing Studies Index*, [4 vol.], J. B. Lippincott Co., Philadelphie, 1964–1972).

Son modèle conceptuel largement utilisé se fonde sur les besoins humains. Développé il y a déjà quelques décennies, il demeure adapté à notre monde moderne. En effet, au cours des dernières années, on a vu surgir plusieurs nouveaux concepts, notamment le travail d'équipe, l'infirmière référente, les soins intégraux, le suivi systématique des clientèles, etc. Même si ces concepts organisationnels sont fort intéressants et peuvent améliorer les services offerts, ils ne sont nullement incompatibles avec une philosophie des soins et un modèle conceptuel. Ce modèle peut se définir comme suit.

Modèle conceptuel de Virginia Henderson

Organisation conceptuelle des soins infirmiers, basée sur la connaissance et la satisfaction des besoins de la personne par référence au développement **optimal** de son indépendance.

OPTIMAL
Caractéristique de l'état le plus favorable.

Henderson reconnaît que son modèle conceptuel s'inspire de différentes sources: certaines proviennent de la physiologiste Stagpole et d'autres du psychologue E. L. Thorndike (Kérouac, 1994, p. 28). Il faut probablement inclure aussi Bertha Harmer, une infirmière canadienne dont elle révisa et compléta la publication en 1955, de même qu'Ida Orlando, une autre infirmière connue pour ses écrits et ses recherches sur les relations interpersonnelles (*La Relation dynamique infirmière-client*). Elle a peut-être aussi subi l'influence de Maslow qui a également défini une pyramide des besoins (*A Theory of Human Motivations, Psychological Review*, 1943, p. 370–393).

D'autres auteurs ont aussi traité des besoins en soins infirmiers. Dorothea Orem, Faye Abdellah et Nancy Roper ont élaboré des modèles liés à ces besoins. Sans élaborer un véritable modèle, Helen Yura et Mary B. Walsh ont traité la question dans un ouvrage intitulé *Human Needs and the Nursing Process* (1978).

Les grands paramètres de ce modèle

PARAMÈTRE
Élément important à prendre en considération.

BIOPSYCHOSOCIAL
De nature à la fois biologique, psychologique et sociale.

Quelques postulats sous-tendent ce modèle et en constituent les grands **paramètres**. Ils se regroupent autour des concepts suivants:

- Dans certains cas la personne a besoin d'assistance pour conserver sa santé ou la rétablir, reconquérir son indépendance ou mourir paisiblement.
- La personne soignée est un être **biopsychosocial** et spirituel.

- La personne malade ou en santé éprouve certains besoins dont la satisfaction est essentielle à sa survie.
- La personne doit avoir la force, la volonté et la connaissance nécessaires pour vivre en santé.
- La personne est en relation avec sa famille et avec la communauté dans laquelle elle vit.
- La santé dépend, en bonne partie, de la capacité de la personne à demeurer indépendante face à la satisfaction de ses besoins.
- Les soins infirmiers sont prodigués en interdépendance avec les autres membres de l'équipe soignante.
- Les soins infirmiers se situent dans une approche scientifique de résolution de problèmes et tendent à des soins personnalisés.
- Les soins infirmiers supposent l'usage d'un plan de soins écrit.

Pour démontrer la complexité et la nécessité de rédiger un plan de soins, Virginia Henderson a écrit: «Il est difficile d'imaginer quelque chose qui exige plus de capacité de perception, de connaissances, d'habiletés et de coopération de la part de la personne soignée, de la famille et de l'équipe des travailleurs de la santé que la rédaction d'un plan de soins.» (Halloran, 1995)

Le rôle de l'infirmière

SUPPLÉANCE
Qui consiste à ajouter ce qui manque, à compléter.

Selon cette conception des soins infirmiers, le rôle essentiel de l'infirmière en est un de **suppléance**. Il consiste à assister la personne qui ne peut satisfaire elle-même ses besoins et à l'aider à retrouver son indépendance et son autonomie face à ses besoins. À cet égard, Henderson nous propose la très belle définition qui suit.

> **Rôle de l'infirmière dans ce modèle**
>
> Aider l'individu malade ou en santé au maintien et au recouvrement de la santé (ou à l'assister dans ses derniers moments) par l'accomplissement de tâches dont il s'acquitterait lui-même s'il en avait la force et la volonté ou possédait les connaissances voulues.

AUTONOMIE
Indépendance, capacité de décider.

AUTODÉTERMINATION
Action de se diriger par soi-même, de faire ses choix.

Elle écrit aussi en substance que toute personne tend vers l'indépendance dans la satisfaction de ses besoins fondamentaux, et si le rôle immédiat de l'infirmière est d'assister la personne à les satisfaire, à plus long terme, il consiste à l'aider à conserver ou à reconquérir un niveau optimal d'indépendance pour y parvenir.

Le niveau d'indépendance de la personne malade est parfois peu élevé, mais il faut quand même lui permettre de faire ce dont elle est capable. Il faut respecter suffisamment sa capacité d'être indépendante (impliquant **autonomie** et **autodétermination**) pour la laisser prendre des initiatives, faire des gestes par elle-même et prendre certaines décisions.

Les concepts de dépendance/indépendance

Les termes indépendance, autonomie et autodétermination prêtent parfois à confusion. Le *Petit Larousse* définit l'indépendance comme la caractéristique d'une personne capable d'exercer librement son activité, sans dépendre d'autrui, capable d'être autonome. L'autonomie, selon le même dictionnaire, signifie: indépendance, possibilité de décider par soi-même, alors que l'autodétermination est la capacité de se déterminer, c'est-à-dire de se décider à agir, à prendre un parti, une décision. Comme on peut le voir, le sens des termes indépendance et autonomie est assez semblable.

Cependant, pour E. H. Erickson, le terme «autonomie» prend une signification particulière, qui va beaucoup plus loin que la capacité de se conduire. Il englobe une indépendance émotionnelle qui permet à la personne de se détacher des pensées et des sentiments qui ont cours dans son milieu. Elle manifeste un haut degré de compétence dans ses choix et dans le contrôle de ses actions. Ses décisions sont déterminées par sa personnalité plutôt que par une réaction aux forces de l'environnement. Il s'agit d'une tendance à la croissance qui se développe tout au long de la vie.

Une précision s'impose, cependant. Tenter de rendre un malade autonome ne signifie pas le pousser ou l'obliger à faire, par lui-même, des gestes qu'il refuse, par exemple se laver ou se lever s'il n'en a ni la force ni le désir. Il faut nous rappeler un principe important: le respect de la volonté de la personne et de ses capacités demeure toujours primordial. Le modèle de Virginia Henderson nous propose d'aider la personne à satisfaire ses besoins, de viser à la motiver à devenir indépendante dans la mesure du possible, mais toute contrainte serait contraire au fondement de ce modèle et, au Québec, contraire à la Charte des droits et libertés de la personne.

Les besoins décrits par Virginia Henderson

Dans son modèle, Virginia Henderson relève 14 besoins fondamentaux:
- respirer
- boire et manger
- éliminer
- se mouvoir et maintenir une bonne posture
- dormir et se reposer
- se vêtir et se dévêtir
- maintenir la température du corps dans les limites de la normale
- être propre et soigné, et protéger ses téguments
- éviter les dangers
- communiquer avec ses semblables
- agir selon ses croyances et ses valeurs
- s'occuper en vue de se réaliser
- se récréer
- apprendre

Les besoins: définition

Le terme «besoin» peut se définir comme une nécessité vitale que la personne doit satisfaire afin de conserver son équilibre physique, psychologique, social ou spirituel. L'*Encyclopédie universelle illustrée* donne une définition qui nous éclaire sur d'autres aspects. À la page 400, on lit qu'un besoin est «une force naturelle et souvent inconsciente, qui pousse un être vers ce qui est indispensable ou utile à son existence, à sa conservation ou à son développement».

Les psychologues utilisent souvent le terme «motivation» plutôt que «besoin», mais ils les considèrent comme des synonymes lorsqu'ils disent, par exemple, que nos besoins sont nos motivations à agir les plus importantes

(Godefroid, 1987, p. 200–205). Ils disent aussi que les études démontrent l'existence des besoins dits «fondamentaux» chez tous les humains. Cependant, la satisfaction de ces besoins varie selon les conditions de vie des personnes, les individus et les cultures. Les personnes vivant en altitude, par exemple, doivent s'habituer à un air plus faible en oxygène que celles qui vivent au niveau de la mer; pour certaines personnes, une alimentation riche en viande est essentielle, alors que d'autres adoptent un régime végétarien; la manière de combler le besoin d'affiliation ou d'exercer un rôle parental varie aussi grandement selon les sociétés.

Les pulsions primaires telles que les besoins de respirer, de boire, de manger, d'exercer sa sexualité (besoin de communiquer) et d'éviter la douleur (besoin d'éviter les dangers) sont essentielles à notre survie. Tout déséquilibre à ces points de vue entraîne un état qui provoque la libération d'énergie nécessaire pour pousser l'individu à satisfaire ce besoin afin de rétablir l'équilibre (Vallerand et Thill, 1993, p. 339–340).

HOMÉOSTASIE
Équilibre des paramètres biologiques face aux modifications du milieu extérieur.

On appelle «**homéostasie**» cet état d'équilibre dans lequel se trouve l'organisme alors que ses besoins essentiels sont comblés et qu'il y a absence de tout besoin impérieux à satisfaire (Godefroid, 1991, p. 236–240).

Besoin
Un besoin est une nécessité vitale que la personne doit satisfaire afin de conserver son équilibre physique, psychologique, social ou spirituel et d'assurer son développement.

Les besoins tels qu'ils sont reconnus par Virginia Henderson se rattachent aux grandes dimensions de l'être humain. Ainsi, les besoins de respirer, d'éliminer, de se mouvoir, etc., sont liés à la dimension physique de la personne; les besoins d'éviter les dangers et de communiquer sont liés à sa dimension affective et relationnelle (sociale), le besoin de vivre selon ses valeurs, à sa dimension spirituelle et le besoin d'apprendre, à sa dimension intellectuelle.

La vision biopsychosociale et spirituelle des soins est essentielle à ce modèle et suppose une philosophie holiste de la santé et des soins; la maladie menace la personne parce qu'elle interfère avec l'un ou l'autre de ces aspects de la vie, et l'efficacité des soins infirmiers se mesure à leur capacité de minimiser cette interférence (Halloran, 1995, p 17–21).

La satisfaction des besoins peut être influencée par différents facteurs reliés à ces dimensions. Ainsi la satisfaction du besoin de respirer est-elle fortement influencée par l'émotivité de la personne, alors que le besoin de s'alimenter est souvent conditionné par sa culture ou sa religion.

Sources de difficultés ou causes de la perturbation d'un besoin

Lorsqu'une personne ne peut satisfaire convenablement ses besoins elle-même, il faut s'interroger sur la cause de cette incapacité. Dans ce modèle, les causes de perturbation dans la satisfaction d'un besoin et de la dépendance qu'elles occasionnent sont appelées «sources de difficultés». Elles sont de divers ordres.

Henderson attribuait les difficultés au manque de force physique, de connaissances ou de volonté. Toutefois, la complexité des soins infirmiers modernes nous montre que les causes de dépendance sont multiples et qu'il est impérieux d'élargir cet éventail.

Cognitif
Qui concerne la connaissance, qui se rapporte au processus d'apprentissage.

Puisque les besoins touchent des aspects physiques, psychologiques (émotifs et **cognitifs**), socioculturels et spirituels, et des aspects liés à l'environnement, il paraît logique de considérer les causes de perturbation et de dépendance sous tous ces aspects de manière à couvrir l'ensemble des raisons qui peuvent empêcher la personne de satisfaire convenablement ses besoins elle-même. (Cette modification apparaissait déjà dans un ouvrage intitulé *Soins infirmiers, un modèle centré sur les besoins de la personne,* publié par Riopelle, Grondin, Phaneuf, en 1984).

Nature des sources de difficultés (causes ou étiologies)
Dans cette application du modèle de Virginia Henderson, les sources de difficultés peuvent être de nature physique, psychologique (émotive et cognitive), socioculturelle et spirituelle ou liées à l'environnement (milieu, conditions économiques, etc).

Le but des soins

Séquelle
Touble qui persiste après la guérison de la maladie ou après une blessure.

Dans ce modèle conceptuel, le but des soins consiste d'abord à aider la personne à satisfaire ses besoins de façon optimale pour parvenir à un mieux-être et à l'amener ensuite à retrouver son indépendance face à ses besoins. En plus de veiller à la satisfaction des besoins, il faut prévoir les diverses formes de dépendance, par exemple les raideurs articulaires, la déshydratation, les escarres, etc., et porter une attention particulière aux **séquelles** qu'elles peuvent entraîner.

Le but des soins dans ce modèle
D'abord, aider la personne à satisfaire ses besoins de façon optimale pour parvenir à un mieux-être et ensuite l'amener à retrouver son indépendance face à ses besoins.

La cible des soins

Dans la définition de son modèle, Henderson a écrit que la cible des soins est l'humain, considéré comme être biopsychosocial et spirituel, caractérisé par ses 14 besoins fondamentaux. L'intérêt de Virginia Henderson pour la famille et la communauté dont elle reconnaissait l'influence (Halloran, 1995, p. 125-126) nous autorisent aussi à élargir ce concept à la famille dont la personne fait partie.

Les concepts d'indépendance/dépendance

Virginia Henderson a écrit que toute personne tend vers l'indépendance et la désire. Pour s'en convaincre, il suffit de voir un jeune enfant qui se développe normalement réclamer de le laisser manger ou marcher seul, ou de considérer l'adolescent qui réclame son indépendance à cor et à cri. E. Deci et R. M. Ryan (1987, p. 1024-1037) écrivent d'ailleurs que le développement humain est caractérisé par un mouvement continuel vers une plus grande autonomie. Ce mouvement dépend du développement progressif de la personne et l'amène à tenter d'être le principal agent causal de son comportement et non pas seulement un pion que d'autres manipulent. Il est donc normal que la personne soignée tende vers l'indépendance et l'auto-détermination.

Le concept d'indépendance est l'élément central de ce modèle conceptuel. Lorsqu'il s'agit d'un malade, il consiste à satisfaire par lui-même l'un ou l'autre de ses besoins. Après avoir reconnu les problèmes de dépendance, il faut planifier des actions visant à les enrayer.

Dans ce modèle, la dépendance prend un sens légèrement différent de son sens habituel. En effet, lorsqu'on parle de dépendance aux somnifères, aux laxatifs ou aux drogues, par exemple, il s'agit d'une accoutumance à l'effet psychologique ou physiologique de ces substances. Dans le modèle de Virginia Henderson, la dépendance signifie plutôt la nécessité où se trouve une personne de compter sur quelqu'un d'autre pour satisfaire ses besoins. L'indépendance et la dépendance peuvent se définir comme suit.

Indépendance / Dépendance

Atteinte d'un niveau acceptable de satisfaction des besoins de la personne qui adopte, en fonction de son état, des comportements appropriés ou qui accomplit elle-même des actions, sans l'aide d'autrui.

Incapacité où se trouve la personne d'adopter des comportements appropriés ou d'accomplir elle-même, sans aide, les actions qui lui permettraient, en fonction de son état, d'atteindre un niveau acceptable de satisfaction de ses besoins.

Le niveau acceptable (ou optimal) de satisfaction des besoins est celui qui permet le maintien de l'équilibre physiologique, psychologique, social et spirituel de la personne, manifesté par un état de bien-être.

Il est toujours important de considérer le niveau d'indépendance que la personne peut réellement atteindre, compte tenu de son état. Une personne qui souffre d'une maladie chronique ou d'une infirmité, par exemple, présente certaines dépendances persistantes (elle peut être faible ou boiter). Par ses soins l'infirmière pourra l'amener à s'améliorer, mais certaines séquelles entraveront peut-être la satisfaction de quelques besoins sans pour autant rendre la personne dépendante.

Il ne faut pas se laisser arrêter par la dépendance perçue au début de l'application d'un plan de soins. Même si les possibilités d'évolution de la personne semblent limitées, avec des soins appropriés, les progrès peuvent être étonnants.

Le respect de la capacité d'autonomie de la personne incite l'infirmière à la laisser faire son bout de chemin. Cependant, il faut se rappeler que l'on ne passe pas toujours rapidement de la dépendance à l'indépendance et que, pour y arriver, la personne soignée a besoin du support de l'infirmière. Il y a tout un monde de différence entre abandonner un malade faible devant son bassin de toilette en espérant qu'il se tirera d'affaires et solliciter sa collaboration en le soutenant et en l'encourageant à progresser. Personne n'a encore inventé l'indépendance instantanée!

L'indépendance chez l'enfant

L'enfant est considéré comme indépendant s'il peut accomplir les actions normales pour son âge, même si certains besoins (alimentation, élimination, soins d'hygiène, etc.) nécessitent l'assistance de ses parents ou de toute autre personne.

Les manifestations de dépendance

Certaines manifestations révèlent une perturbation dans la satisfaction des besoins et expriment la dépendance. Ces manifestations peuvent être subjectives ou objectives selon qu'elles sont exprimées par la personne elle-même ou observées par l'infirmière. Elles se traduisent par des plaintes, des signes et des symptômes indiquant une perturbation d'ordre physique (sécrétions, toux, déshydratation de la peau, etc.), d'ordre psychologique (anxiété, peur, chagrin), d'ordre social (solitude, difficulté de communication) ou d'ordre spirituel (détresse spirituelle).

La dépendance peut aussi se manifester par des habitudes de vie qui nuisent à la santé (tabagisme, alimentation pauvre en fibres, sédentarisme, etc.).

Prenons le cas d'Odile pour illustrer des manifestations de dépendance

Odile est hospitalisée pour des problèmes intestinaux diagnostiqués colite ulcéreuse. Elle accuse des douleurs fréquentes à l'abdomen et déclare se sentir très nerveuse. Elle dort mal et se sent fatiguée. Son élimination intestinale la préoccupe: elle souffre très souvent de diarrhées importantes, exagérées par le stress. Tous les malaises d'Odile sont des manifestations de dépendance. Il s'agit de signes et de symptômes qui traduisent un écart à la normale non seulement pour son besoin d'éliminer, mais aussi pour ses besoins de dormir et se reposer, et d'éviter les dangers.

Les niveaux de dépendance

Il ne suffit pas de déceler la dépendance de la personne soignée, il faut aussi en déterminer le niveau pour planifier les interventions nécessaires. En effet, il existe divers degrés de dépendance/indépendance. Le niveau de dépendance varie selon l'importance de l'aide que requiert une personne pour satisfaire ses besoins.

Pour mieux distinguer ces niveaux, il est intéressant de les situer sur un continuum tel qu'il est présenté dans le tableau 2.1. Le tableau est divisé en six niveaux, dont le premier, le niveau 0, est celui de l'indépendance qui présente deux aspects: ce que la personne accomplit elle-même pour satisfaire ses besoins de façon acceptable et ce qu'elle accomplit aussi de manière indépendante, mais à l'aide d'un appareil, d'un dispositif de soutien ou d'un traitement.

Les cinq autres niveaux marquent une gradation progressive de la dépendance de la personne, allant de l'aide légère à la prise en charge complète par quelqu'un d'autre.

Porter un jugement sur le degré de dépendance d'une personne peut s'avérer fort utile pour la coordination du travail de l'équipe soignante.

Bien entendu, les dépendances qui requièrent des soins physiques peuvent sembler exiger beaucoup de temps et d'attention de la part de l'infirmière, mais une dépendance pour satisfaire un besoin de communiquer ou d'apprendre peut en exiger tout autant.

Tableau 2.1 Continuum dépendance/indépendance

| INDÉPENDANCE | | DÉPENDANCE | | | |
Niveau 0	Niveau 1	Niveau 2	Niveau 3	Niveau 4	Niveau 5
La personne satisfait elle-même ses besoins d'une façon acceptable qui permet d'assurer son homéostasie. Elle suit un traitement adéquatement ou utilise un appareil, un dispositif de soutien ou une prothèse sans aide.	La personne a besoin de quelqu'un pour lui enseigner comment faire pour conserver ou reconquérir son indépendance et assurer son homéostasie, pour s'assurer qu'elle le fait bien ou pour lui apporter un peu d'aide.	La personne a besoin de quelqu'un pour suivre un traitement adéquatement ou pour utiliser un appareil, un dispositif de soutien ou une prothèse.	La personne doit compter sur quelqu'un d'autre pour accomplir les actions nécessaires à la satisfaction de ses besoins, ou pour son traitement, mais elle ne peut y participer grandement.	La personne doit compter sur quelqu'un d'autre pour accomplir les actions nécessaires à la satisfaction de ses besoins, ou pour son traitement, et elle peut à peine y participer.	La personne doit s'en remettre entièrement à quelqu'un d'autre pour satisfaire ses besoins, ou pour appliquer son traitement, et elle ne peut aucunement y participer.

Indépendance réelle ou indépendance forcée

Il est nécessaire de nuancer le concept d'indépendance. L'indépendance ne peut être réelle que si la motivation vient de la personne elle-même. Aussi longtemps que celle-ci satisfait ses besoins à partir d'une stimulation extérieure, l'indépendance ne peut être véritablement assurée. La motivation peut se définir comme l'effort ou l'énergie que la personne est prête à consentir pour accomplir une tâche (Brien, 1994, p. 27). On peut distinguer quatre niveaux dans la motivation.

Niveaux de motivation à l'indépendance

- L'absence totale de motivation.
- La motivation suscitée par des membres de l'équipe soignante. Elle peut durer un temps, puis s'estomper.
- La motivation engendrée par la peur. Elle demeure généralement présente tant que le danger d'une maladie sérieuse ou d'une complication est imminent.
- La motivation intrinsèque est celle qui vient de la personne elle-même, de sa conviction à agir. C'est la seule réellement durable.

Il faut donc susciter la motivation intrinsèque par un enseignement éclairé et par l'appréciation des beaux côtés de la vie, de la présence des proches ou de la poursuite d'un idéal.

Robert Brien mentionne, parmi les facteurs qui influencent la motivation, l'importance que la personne accorde au but final, son intérêt pour la tâche à accomplir et l'ampleur de cette tâche. Il faut considérer ces éléments lorsqu'on est en présence d'une personne qui vit une situation difficile: il faut se demander ce que signifie pour elle le rétablissement, la stagnation de son état ou sa détérioration.

Devant certains traitements envahissants, qui s'étendent parfois sur une longue période, on peut s'interroger sur les difficultés qu'ils créent et sur l'ampleur de la tâche qu'ils représentent pour le malade. La difficulté et la lassitude ne risquent-elles pas d'éroder la motivation du jeune diabétique qui doit s'astreindre à un régime sévère ou celle du leucémique qui doit subir une chimiothérapie, par exemple? Plus la tâche à accomplir est lourde pour le malade, plus l'infirmière doit s'employer à soutenir sa motivation à l'indépendance.

Tableau 2.2 Facteurs qui influencent la satisfaction des besoins

BESOIN	FACTEURS D'INFLUENCE *ou source de difficulté*			
	Physiques	**Psychologiques**	**Socioculturels**	**Spirituels**
RESPIRER • Apport essentiel en oxygène • Diffusion des gaz au niveau pulmonaire • Échanges au niveau cellulaire • Rejet à l'extérieur du gaz carbonique et de la vapeur d'eau	• Altération organique • Immaturité ou viellissement • Fatigue • Obstruction mécanique • Fièvre • Effets secondaires des médicaments • Tabagisme • Intoxication • Humidité ou sécheresse des lieux • Maladies nerveuses, circulatoires ou respiratoires chroniques	• Émotions • Anxiété et stress	• Style de vie: – Activités physiques – Sports de plein air – Sédentarisme – Tabagisme • Environnement: – Pollution extérieure – Conditions de travail inadéquates: exposition aux polluants	• Méditation • Discipline personnelle de respiration, yoga
BOIRE ET MANGER • Ingestion, digestion et absorption de l'eau et des nutriments nécessaires à la vie	• Capacité de mastiquer, de déglutir et d'absorber les aliments • Qualité et quantité des aliments et des boissons • Équilibre électrolytique, hormonal et métabolique • Altération physiologique ou organique • Disponibilité des aliments • Mode d'alimentation: oral, parentéral • Douleurs dans l'appareil digestif	• Anxiété, anorexie • Utilisation de mécanismes de défense: compensation, sublimation • Peur • Habitudes personnelles et goûts liés à l'absorption des aliments ou des boissons • Image corporelle désirée	• Habitudes culturelles • Horaires de repas • Climat familial au moment des repas • Limites occasionnées par le travail • Situation économique • Limites liées à l'hospitalisation	• Interdits ou prescriptions religieuses: jeûnes, aliments défendus

Tableau 2.2 (suite)

BESOIN	FACTEURS D'INFLUENCE			
	Physiques	**Psychologiques**	**Socioculturels**	**Spirituels**
ÉLIMINER • Rejet des substances nuisibles ou inutiles produites par le métabolisme ou par certaines fonctions: élimination urinaire et intestinale, sueurs, larmes, menstruations et lochies	• Altération organique • Immaturité ou viellissement • Obstruction • Effets secondaires des médicaments: dépendance physique aux laxatifs • Alimentation: déficience en fibres • Douleurs à la défécation • Sédentarisme • Problèmes hormonaux • Âge	• Changements physiologiques liés à l'accouchement • Gêne et dédain • Anxiété et stress • Habitudes d'élimination • Intimité • Dépendance psychologique aux laxatifs • Attitude face à la menstruation	• Activités physiques • Propreté des lieux • Éducation • Valeurs concernant l'hygiène • Organisation et contrôle sanitaire	• Valeurs accordées à l'hygiène et aux ablutions
SE MOUVOIR ET MAINTENIR UNE BONNE POSTURE • Impulsions données aux muscles afin de permettre le changement de position du corps et des membres • Maintien d'un bon alignement des segments corporels • Au mouvement, on doit aussi joindre la circulation	• Altération des structures qui permettent le mouvement: – Atteinte neurologique – Raideur, ankylose des articulations – Faiblesse – Vieillissement – Traumatisme – Amputation – Atteinte du système vestibulaire – Exercices – Arthériosclérose – Lésions tissulaires	• Anxiété, stress • Valeur accordée au sport et à l'exercice physique • Habitude personnelle de maintien, de sédentarisme ou d'activités	• Organisation des sports et activités • Conditions de travail inadéquates: mauvaise posture, gestes répétitifs	• Gestes rituels • Position pour la méditation ou la prière

Tableau 2.2 *(suite)*

BESOIN	FACTEURS D'INFLUENCE			
	Physiques	**Psychologiques**	**Socioculturels**	**Spirituels**
DORMIR ET SE REPOSER • Suspension des activités et de l'état de conscience qui permet de reconstituer les forces de l'organisme	• Douleurs • Prurit • Inconfort • Confort du lit et du lieu de repos • Rythmes biologiques • Médicaments, alcool et stimulants	• Émotions: anxiété, peur et stress • Manque de stimulation ou hyperstimulation • Habitudes de sommeil • Rituel précédant le coucher • Dépendance pharmacologique	• Horaires de travail • Pollution par le bruit • Intimité du lieu de repos • Changements dans la routine quotidienne	• Rituel de prière au coucher
SE VÊTIR, SE DÉVÊTIR • Protection du corps par des vêtements, des chaussures, etc., en fonction du climat, des normes sociales et de la réserve personnelle	• Raideurs articulaires • Amputation • Faiblesse • Atteinte neurologique • Vieillissement	• Altération de l'état de conscience • Perte d'autonomie sur le plan cognitif • Importance accordée au vêtement et à la mise personnelle • Goûts personnels • État dépressif • Gêne, pudeur	• Modes, normes sociales • Situation socio-économique	• Interdiction de porter certains vêtements jugés inacceptables • Obligation de porter certaines pièces de vêtement (ex.: tchador)
MAINTENIR LA TEMPÉRATURE DU CORPS DANS LES LIMITES DE LA NORMALE • Équilibre entre la production de chaleur par le métabolisme et la déperdition à la surface corporelle	• Immaturité • Vieillissement • Inflammation, infection • Traumatisme, tumeur cérébrale • Température du milieu ambiant • Alcoolisme • Agitation • Déshydratation • Consommation de diurétiques	• Émotions intenses • Anxiété et stress • Confort • Isolation • Chauffage de la maison, et des lieux de travail et d'étude		

Tableau 2.2 *(suite)*

BESOIN	FACTEURS D'INFLUENCE			
	Physiques	**Psychologiques**	**Socioculturels**	**Spirituels**
ÊTRE PROPRE ET SOIGNÉ, ET PROTÉGER SES TÉGUMENTS • Application des soins d'hygiène essentiels à la santé, attention à sa mise personnelle et préservation des tissus qui recouvrent le corps	• Douleurs • Raideurs articulaires • Amputation • Faiblesse • Atteinte neurologique • Déficit visuel	• Altération de l'état de conscience • Perte d'autonomie sur le plan cognitif • Importance accordée à l'hygiène et à la mise personnelle • Image de soi • État dépressif	• Normes sociales • Situation socio-économique • État du milieu de vie et de travail • Installations sanitaires • Ablutions liées à certains rites	
ÉVITER LES DANGERS • Protection contre les menaces, les agressions, les négligences afin de maintenir son intégrité physique et psychologique	• Altération des mécanismes immunitaires • Limites sensorielles: vue, ouïe, perception tactile • Inflammation, infection • Idées autodestructrices, suicidaires • Modification du schéma corporel • Douleurs • Consommation de médicaments	• Image de soi • Anxiété et stress • Non-acceptation ou non-respect du traitement • Dépendance aux drogues, à l'alcool	• Mesures de sécurité au travail • Sécurité à la maison • Contagion • Prévention communautaire du suicide • Maintien du réseau de soutien	• Valorisation du stoïcisme • Valeurs liées à la maladie, à la souffrance, à la mort
COMMUNIQUER AVEC SES SEMBLABLES (ET ASSUMER SA SEXUALITÉ) • Établissement de liens avec les autres • Sexualité	• Limites des organes des sens • Déséquilibre hormonal • Altération des organes sexuels ou de la fonction sexuelle • Atteinte neurologique	• Anxiété, stress • Troubles de la pensée • Utilisation de mécanismes de défense • Intelligence et personnalité	• Réseau de parents et d'amis • Contrôle social ou liberté sexuelle • Statut social	• Valeurs liées à la sexualité, à la procréation et à la planification des naissances • Valeurs spirituelles liées à l'ouverture aux autres

Tableau 2.2 *(suite)*

BESOIN	FACTEURS D'INFLUENCE			
	Physiques	**Psychologiques**	**Socioculturels**	**Spirituels**
AGIR SELON SES CROYANCES ET SES VALEURS • Mise en pratique de valeurs religieuses ou d'une philosophie de vie	• Immaturité • Sénilité • Atteinte cérébrale • Douleur • Contrainte du traitement • Faiblesse, alitement	• Anxiété et stress • Diminution du jugement • Perte de la mémoire • Phase d'adaptation à la maladie • Troubles de la pensée • Perturbation de l'estime de soi • Conception de la vie et de l'au-delà	• Liberté ou contrôle exercé par l'entourage • Éloignement du lieu de culte • Influence de la culture • Préjugés	• Valorisation du stoïcisme • Valeurs liées à la maladie, à la souf-france, à la mort, aux rituels et aux objets de culte • Appartenance à une religion, à une philo-sophie de vie, à un type d'alimentation
S'OCCUPER EN VUE DE SE RÉALISER • Emploi du temps efficace et valorisant • Épanouissement personnel • Capacité d'autonomie	• Faiblesse • Atteinte neuro-logique • Amputation • Raideurs articulaires • Douleurs • Alitement • Vieillissement	• Image de soi • Volonté d'autonomie • Désir de se réaliser • Troubles de la pensée • Dépression	• Éducation • Limites socio-économiques • Chômage • Rôle de malade, rôle professionnel et parental • Retraite	• Philosophie de la personne face au tra-vail, à la réalisation de soi
SE RÉCRÉER • Pratique d'une forme de loisir	• Faiblesse • Douleurs • Amputation • Raideurs articulaires • Vieillissement • Atteinte neuro-logique	• Sédentarisme • État dépressif • Deuil	• Appartenance à un groupe pour les loisirs • Solitude	• Philosophie person-nelle face au plaisir, au jeu, au sport
APPRENDRE • Acquisition de connaissances	• Atteinte cérébrale	• Difficultés d'attention • Perte de la mémoire • Manque de motivation • Intelligence	• Présence d'un groupe • Support de la famille • Niveau d'éducation • Langue parlée • Appartenance culturelle	• Philosophie de la personne face à la connaissance

Mise en garde pour l'utilisation d'un modèle

Il faut utiliser les modèles avec une grande ouverture d'esprit et beaucoup de souplesse. En effet, comme l'écrit Joël de Rosnay (1975): «Les modèles ne sont que des points de départ pour la réflexion. En aucun cas des points d'arrivée.» Appliquer un modèle conceptuel n'est donc pas un but en soi, ce n'est qu'un moyen qu'il faut utiliser avec discernement.

Les modèles sont des cadres théoriques qui doivent être constamment adaptés à la réalité, c'est-à-dire vérifiés dans l'action et modifiés en conséquence. Ils servent de supports pour l'observation de la personne et l'interprétation de ses difficultés. De plus, ils guident les interventions de soins, mais ils ne doivent jamais être suivis aveuglément. Un modèle doit servir l'infirmière et non pas l'asservir.

La personne et la satisfaction de ses besoins

Dans le modèle conceptuel de Virginia Henderson, la personne, malade ou en santé, est définie comme un tout intégré présentant 14 besoins fondamentaux qu'elle doit satisfaire de façon optimale afin de conserver ou de reconquérir son homéostasie. Lorsqu'un besoin n'est pas satisfait de façon suffisante, l'individu se trouve incomplet, dépendant, c'est-à-dire en état de déséquilibre physique, psychologique, social ou spirituel.

La satisfaction d'un besoin peut être partielle, mais suffisante pour mener une vie normale. Ainsi, une personne peut boiter ou marcher avec une canne et satisfaire son besoin de se mouvoir convenablement même si sa mobilité est imparfaite. C'est pourquoi il est important de parler de satisfaction acceptable ou optimale des besoins selon l'état de la personne; la satisfaction totale est le plus souvent illusoire.

La satisfaction d'un besoin peut être entravée non seulement par une insuffisance quantitative, mais aussi par une insuffisance qualitative. Une personne peut vivre une perturbation du besoin de manger, par exemple, si elle ne s'alimente pas suffisamment ou si elle consomme des aliments pauvres en valeurs nutritives. Il en va de même si elle recourt à des moyens inappropriés pour satisfaire ses besoins. Ainsi, si elle abuse de boissons gazeuses ou d'alcool pour satisfaire son besoin de boire, elle provoque un déséquilibre.

Dans certains cas, la satisfaction d'un besoin peut aussi être perturbée par surcharge, comme le besoin de s'alimenter chez une personne boulimique ou le besoin de respirer chez la personne qui fait de l'hyperventilation.

Perturbation d'un besoin	
Par manque de satisfaction	Par excès de satisfaction
Par déséquilibre (utilisation de moyens inappropriés)	

Les liens entre les besoins

Les besoins sont interreliés et l'insatisfaction de l'un d'eux entraîne toujours des répercussions sur la satisfaction des autres. Ainsi, la personne qui présente des sécrétions bronchiques et qui éprouve de la difficulté à respirer peut aussi éprouver de la difficulté à manger parce qu'elle est oppressée, et à dormir parce qu'elle tousse. De même, la personne qui s'alimente mal et qui consomme une quantité insuffisante de fibres peut éprouver des problèmes d'élimination (constipation).

Le fait d'intervenir sur le besoin qui est source de difficulté permet de régler non seulement la difficulté primaire, mais aussi celles qui en découlent. Cette interaction entre les besoins nous montre la complexité de l'être humain et la nécessité de considérer les besoins dans leur ensemble puisque la personne forme un tout intégré. Il est important de tenir compte des liens entre les besoins, car, autrement, cela reviendrait à voir la personne en pièces détachées, ce qui serait contraire à la pensée de Virginia Henderson qui voyait l'humain comme un tout caractérisé par 14 besoins fondamentaux. Dans cet ouvrage, ils sont présentés séparément pour en faciliter l'étude. Le tableau 2.3 met en lumière les liens les plus fréquents entre les besoins.

Tableau 2.3 Liens entre les besoins

BESOIN PERTURBÉ	BESOINS LES PLUS INFLUENCÉS
Respirer	• Boire et manger • Se mouvoir et maintenir une bonne posture • Dormir et se reposer • S'occuper en vue de se réaliser • Se récréer
Boire et manger	• Respirer • Éliminer • Maintenir la température du corps dans les limites de la normale • Protéger ses téguments
Éliminer	• Boire et manger • Dormir et se reposer • Être propre et soigné, et protéger ses téguments • Se récréer
Se mouvoir et maintenir une bonne posture	• Respirer • Boire et manger • Éliminer • Dormir et se reposer • Se vêtir et se dévêtir • Être propre et soigné, et protéger ses téguments • Éviter les dangers • S'occuper en vue de se réaliser • Se récréer

Tableau 2.3 *(suite)*

BESOIN PERTURBÉ	BESOINS LES PLUS INFLUENCÉS
Dormir et se reposer	• Boire et manger • Éliminer • S'occuper en vue de se réaliser
Se vêtir et se dévêtir	• Maintenir la température du corps dans les limites de la normale
Maintenir la température du corps dans les limites de la normale	• Respirer • Boire et manger
Être propre et soigné, et protéger ses téguments	• Se mouvoir et maintenir une bonne posture • Se vêtir et se dévêtir
Éviter les dangers	• Se mouvoir et maintenir une bonne posture • Dormir et se reposer • Communiquer avec ses semblables
Communiquer avec ses semblables	• Éviter les dangers • Se récréer
Agir selon ses croyances et ses valeurs	• Boire et manger • Se vêtir • Être propre et soigné, et protéger ses téguments • Communiquer avec ses semblables • S'occuper en vue de se réaliser
S'occuper en vue de se réaliser	• Respirer • Éliminer • Se mouvoir et maintenir une bonne posture • Dormir et se reposer • Être propre et soigné, et protéger ses téguments • Communiquer avec ses semblables
Se récréer	• Respirer • Boire et manger • Se mouvoir et maintenir une bonne posture • Éviter les dangers • Communiquer avec ses semblables
Apprendre	• Tous les besoins

Les priorités dans les besoins

Dans le tableau, les besoins sont présentés selon un ordre défini, sans signification particulière. Ce qui compte n'est pas tant la place qu'occupe un besoin dans l'échelle du modèle que l'importance qu'il revêt pour la personne soignée, selon sa situation.

Cependant, on reconnaît que les besoins physiques doivent être satisfaits d'abord, afin de préserver l'équilibre homéostatique. De toute manière, il faut combler les besoins essentiels avant que ceux des autres niveaux puissent se manifester. Par exemple, les besoins cognitifs, affectifs et sociaux se manifestent seulement après que les besoins très élémentaires de respirer, de boire et de manger, etc., sont satisfaits.

L'état de nécessité qui se manifeste lorsqu'un besoin n'est pas satisfait varie en fonction de la condition et de la situation de la personne. Par conséquent, l'ordre des **priorités** varie aussi.

Certains critères peuvent influencer le choix des priorités. Ainsi, on cherchera d'abord à préserver la vie et à assurer la sécurité. On visera ensuite les besoins qui entraînent une forte dépense d'énergie, puis ceux qui occasionnent un haut niveau de dépendance, etc. L'encadré suivant présente une échelle des priorités.

PRIORITÉ
Élément qui doit passer avant les autres.

L'ÉTABLISSEMENT DE PRIORITÉS OFFRE PLUSIEURS AVANTAGES:

Pour la personne soignée

- aider à satisfaire ses besoins les plus urgents;
- répondre à ses attentes.

Pour un groupe de malades

- organiser le travail de l'infirmière de sorte qu'elle s'occupe de la personne dont les soins sont les plus urgents ou requièrent le plus d'attention;
- planifier le travail de la journée et répartir les tâches de façon logique et harmonieuse;
- déléguer certaines tâches à d'autres membres de l'équipe soignante.

L'INFIRMIÈRE DOIT D'ABORD S'OCCUPER D'UN BESOIN DONT L'INSATISFACTION:

- met l'équilibre homéostatique en danger ou menace la vie de la personne, comme une difficulté respiratoire grave (besoin de respirer), une déshydratation importante (besoin de boire) ou une hypothermie sérieuse (besoin de maintenir la température dans les limites de la normale);
- peut compromettre la sécurité de la personne, comme des idées suicidaires, une crise d'anxiété ou d'agitation, un déficit sensoriel qui entraîne un risque d'accident ou de fugue (besoin d'éviter les dangers);
- entraîne une forte dépense d'énergie, telles la douleur, l'anxiété et la peur (besoin d'éviter les dangers);
- occasionne un niveau important de dépendance qui se répercute sur les autre besoins, telle une limite de la mobilité (besoin de se mouvoir) qui l'empêche de manger et de boire seule, d'aller aux toilettes, de marcher et de se laver, de se vêtir seule;
- entraîne des séquelles indésirables, comme l'immobilité ou les postures vicieuses qui risquent de causer l'ankylose et les déformations (besoin de se mouvoir et de maintenir une bonne posture);
- provoque l'inconfort, comme une atteinte à l'intégrité de la peau, des rougeurs, du prurit, etc. (besoin d'être propre et de protéger ses téguments), le ballonnement, la constipation (besoin d'éliminer) ou encore la fatigue (besoin de dormir et de se reposer);
- risque de porter atteinte au droit à l'information (besoin d'apprendre) ou à celui de vivre selon ses croyances et ses valeurs, ou peut empêcher la personne de communiquer ou de se réaliser.

La priorité des besoins varie donc en fonction de la situation. Toutefois, il arrive que plusieurs besoins se manifestent au même moment et revêtent la même importance ou le même caractère d'urgence. Voici quelques exemples qui illustrent ces situations.

Mise en situation

Marie doit subir une intervention chirurgicale. Le matin de l'opération, elle doit demeurer à jeun, mais elle n'éprouve pas vraiment le besoin de manger, car elle se sent trop nerveuse. Elle interroge l'infirmière sur ce qui se passera à la salle d'opération et ce qui arrivera après.

L'infirmière peut alors déceler deux difficultés: l'anxiété de Marie, et son besoin de connaître et d'apprendre. Dans le cas de Marie, l'ordre des priorités s'établit ainsi:

1 – Besoin d'éviter les dangers (anxiété)
2 – Besoin d'apprendre
3 – Besoin de s'alimenter

Voici un autre exemple: Marc est hospitalisé pour une fracture du fémur. Il est en traction. Alité depuis quelque temps, il présente une rougeur au siège et une gêne respiratoire qui provoque des quintes de toux cinq à six fois par jour. Il trouve le temps long et dit s'ennuyer à l'hôpital.

Dans le cas de Marc, l'ordre des priorités s'établit ainsi:

1 – Besoin de respirer
2 – Être propre et protéger ses téguments
3 – Se récréer

La dépendance et le rôle de malade

La dépendance peut aussi se manifester à l'égard d'un proche (conjoint ou conjointe, enfant, etc.) qui agit comme soutien naturel de la personne malade. Dans ce cas aussi l'infirmière devra peut-être intervenir afin d'amener la personne à une plus grande indépendance.

L'infirmière doit bien comprendre le phénomène de la dépendance si elle veut pouvoir faire progresser le malade. Notre perception de la dépendance et nos attentes devant ce phénomène sont largement conditionnées par ce que L. T. Parsons (1958, cité par Dianne Schilke dans Sexton, 1990, p. 359) décrivait comme le rôle du malade. Les caractéristiques qu'il attribuait à ce rôle reposent sur trois critères:

- l'exemption des responsabilités habituelles;
- l'acceptation du fait que la personne ne peut pas guérir par sa seule volonté et qu'elle ne peut être tenue responsable de son état;
- l'attente d'un désir de guérison de la part du malade, à la condition qu'il soit motivé à collaborer à son traitement.

Voilà, somme toute, les sentiments qui nous animent devant la personne soignée. Lorsqu'elle ne correspond pas à cette description, c'est-à-dire lorsqu'elle n'assume pas bien son rôle de malade, nous ne cherchons pas toujours à la comprendre et nous la considérons même parfois comme «un mauvais malade».

Pourtant, les critères décrits par Parsons sont surtout valables pour les maladies aiguës où l'on peut espérer une évolution vers la guérison. La personne qui souffre d'une maladie chronique ne peut pas nourrir cette espérance et penser reprendre toutes ses activités. Aussi la dynamique est-elle très différente. Dans ce cas, l'indépendance ne peut être atteinte et plusieurs rôles de la personne se voient modifiés, y compris son rôle de malade.

Il revient alors à l'infirmière d'aider la personne à accepter certaines limites, à s'adapter à sa condition et à conquérir son autonomie.

Le modèle de Virginia Henderson et le rôle autonome de l'infirmière

Ce modèle conceptuel nous oriente vers des actions propres aux soins infirmiers, qui ne relèvent pas de l'ordonnance médicale. À une époque où la technologie commençait à s'implanter, à sa façon, Virginia Henderson se faisait déjà l'avocate du rôle autonome de l'infirmière. Elle déclarait que:

- l'infirmière exerce des fonctions qui lui sont propres;
- lorsqu'elle tente d'usurper le rôle du médecin, elle néglige ses fonctions et les délègue à un personnel moins qualifié;
- la personne et la société attendent un service particulier de la part de l'infirmière.

Dans sa définition du rôle de l'infirmière lié à la satisfaction des besoins et au rétablissement de l'indépendance de la personne soignée, elle déclarait même que cette partie de son travail lui appartient et qu'elle en est le maître.

De nos jours, le rôle autonome de l'infirmière est reconnu officiellement dans les textes de loi de plusieurs pays. Au Québec, il est défini dans la Loi sur les infirmières et les infirmiers, aux articles 36 et 37 dont voici l'énoncé.

> ### Définition de l'exercice infirmier
>
> Constitue l'exercice de la profession d'infirmière ou d'infirmier tout acte qui a pour objet d'identifier les besoins des personnes, de contribuer aux méthodes de diagnostic, de prodiguer et contrôler les soins infirmiers que requièrent la promotion de la santé, la prévention de la maladie, le traitement et la réadaptation ainsi que le fait de prodiguer des soins selon une ordonnance médicale. L'infirmière et l'infirmier peuvent, dans l'exercice de leur profession, renseigner la population sur les problèmes d'ordre sanitaire (art. 36 et 37).

(annotation manuscrite : loi 90 art. 39.4 et 36)

Cette définition légale a aussi été adoptée en France, dans le décret du 17 juillet 1984, relatif à l'exercice de la profession d'infirmière, publié dans le *Journal officiel du ministère des Affaires sociales et de la Solidarité nationale*, nos 83–36, folios 15–63. Ce décret, comme la loi de 1978 d'ailleurs, reconnaît à l'infirmière la compétence de donner des soins incluant:

- les soins exécutés sur prescription médicale;
- les soins qui relèvent de l'initiative de l'infirmière en application du rôle propre qui lui est dévolu; relèvent du rôle propre de l'infirmière des soins liés aux fonctions d'entretien et de continuité de la vie destinés à compenser partiellement ou totalement un manque d'autonomie de la personne. L'infirmière a l'initiative de ces soins et en organise la mise en œuvre [...].

La recherche d'un rôle particulier pour l'infirmière n'émane pas seulement d'une volonté de prendre ses distances face au contrôle exercé par la profession médicale, mais surtout de la nécessité de redonner sa place à la personne soignée, de voir des soins là où trop souvent on ne voit que des traitements. En ce sens, soigner ne se résume plus à s'occuper de la maladie, cela signifie aussi aider la personne à vivre pendant le traitement de la maladie.

Hélas! l'infirmière s'en tient trop souvent à son rôle de simple exécutante. Il faut alors nous questionner sur le statut de professionnelles que nous revendiquons, car ne peuvent être véritablement reconnues professionnelles que les personnes qui possèdent un certain degré d'autonomie dans leur travail. Comme le souligne avec justesse Monique Formarier, il ne suffit pas d'avoir une loi pour agir, ce n'est pas parce que les infirmières ont un rôle propre codifié qu'elles l'exercent (1995, p. 118).

Il nous faut cependant reconnaître qu'au–delà des déclarations légales nous sommes toutes attachées à des valeurs et des croyances qui influencent souvent davantage notre façon de soigner que les textes de loi. Aussi, l'exercice de notre rôle autonome tient–il, pour le moment, beaucoup de la prise de conscience et de la responsabilité individuelle.

Des questions et des exercices sont présentés dans un guide d'application, accompagné d'un recueil de solutions. Comme il ne faut pas se limiter aux connaissances théoriques, il est important de les mettre en application dans des exercices.

B ibliographie

ADAM, Evelyn (1979). Être infirmière. Montréal, HRW.

ANDREEWSKI, E. *et al.* (1991). *Systémique et Cognition.* Paris, Dunod.

BRIEN, Robert (1994). *Science cognitive.* Québec, Presses de l'Université du Québec.

DECI, E. et RYAN, R. M. (1987). «The Support of Autonomy and the Control of Behavior». *Journal of Social Psychology*, 53, p. 1024–1037.

ERICKSON, E. H. (1968). *Identity, Youth and Crisis.* New York, Norton.

FORMARIER, Monique (1995). *Opérationnalisation des concepts: soins, qualité, évaluation. Soins infirmiers: repères méthodologiques. La Recherche en soins infirmiers.* Paris, Publications ARSI.

GERGEN, Kenneth J., GERGEN, Mary M. et JUTRAS, Sylvie (1992). *Psychologie sociale.* Laval, Études Vivantes.

GODEFROID, Jo (1987). *Psychologie: science humaine.* Montréal, Études Vivantes.

GODEFROID, Jo (1991). *Psychologie: science humaine.* Édition revue et corrigée, Laval, Études Vivantes.

GODEFROID, Jo (1993). *Les Fondements de la psychologie: science humaine et science cognitive*, Laval, Études Vivantes.

HALLORAN, Edward J. (1995). *A Virginia Henderson Reader.* New York, Springer Publishing Co.

HENDERSON, V. (1964). «The Nature of Nursing». *American Journal of Nursing.* Vol. 64, n° 8, p. 62–68.

HENDERSON, V. (1994). *La Nature des soins infirmiers.* Présentation des textes chronologiques, biographiques et notes explicatives de Virginia Henderson colligés par Marie–Françoise Collière, Montréal, Erpi.

HENDERSON, V. et NITE, G. (1978). *The Principles and Practice of Nursing.* New York, Macmillan.

KÉROUAC, Suzanne *et al.* (1994). *La Pensée infirmière.* Laval, Études Vivantes.

KERSHAW, Betty et SALVAGE, Jane (1986). *Models for Nursing.* New York, John Wiley & Sons.

MASLOW, Abraham (1943). *A Theory of Human Motivations, Psychological Review.*

MONNIG, Regina L. (1983). «Professional Territoriality» dans Norma L. Chaska [s. la dir. de] (1983). *A Time to Speak.* New York, McGraw–Hill.

ORLANDO, Ida (1979). *La Relation dynamique infirmière – client.* Montréal, HRW.

PARSONS, T. (1958). *Definition of Health and Illness in the Light of American Values and Social Structure.* E. G. Jaco ed., cité dans Dorothy L. Sexton (1990), *Nursing Care of the Respiratory Patient.* Norwalk, Conn., Appleton & Lange.

PHANEUF, Margot (1985). *La Démarche scientifique.* Montréal, McGraw–Hill.

RIOPELLE, L., GRONDIN, L. et PHANEUF, M. (1984). *Soins infirmiers, un modèle centré sur les besoins de la personne.* Montréal, McGraw–Hill.

ROSNAY, de, Joël (1975). *Le Macroscope,* Paris, Seuil.

SEXTON, Dorothy L. (1990). *Nursing Care of the Respiratory Patient.* Norwalk, Conn., Appleton & Lange.

VALLERAND, Robert J. et THILL, Edgar E. (1993). *Introduction à la psychologie de la motivation.* Laval, Études Vivantes.

WESLEY, Ruby, L. (1995). *Nursing Theories and Models.* Springhouse, Penn., Springhouse Corporation.

YURA, Helen et WALSH, Mary B. (1982). *Human Needs and the Nursing Process.* Vol. 2. Norwalk, Conn. Appleton–Century–Crofts.

3

Les besoins

Objectif terminal

L'étudiante prendra conscience de l'importance de la satisfaction des besoins fondamentaux dans l'équilibre homéostatique de la personne et la conservation de sa santé.

Objectifs intermédiaires

De façon plus spécifique, l'élève sera capable:

1° de donner une définition synthétique de chacun des besoins fondamentaux;

2° de définir les implications biopsychosociales et spirituelles pour chacun des besoins;

3° de s'initier à l'observation des manifestations de dépendance pour ces divers besoins;

4° d'appliquer ces concepts à des situations simulées.

Pour compléter la compréhension du modèle conceptuel de Virginia Henderson, il importe d'approfondir ce que représente chacun des besoins humains, de les définir, de saisir leur mode de fonctionnement et de connaître les éléments d'observation à noter selon les différentes dimensions. Par souci d'intégration et d'élargissement de l'information, nous présentons quelques aspects pathologiques qui entravent ces besoins[1].

Le besoin de respirer

> Nécessité pour l'organisme d'absorber de l'oxygène et de rejeter du gaz carbonique par suite de la pénétration de l'air dans les structures respiratoires (respiration externe) et des échanges gazeux entre le sang et les tissus (respiration interne).

Mode de fonctionnement

L'air est un élément essentiel à la vie. À l'état normal, nous respirons sans y porter attention, mais, lorsque nous éprouvons de la difficulté soit à inspirer, soit à expirer, nous nous rendons compte que la respiration est une fonction vitale.

La physiologie de la respiration est complexe. Elle est régie par des processus chimiques et neurologiques. Le centre régulateur de la respiration situé dans le cerveau, au niveau du bulbe, communique avec des récepteurs périphériques qui réagissent aux changements chimiques du sang, à la pression des gaz artériels et veineux et à la fréquence de la respiration. Ces récepteurs sont situés au niveau de l'aorte et de la carotide. Ils détectent les variations du **pH** sanguin, du gaz carbonique et de l'oxygène. La fréquence et la profondeur de la respiration s'ajustent selon la situation pour satisfaire les besoins de l'organisme en oxygène.

pH
Degré d'acidité ou d'alcalinité d'une substance.

Les échanges gazeux (oxygène et gaz carbonique) se déroulent au niveau des capillaires des alvéoles pulmonaires. Cette diffusion et ces échanges dépendent de la perméabilité des structures impliquées, c'est-à-dire de l'appareil cardiorespiratoire; l'air doit circuler librement des narines aux alvéoles pulmonaires et le sang doit pouvoir y affluer normalement.

Observations

CYANOSE
Coloration bleuâtre des téguments produite par des troubles circulatoires ou une oxygénation insuffisante.

P_{O_2}, P_{CO_2}
Pression partielle de l'oxygène et du gaz carbonique. Ces mesures des gaz artériels permettent de déterminer à quel degré les poumons peuvent s'approvisionner en oxygène et se débarrasser du gaz carbonique.

De nature physique

L'infirmière doit remarquer l'amplitude, la fréquence et le rythme respiratoires de la personne; la présence de sécrétions, de bruits, de toux et l'utilisation de muscles accessoires (tirage). La **cyanose** montre l'inefficacité des échanges gazeux.

Les résultats des analyses de laboratoire peuvent également nous renseigner (P_{O_2}, P_{CO_2} et pH sanguin).

---

1. Cette définition des besoins permet à l'étudiante de voir ou de revoir certains éléments de biologie humaine essentiels à la compréhension du modèle conceptuel de Virginia Henderson. Comme l'apprentissage de la démarche de soins se situe au début de la formation, alors que les cours de biologie et de psychologie ne sont pas encore très avancés, il est important de fournir ici quelques notions sommaires des phénomènes en cause.

NARCOTIQUES
Médicaments qui provoquent l'assoupissement et le soulagement de la douleur.

CILIAIRE (ACTIVITÉ)
Activité des cils vibratiles des bronches.

FIBROSE KYSTIQUE
Maladie génétique caractérisée par l'épaississement des sécrétions de l'organisme. (Ex.: des sécrétions bronchiques)

ACARIENS
Très petits animaux de la famille des arthropodes, proches de l'araignée et qui sont souvent cause d'allergies.

Certaines substances utilisées dans le traitement de problèmes de santé produisent un effet sur la respiration: l'oxygène mal dosé, par exemple, peut provoquer une intoxication et les **narcotiques** entraînent un ralentissement marqué de la fréquence respiratoire. La respiration est une fonction autonome, mais à certains moments elle peut subir l'influence de la volonté.

L'immobilité ralentit la respiration, diminue sa profondeur et, à la longue, réduit la mobilité du diaphragme et des muscles intercostaux, altérant ainsi la capacité mécanique de respirer. De plus, l'obésité nuit à la respiration en limitant l'expansion de la cage thoracique.

Le besoin de respirer compte parmi les besoins fondamentaux dont la dimension biophysiologique est particulièrement touchée par le vieillissement. Les modifications que l'on peut alors remarquer sont la perte d'élasticité des tissus pulmonaires, la diminution de la capacité inspiratoire, de la capacité d'expansion, de la force des muscles diaphragmatiques et intercostaux et de l'activité **ciliaire** des bronches.

La présence de sécrétions, leur couleur, leur consistance et leur abondance constituent d'autres éléments d'observation. L'auscultation permet de mieux percevoir les bruits respiratoires et de noter les zones de sonorité ou de matité des plages pulmonaires.

Plusieurs problèmes de santé touchent directement la respiration: les infections pulmonaires qui agissent localement (rhinite, pneumonie, pleurésie, bronchite, tuberculose, etc.) et d'autres types d'infections qui occasionnent de la fièvre et augmentent la fréquence respiratoire.

Diverses affections telles que l'atélectasie (affaissement des alvéoles), l'emphysème (dilatation anormale et permanente des alvéoles), les maladies pulmonaires obstructives chroniques, les tumeurs des bronches ou des poumons, certaines maladies héréditaires telle la **fibrose kystique** du pancréas, de même qu'une foule d'autres maladies sont des causes importantes de difficultés respiratoires.

Il arrive que certaines conditions provoquent des problèmes respiratoires allergiques (asthme). Ils peuvent être causés par des substances allergènes (poils, plumes, poussière, **acariens**, moisissures, pollen, etc.), par l'humidité, par des efforts physiques trop grands, etc.

De nature psychologique

Il existe un lien important entre les émotions et la respiration. La peur et l'anxiété exercent une influence particulièrement importante. Elles peuvent modifier la fréquence (accélération), l'amplitude (diminution) et le rythme (irrégularité) de la respiration.

De nature socioculturelle, spirituelle et environnementale

Les habitudes de vie, le tabagisme, par exemple, ou l'habitude de faire du sport, peuvent avoir une influence sur la respiration. Certaines personnes font divers exercices de méditation qui modifient la fréquence et l'amplitude respiratoires.

L'environnement représente un autre facteur qui influence la respiration. La pollution de l'air à l'extérieur et en milieu de travail, la trop grande humidité ou la sécheresse de l'air à la maison, au travail ou à l'école sont aussi des éléments importants. De nos jours, une source de problèmes assez fréquents tient à l'air vicié constamment recyclé dans les édifices fermés.

Le besoin de boire et de manger

> Nécessité pour l'organisme d'absorber les liquides et les nutriments nécessaires au métabolisme.

Mode de fonctionnement

L'être humain est en continuel processus d'absorption des substances nutritives qui servent au fonctionnement de son organisme et de rejet des déchets produits. Ce phénomène inclut l'ingestion, la digestion, et l'assimilation des liquides et des aliments qui permettent à l'organisme de se maintenir en bon état et de renouveler son énergie.

La sensation du besoin de manger et de boire est transmise aux centres cérébraux de la faim et de la soif par des récepteurs chimiques qui indiquent, par exemple, une baisse du glucose sanguin ou une hémoconcentration. L'insuffisance des nutriments peut entraîner la malnutrition et la déshydratation.

À l'âge adulte, l'organisme humain est composé d'environ 60 p. 100 d'eau, niveau qui doit être constamment conservé et renouvelé.

À l'équilibre des fluides de l'organisme s'ajoute celui des **électrolytes**. Cet équilibre est essentiel aux processus vitaux.

ÉLECTROLYTE
Corps qui, à l'état soluble, peut se dissocier sous l'action d'un courant électrique. (Ex.: sodium, potassium, etc.)

Observations

De nature physique

Besoin de boire   Plusieurs éléments physiques doivent être observés relativement au besoin de boire. Il s'agit principalement des habitudes d'hydratation de la personne, de l'état de sa peau et de ses muqueuses.

Pour garder notre équilibre hydrique, nous devons ingérer entre 1000 mL et 1500 mL de liquide chaque jour. En cas d'insuffisance, certains signes se manifestent au niveau de la peau: elle devient sèche et prend le **pli cutané**. Les lèvres deviennent craquelées et la langue prend une couleur brunâtre. On remarque aussi une sécheresse des conjonctives, une plus grande concentration de l'urine et une diminution de son volume.

PLI CUTANÉ
Marque qui subsiste après avoir pincé la peau afin d'en vérifier l'hydratation.

Besoin de manger   Pour satisfaire ses besoins alimentaires, un adulte a besoin d'environ 7140 kJ à 8400 kJ par jour, selon sa stature, son âge et son niveau d'activité. Son régime doit lui fournir les protéines, les graisses, les sucres, les vitamines et les sels minéraux essentiels.

En l'absence d'une alimentation appropriée, des signes d'insuffisance nutritionnelle peuvent apparaître: masse et taille au-dessous de la normale, pâleur de la peau, cheveux et ongles cassants, faiblesse musculaire, fatigue, etc.

Certains états influencent l'apport nutritionnel nécessaire, particulièrement la croissance, la grossesse, un travail physique exigeant et le vieillissement. Les besoins nutritionnels varient aussi en fonction de la taille et de l'âge.

L'âge modifie sensiblement le besoin de boire et de manger. On remarque une altération du goût, une diminution de la salive, des problèmes péridentaires, une absorption plus difficile des graisses, une perte d'appétit

Repas baryté
Ingestion de baryum en vue d'un examen radiologique afin de visualiser les lésions de l'estomac.

Échographie
Examen radiologique qui permet de transmettre une image des tissus mous de l'organisme au moyen des ultrasons. (Ex.: échographie abdominale)

Endoscopie
Examen de l'intérieur d'un organe au moyen d'un endoscope (instrument tubulaire muni d'une lumière).

Anorexie
Perte ou diminution de l'appétit.

Boulimie
Faim excessive.

et de la sensation de soif, une diminution de l'acide chlorhydrique de l'estomac, un ralentissement de la vidange gastrique, une baisse des enzymes digestives, de la capacité d'absorption, de la tolérance au glucose et des besoins énergétiques.

Les résultats d'analyses de laboratoire et d'examens radiologiques peuvent nous renseigner sur l'état de la personne, par exemple sur son taux de glucose sanguin (ou urinaire), d'électrolytes (bicarbonate, calcium, chlore, magnésium, potassium, etc.) ou d'hémoglobine. L'hématocrite nous renseigne sur la concentration sanguine. Des examens radiologiques tels que le **repas baryté**, l'**échographie**, et divers types d'**endoscopies** et d'autres examens nous informent sur l'état de l'appareil digestif.

La malnutrition engendre une baisse de la résistance de l'organisme et laisse les besoins de certaines substances essentielles en souffrance (insuffisance de protéines, de vitamines, de sels minéraux, de fibres, etc.), créant ainsi de multiples problèmes. En revanche, une surcharge alimentaire entraîne aussi des problèmes de santé tels que l'obésité et les maladies cardio-vasculaires.

La nutrition normale repose sur l'intégrité de l'appareil digestif, mais de nombreuses affections peuvent l'entraver: les tumeurs, les ulcères, les infections et les difficultés fonctionnelles de la digestion et de l'assimilation.

De nature psychologique

Le psychisme et les émotions exercent une action importante sur la nutrition. L'émotivité peut soit nuire à l'appétit, soit inciter la personne à manger de façon compulsive. Dans le premier cas, il existe l'exemple bien connu de l'**anorexie** mentale et, dans le second, la **boulimie**.

Sans toujours atteindre ces excès, nos émotions jouent un rôle important dans la nutrition et provoquent souvent le manque d'appétit ou la suralimentation. Outre cette influence, les émotions et le stress sont aussi liés à des problèmes digestifs parfois désagréables, sinon douloureux, tels les nausées, les ulcères, les gaz, etc.

Un autre phénomène psychologique d'importance est l'image de soi et, plus encore, l'image d'elle-même que la personne souhaite projeter. Si la mode est à la minceur, certaines personnes sont prêtes à s'astreindre à des régimes amaigrissants aberrants pour avoir une taille de guêpe.

À ces phénomènes psychologiques on peut également relier les excès ou les déséquilibres causés par l'ingestion excessive de divers liquides tels que le thé, le café, les boissons gazeuses ou l'alcool.

Le climat qui règne au moment des repas est aussi un facteur d'influence. Une atmosphère calme et détendue et la présence de personnes agréables favorisent l'alimentation.

De nature socioculturelle, spirituelle et environnementale

S'alimenter traduit un comportement de socialisation et représente une occasion de communiquer. En effet, quand une personne mange seule, il lui arrive souvent de se désintéresser de son alimentation. Les habitudes culturelles et les moyens matériels de produire ou de se procurer des aliments sont des facteurs importants. Chaque culture a ses traditions agricoles, alimentaires et culinaires propres. Dans la culture asiatique, par exemple, la consommation de riz est très grande, alors que certains Méditerranéens ingèrent plutôt des féculents (pâtes, couscous, etc.). Quant aux Nord-Américains, ils ont tendance à manger des sucres et des plats préparés pas toujours nutritifs et souvent engraissants.

Les habitudes familiales et personnelles sont aussi déterminantes. Certaines personnes mangent peu de fruits, de légumes et de céréales et mettent surtout l'accent sur les viandes, les féculents ou les sucreries.

La religion ou la philosophie de vie exercent aussi une influence sur l'alimentation. Les interdits et les prescriptions religieuses de l'islam et de la religion juive modèlent l'alimentation de ces peuples. Quant aux religions chrétiennes, leurs règles sont aujourd'hui peu exigeantes. Les périodes de jeûne ont à peu près disparu et les jours d'abstinence sont très limités. En dehors des conditions religieuses, certaines personnes appliquent des règles qui découlent de leur philosophie de vie et de leur façon de voir l'alimentation. Les adeptes du végétarisme ou de la **macrobiotique** sont de ce nombre.

L'environnement est un facteur primordial dans la nutrition des peuples. La capacité du sol de produire des aliments en quantité et en qualité suffisantes, les méthodes de culture et l'approvisionnement en eau ont joué un grand rôle dans l'histoire de l'humanité. De nombreux peuples vivant sur des sols peu fertiles sont malheureusement victimes de famines récurrentes.

L'insalubrité de l'eau, la pauvreté et le manque d'hygiène dans la préparation des aliments sont aussi cause de multiples problèmes de santé.

MACROBIOTIQUE
Régime alimentaire inspiré de la philosophie zen, à base de céréales, de fruits et de légumes naturels sans aucun ingrédient issu de transformations chimiques.

Le besoin d'éliminer

> Nécessité pour l'organisme de rejeter à l'extérieur du corps les substances inutiles et nuisibles, et les déchets produits par le métabolisme. Le besoin d'éliminer comprend l'élimination urinaire et fécale, la sueur, la menstruation et les lochies.

Mode de fonctionnement

Un équilibre doit s'établir entre ce que l'organisme absorbe et ce qu'il rejette sous forme de déchets. Ce phénomène concourt à l'équilibre global de la personne, appelé «homéostasie» (maintien à leur valeur normale des différentes constantes de l'organisme).

Les déchets urinaires sont sécrétés par le rein à la suite du métabolisme des liquides et des nutriments. Les uretères les déversent dans la vessie où ils sont emmagasinés avant d'être excrétés par le méat urinaire.

Les déchets intestinaux produits par la digestion et le métabolisme des aliments sont emmagasinés dans l'intestin, puis rejetés par l'anus.

La sueur est produite par les glandes sudoripares réparties dans les tissus cutanés; elle permet d'éliminer certaines toxines et de l'eau.

La menstruation est un processus physiologique chez la femme en période d'activité génitale, lié à la fonction de procréation. Elle consiste en un écoulement sanguin d'origine utérine se reproduisant tous les mois. Ce phénomène est déclenché par les sécrétions ovariennes; il est destiné à préparer l'utérus pour la nidation. Si la fécondation n'a pas lieu, le sang accumulé est alors évacué par le vagin. La menstruation est suspendue pendant la grossesse et la lactation, et après la ménopause. Un écoulement utérin appelé «lochies» succède à l'accouchement et dure de quinze jours à un mois.

Observations

CYSTITE
Infection de la vessie.

PYÉLONÉPHRITE
Infection du rein.

URÉTRITE
Inflammation, infection
de l'urètre.

FISTULE
Canal anormal qui livre
passage à un produit physiologique. (Ex.: urine, selles)

FISSURE (ANALE)
Crevasse au bord de l'anus.

FIBROME
Tumeur formée dans du
tissu fibreux. (Ex.: fibrome
de l'utérus)

CYSTOSCOPIE
Examen de la vessie qui
permet de visualiser
la muqueuse vésicale par
l'introduction d'un instrument tubulaire appelé
«cystoscope».

PROCTOSCOPIE
Examen du rectum et
du côlon qui permet de
visualiser la muqueuse
intestinale par l'intro-
duction d'un instrument
appelé «endoscope».

LAVEMENT BARYTÉ
Injection de baryum dans
l'intestin en vue d'un
examen radiologique afin
de visualiser les lésions.

MICTION
Passage de l'urine.

De nature physique

Élimination urinaire   Il est nécessaire de noter la couleur, l'odeur et la concentration de l'urine ainsi que sa quantité et la présence de substances anormales (pus, sang, calculs, etc.). La fréquence de la miction, son urgence et la présence de douleur sont également des manifestations importantes à noter.

De nombreux problèmes peuvent toucher l'appareil urinaire. Ce sont, par exemple, les infections (**cystites, pyélonéphrites, urétrites**), les malformations, les tumeurs et certains troubles neurologiques qui causent l'incontinence.

Élimination intestinale   Il faut remarquer la couleur, l'odeur, la consistance des selles et la fréquence de l'élimination. La présence de substances anormales telles que le pus, le sang, les glaires, les membranes, etc., est à souligner. La présence de douleurs abdominales ou rectales lors de l'évacuation est aussi à considérer.

La quantité de fibres ingérées (contenues dans les fruits, les légumes et les céréales) favorise grandement l'élimination. Il est nécessaire de noter cette quantité de même que la quantité d'eau ingérée, et le niveau de stress, d'anxiété et d'activité de la personne.

L'excrétion intestinale peut être entravée par les infections, les ulcères, les malformations, les tumeurs, les **fistules**, les **fissures** anales, les hémorroïdes et certains troubles neurologiques qui causent l'incontinence.

Excrétion par la sueur   Il faut observer l'odeur, l'abondance et le moment de la transpiration (le matin, en fin de journée ou au cours d'activités). Certaines maladies peuvent modifier la composition de la sueur, par exemple, sa teneur en sodium (mucoviscidose: fibrose kystique) ou sa quantité.

Excrétions liées aux organes sexuels   La régularité, la durée, l'abondance des règles, l'odeur et la couleur des excrétions de même que les douleurs avant et pendant la menstruation doivent être considérées. À la menstruation il faut ajouter les lochies (qui se manifestent après l'accouchement) et les autres pertes vaginales. Les problèmes qui peuvent altérer l'évacuation du sang menstruel sont surtout les **fibromes** et les autres tumeurs, les infections ou les dérèglements hormonaux.

De nombreux examens de laboratoire (analyse d'urines, de selles, test de la sueur, analyses bactériologiques, etc.) et de radiologie peuvent nous renseigner sur l'état de la personne quant aux différents appareils excréteurs. Citons notamment les **cystoscopies** et les **proctoscopies**, les **lavements barytés** et les échographies.

De nature psychologique

Les émotions exercent une influence importante sur l'élimination: elles peuvent agir sur la fréquence des **mictions** et des selles et sur la sudation. Elles sont souvent à la source de la constipation et des diarrhées. L'activation du péristaltisme intestinal chez les personnes nerveuses cause aussi souvent des douleurs abdominales.

De nature socioculturelle et environnementale

Culturellement, les fonctions d'excrétion sont entourées d'une recherche d'intimité. Sur le plan de la santé communautaire, la salubrité des lieux publics réservés à ces fonctions et la saine gestion des égouts et fosses septiques sont des éléments importants.

Le besoin de se mouvoir et de maintenir une bonne posture

> Nécessité pour l'organisme d'exercer le mouvement et la locomotion par la contraction des muscles commandés par le système nerveux.

La bonne posture consiste en un alignement adéquat des segments corporels pour assurer la circulation et le confort.

Mode de fonctionnement

PLAQUE MOTRICE
Lieu de jonction entre les fibres musculaires et les terminaisons nerveuses.

Le mouvement est un acte volontaire déclenché par le cerveau. L'impulsion nerveuse est transmise au système nerveux qui, à travers la **plaque motrice**, entre en contact avec le tissu musculaire et communique l'impulsion qui déclenche le mouvement.

Observations

De nature physique

De nombreuses structures participent au mouvement: les os, les articulations (système ostéo–articulaire), les tendons, les muscles (système musculaire) et le système nerveux. D'autres appareils y contribuent aussi, soit l'appareil respiratoire et l'appareil circulatoire. Lorsqu'on observe la satisfaction du besoin de se mouvoir, il est nécessaire de tenir compte de l'intégrité de ces systèmes et de ces appareils, et de la capacité de leurs composantes d'assurer le mouvement. En somme, il faut observer dans quelle mesure la personne est capable de se retourner et de se relever dans son lit, de se lever, de s'asseoir et de marcher, de se laver, de manger seule, d'utiliser les toilettes et, si elle a besoin d'aide, quel genre d'assistance lui sera nécessaire.

ŒDÈME
Accumulation anormale de liquides séreux dans les tissus.

ANTALGIQUE
Qui calme la douleur.

HYPOTENSION ORTHOSTATIQUE
Baisse anormale de la pression artérielle au moment du lever, à la station debout.

Il faut aussi noter des observations concernant la douleur liée au mouvement, la faiblesse musculaire ou la faiblesse générale, la raideur des articulations, l'intolérance à l'effort d'origine cardiaque ou respiratoire, les vertiges et étourdissements, les limites sensorielles qui restreignent le mouvement, les séquelles de problèmes neurologiques (paralysie, parkinson, etc.) ou de traumatismes (amputation), l'**œdème**, les difficultés circulatoires, la posture de la personne, le bon alignement des segments de son corps, la position **antalgique** qu'elle adopte, son style de vie (sédentaire ou actif) et ses habitudes d'exercice. À tous ces éléments d'observation s'ajoutent la pression artérielle et la pulsation.

L'alitement, l'immobilisation prolongée ou la restriction de la mobilité peuvent avoir des répercussions sérieuses sur la capacité de la personne de se mouvoir.

Certains médicaments peuvent occasionner des effets secondaires qui affectent la locomotion. Ils peuvent causer des problèmes d'**hypotension orthostatique** sérieux, des problèmes d'équilibre et des chutes.

De nature psychologique

Les émotions influencent le mouvement et la posture. Elles peuvent provoquer une inhibition partielle ou totale comme dans la paralysie d'origine **hystérique**. Elles peuvent occasionner l'agitation, les tremblements. Il est aussi important d'évaluer la quantité et la qualité des stimuli que reçoit une personne; des phénomènes tels que la surcharge ou la privation sensorielle peuvent favoriser soit l'agitation, soit le glissement vers l'apathie.

HYSTÉRIQUE
Qui caractérise une personne souffrant d'un trouble mental appelé «hystérie».

De nature socioculturelle et environnementale

La famille et la communauté sont des facteurs déterminants dans le développement des habitudes d'exercice. La solitude a souvent une influence importante dans le développement du **sédentarisme** et de l'inactivité.

SÉDENTARISME
État de la personne qui ne fait pas d'exercice.

Le besoin de dormir et de se reposer

> Nécessité pour l'organisme de suspendre l'état de conscience ou d'activité pour permettre la reconstitution des forces physiques et psychologiques.

Mode de fonctionnement

FORMATION RÉTICULÉE
Tissu composé de cellules réunies en réseau, qui se trouve au niveau du bulbe rachidien.

Notre organisme fonctionne en moyenne selon une alternance de 16 heures de veille et de 8 heures de sommeil. Le contrôle du sommeil et de l'éveil est régi par un mécanisme situé dans le tronc cérébral et la **formation réticulée**. Il constitue notre horloge biologique. Le sommeil comprend cinq phases d'une durée totale d'environ 90 minutes. Pendant les quatre premières phases de durée variable, le cerveau émet des ondes de plus en plus lentes jusqu'au sommeil profond (4e stade). Au cours de ces périodes, les fréquences cardiaques et respiratoires ralentissent, le corps se détend et récupère des forces physiques et psychologiques.

Au sommeil profond succède une période d'activité cérébrale intense pendant que se poursuit la détente musculaire; c'est la période du sommeil paradoxal ou période du rêve, appelée aussi «phase MOR ou REM» (mouvements oculaires rapides ou *rapid eye movements*). Plusieurs hypothèses expliquent cette phase: période de restauration et de reprogrammation des cellules, intégration des connaissances et des stimuli de la journée ou encore déchargement du trop plein d'énergie de l'organisme.

Le sommeil prend place surtout la nuit, mais des siestes faites au cours de la journée apportent aussi un effet réparateur fort bénéfique.

Certaines activités, sans provoquer le sommeil, favorisent la détente physique et psychologique: la musique, la relaxation, la marche dans la nature, la méditation, le yoga, etc.

Observations

De nature physique

Il est important de noter la durée du sommeil, sa qualité et les principales difficultés qui se manifestent (temps trop long pour l'endormissement, réveils au cours de la nuit, réveil hâtif, agitation, cauchemars). Il faut aussi noter la transpiration, l'inconfort causé par la douleur, le prurit ou l'anxiété, les tendances à l'insomnie ou à l'hypersomnie. Les difficultés respiratoires, cardiaques et digestives causent aussi des problèmes.

Certains médicaments et certaines drogues entraînent des effets importants sur le sommeil (antidépresseurs, stimulants, narcotiques, **tranquillisants**, alcool, cocaïne, etc.).

Au cours de la croissance, le nombre d'heures de sommeil nécessaires varie. Très important chez le nourrisson (de 22 à 23 heures), ce nombre diminue avec l'âge.

TRANQUILLISANT
Substance médicamenteuse qui agit comme calmant du système nerveux.
(Ex.: le Valium)

De nature psychologique

Les émotions, les préoccupations, l'anxiété, le stress et la peur agissent directement sur la durée et la qualité du sommeil. Ils causent des difficultés d'endormissement, des réveils fréquents durant la nuit, ou encore des réveils hâtifs comme chez les personnes dépressives.

De nature socioculturelle et spirituelle

Au point de vue social, l'élément d'influence le plus important est le cycle de travail qui oblige certaines personnes à des horaires qui perturbent leur rythme biologique (travail de nuit ou de soirée, urgences au cours de la nuit). La profession d'infirmière est particulièrement touchée par ce genre d'inconvénient qui, à la longue, peut nuire au sommeil et à la santé.

Au point de vue spirituel, les pratiques zen, l'exercice de la méditation transcendantale et le yoga peuvent s'avérer des moyens efficaces pour la détente et le repos.

Le besoin de se vêtir et de se dévêtir

> Nécessité de protéger le corps en fonction du climat, des normes sociales, de la décence et des goûts personnels.

Mode de fonctionnement

Le corps humain a besoin d'être protégé contre le froid, le vent, l'humidité, la chaleur, les rayons ultraviolets et les intempéries. Les vêtements, les chaussures, les chapeaux, les bas, les gants, etc., assurent cette protection.

Observations

De nature physique

Pour être capable de se vêtir et de se dévêtir, il faut une certaine force physique, de la coordination dans les mouvements et une souplesse articulaire suffisante pour enfiler des vêtements ou des souliers, pour les boutonner, les lacer et les enlever. Ainsi la douleur, la faiblesse ou les tremblements peuvent-ils sérieusement entraver la capacité de se vêtir d'une personne.

Certaines conditions peuvent influencer le port du vêtement: la grossesse, l'amputation, la stomie, l'immobilisation plâtrée, etc. Les réactions allergiques à certaines étoffes, la sensibilité au soleil peuvent aussi entrer en ligne de compte. L'âge est un autre facteur qui influence la capacité et la façon de se vêtir.

De nature psychologique

Le psychisme et le vêtement sont en interaction. Le vêtement renforce la confiance en soi et le sentiment d'identité personnelle et sociale. Par ailleurs, la capacité mentale (déficit **cognitif**) de choisir les vêtements appropriés à la température et aux circonstances influence la satisfaction du besoin de se vêtir.

COGNITIF
Qui a rapport à l'acquisition de la connaissance.

L'importance que la personne accorde à sa tenue, la pudeur et la gêne sont aussi des facteurs d'importance. Il faut également considérer sa capacité de demeurer vêtue (certaines personnes ont tendance à se découvrir, soit parce qu'elles sont confuses, soit par exhibitionnisme).

De nature socioculturelle, spirituelle et environnementale

Au point de vue culturel, les normes sociales et les conditions économiques exercent une grande influence. La religion impose aussi parfois des contraintes vestimentaires, par exemple, le tchador des femmes musulmanes ou le costume de certaines religieuses.

L'environnement représente sans doute un des éléments les plus déterminants en matière de vêtements. Selon la latitude et l'altitude de la région qu'ils habitent, les gens doivent se vêtir différemment, ce qui explique le foisonnement de costumes.

Le besoin de maintenir la température du corps dans les limites de la normale

> Nécessité pour l'organisme de maintenir l'équilibre entre la production de chaleur par le métabolisme et sa déperdition à la surface du corps.

Mode de fonctionnement

THERMORÉGULATION
Contrôle de la température corporelle.

La température corporelle est assurée par un mécanisme de **thermorégulation** situé dans l'hypothalamus. Ce centre fonctionne comme un thermostat: il reçoit son information des récepteurs thermiques cutanés qui réagissent au froid et à la chaleur. Ce mécanisme est extrêmement important puisqu'il permet à l'organisme de s'adapter aux variations de température. La température normale est de 37 °C, mais, chez les personnes âgées, elle varie entre 36 °C et 36,5 °C. Des températures centrales inférieures à 24 °C et supérieures à 44 °C ou 45 °C sont incompatibles avec la vie.

La thermorégulation comprend deux phénomènes distincts: la thermogénèse, ou production de chaleur par le métabolisme, l'activité ou la contraction musculaire, et la thermolyse, ou déperdition de chaleur au niveau de la peau et des autres voies d'élimination.

La consommation de protéines aide à la thermogénèse, et la graisse corporelle constitue un bon isolant calorifique. Certains états perturbent la thermorégulation, notamment l'immaturité du centre cérébral qui assure cet équilibre, le vieillissement, les tumeurs et les traumatismes cérébraux, mais la cause la plus fréquente de perturbation demeure l'infection.

Observations

De nature physique

HYPOTHERMIE
Baisse anormale de la température corporelle.

HYPERTHERMIE
Élévation anormale de la température corporelle.

Il est important de noter les écarts de température corporelle dont la normale se situe entre 36,5 °C et 37,5 °C. La chaleur de la peau (hyperhémie) ou la sensation de froid sont aussi à remarquer. Cette sensation est particulièrement fréquente chez les personnes âgées, plus touchées par l'**hypothermie**. La fièvre, ou **hyperthermie**, s'accompagne souvent de maux de tête et de sensation d'abattement. Chez les personnes qui présentent une élévation marquée de température (hyperpyrexie), la cyanose des extrémités est un autre signe d'importance.

Certaines substances peuvent avoir une influence sur la température, par exemple l'alcool (provoque l'hyperhémie de surface puis abaisse la température par vasodilatation gastrique et périphérique), le salicylate (Aspirine) et l'acétaminophène (Tylenol).

De nature psychologique

Les émotions intenses et la fatigue peuvent contribuer à l'élévation de la température corporelle.

De nature socioculturelle et environnementale

Aux points de vue économique et environnemental, le lieu d'habitation, le climat, le chauffage et la climatisation constituent des facteurs importants de modification de la température.

Le besoin d'être propre et soigné, et de protéger ses téguments

> Nécessité pour l'organisme de maintenir un état de propreté, d'hygiène et d'intégrité de la peau et de l'ensemble de l'appareil tégumentaire (tissus couvrant le corps).

Mode de fonctionnement

La peau constitue l'enveloppe extérieure de l'organisme. Elle se transforme en muqueuses pour tapisser les orifices des appareils respiratoire, digestif (bouche, nez) et urogénital (urètre, vagin, anus). La peau et les phanères (poils, ongles, etc.) forment l'appareil tégumentaire qui assure la protection contre l'invasion microbienne et permet la thermorégulation et l'excrétion de certains déchets de l'organisme.

En raison de l'importance de son rôle, l'appareil tégumentaire doit conserver son intégrité. Aussi faut-il nettoyer la peau et les autres téguments de la sueur, des matières grasses sécrétées par les glandes sébacées, des poussières et des saletés. De plus, il est important que les diverses lésions soient protégées et traitées.

Avec l'âge, la structure de la peau se modifie (amincissement, sécheresse, fragilité), les habitudes de propreté peuvent changer et les capacités physiques de maintenir la propreté peuvent s'altérer. Aussi la personne âgée en perte d'autonomie a-t-elle souvent besoin d'aide pour satisfaire ce besoin.

Observations

De nature physique

Il est important de noter la sécheresse de la peau afin de prévenir des difficultés plus grandes. La mobilité de la personne, ses limites, la douleur, la faiblesse sont d'autres facteurs à noter s'ils entravent sa capacité de se donner des soins d'hygiène (bain au lavabo, dans la baignoire ou au lit, propreté des cheveux, de la bouche, des ongles, etc.). Il faut aussi chercher à savoir si elle est allergique à certains tissus ou à certaines substances utilisées pour les soins d'hygiène (savons, lotions, poudres et parfums).

Certaines conditions présentent des risques pour les tissus, par exemple l'incontinence, l'obésité, l'extrême maigreur, le diabète, les problèmes neurologiques ou orthopédiques.

Les carences nutritionnelles (particulièrement en protéines) ou hydriques sont des facteurs qui contribuent au développement de problèmes de la peau (escarres) et des muqueuses.

CHIMIOTHÉRAPIE
Traitement utilisé pour combattre le cancer.

Certains traitements ou certains médicaments peuvent aussi entraîner des problèmes tégumentaires: la radiothérapie (brûlures de la peau et des tissus), la **chimiothérapie** (atteinte de la muqueuse buccale et perte des cheveux), certains antibiotiques et d'autres médications qui suscitent des réactions cutanées.

De nature psychologique

Les habitudes d'hygiène et l'importance que la personne attache à la propreté et à sa tenue sont des facteurs très importants (fréquence et type de soins: bain, douche, soins des dents, des ongles, des cheveux, etc., et produits utilisés).

La perte d'autonomie au point de vue cognitif et les perturbations psychologiques (dépression, psychose) doivent aussi être évaluées en fonction de la capacité de la personne d'assumer ses soins d'hygiène.

De nature socioculturelle, spirituelle et environnementale

La propreté et les soins sont liés à des conventions culturelles et familiales. L'environnement a donc une influence déterminante sur leur apprentissage.

Le milieu économique a aussi une influence en relation avec la disponibilité des facilités d'hygiène et de la capacité financière de la personne de se procurer les produits nécessaires à sa toilette (savons, lotions, shampoings, etc.). La publicité, omniprésente dans certains milieux, influence aussi fortement le type de produits utilisés.

ABLUTION
Lavage du corps ou d'une partie du corps comme purification religieuse.

Certaines religions prescrivent des **ablutions** rituelles, par exemple les ablutions quotidiennes chez les musulmans ou le bain rituel après l'accouchement chez certains juifs).

Le besoin d'éviter les dangers

Nécessité pour la personne de se protéger contre les agressions internes et externes en vue de maintenir son intégrité physique et mentale.

Mode de fonctionnement

Au cours de la vie, de nombreuses agressions menacent l'intégrité de la personne. Pour satisfaire le besoin de se protéger, il faut pouvoir exercer un certain contrôle sur soi-même et sur l'environnement afin de se prémunir ou de se défendre contre les dangers. Les mécanismes alors sollicités sont, par exemple, le système immunitaire, l'immunité acquise à certaines maladies, la vaccination, la force physique. Les mesures préventives tels une saine alimentation, une hygiène adéquate, un régime de vie équilibré (travail, loisir, sommeil), l'utilisation appropriée de certains mécanismes d'adaptation et l'existence d'un réseau de parents et d'amis sont aussi essentielles.

Observations

De nature physique

L'infirmière doit observer la force ou la faiblesse physique de la personne, ses limites visuelles, les vertiges ou l'hypotension orthostatique qui peuvent limiter ses déplacements et provoquer des accidents.

En fait, c'est toute l'hygiène et les habitudes de vie de la personne qui entrent en ligne de compte puisqu'elles exercent une influence très grande sur l'intégrité biologique et l'équilibre psychologique. Toute maladie de nature physique ou toute difficulté émotive marquée portent atteinte à l'intégrité de la personne; elles provoquent la douleur, l'inconfort, l'anxiété, la dépression et peuvent menacer son équilibre et même sa vie.

L'âge est aussi un facteur de dépendance physique, car la personne âgée est particulièrement vulnérable à la maladie et aux accidents. Sa vue déficiente ne lui permet pas toujours d'évaluer correctement les obstacles et les dangers. De plus, la faiblesse du tonus musculaire et les vertiges peuvent causer des chutes. Il est donc important d'évaluer les limites de la personne.

Les médicaments constituent d'autres facteurs de risques tels que la surdose, la dépendance, l'intoxication ou certains effets indésirables.

De nature psychologique

L'infirmière doit observer l'état cognitif de la personne, c'est-à-dire vérifier si elle est confuse, désorientée ou si elle a des pertes de mémoire, afin de se rendre compte dans quelle mesure la personne est capable de comprendre les risques de maladies ou d'accidents qui la guettent et de les éviter.

Les émotions jouent un rôle important dans l'intégrité physique ou mentale d'une personne. Il faut donc évaluer son degré d'anxiété, de peur, de chagrin; il faut apprécier l'image qu'elle a d'elle-même et de son identité, de même que son niveau d'estime de soi et de confiance en soi.

Il est aussi nécessaire de considérer les événements difficiles qui sont vécus (deuil, divorce, échec, perte importante, chômage), les mécanismes de défense et d'adaptation utilisés, les troubles de la pensée (dépression, idées suicidaires, agressivité, **phobies**, etc.).

PHOBIE
Peur maladive de certains objets, animaux, actes, situations ou idées. (Ex.: arachnophobie: peur des araignées)

De nature socioculturelle, spirituelle et environnementale

La famille et le groupe social offrent la plupart du temps support et protection, particulièrement aux plus faibles, c'est-à-dire les petits et les personnes âgées. Par ailleurs, la vie en société accroît les risques de contagion (infections diverses et maladies transmises sexuellement).

Chez la personne âgée, la solitude constitue un facteur de risque important tant du point de vue physique que du point de vue psychologique. La violence faite aux enfants, aux femmes et aux vieillards ou la négligence envers ces personnes représente une autre menace grandissante dans nos sociétés.

Certains moyens tels qu'un environnement calme, un éclairage adéquat, etc., sécurisent la personne. Il en est de même de la pratique religieuse ou de l'attachement à certains objets de culte qu'il faut respecter.

Le besoin de communiquer avec ses semblables

Nécessité pour la personne d'établir des liens avec les autres, de créer des relations significatives avec ses proches et d'exercer sa sexualité.

Mode de fonctionnement

La communication est essentielle à l'équilibre de l'être humain. Il s'agit d'un processus verbal et non verbal qui permet d'entrer en relation avec autrui et d'échanger des sentiments, des opinions, des expériences et de l'information. Ce besoin important de l'être humain se manifeste de l'enfance à la vieillesse.

L'exercice de la sexualité s'intègre aussi dans ce processus d'ouverture à l'autre et peut constituer un lien important entre les êtres.

L'âge peut entraîner des modifications sensibles dans la manière de communiquer tant du point de vue des organes des sens (yeux, ouïe) que du point de vue de la sexualité.

Observations

APHASIE
Trouble ou perte de la capacité de parler.

DYSARTHRIE
Difficulté de l'élocution (de la parole) causée par une lésion des centres nerveux.

LOGORRHÉE
Flot de paroles désordonnées, incoercible et rapide.

DÉLIRE
Divagation d'une personne perturbée psychologiquement.

HALLUCINATION
Perception pathologique d'objets, de voix, de personnes ou d'animaux qui n'existent pas.

De nature physique

La communication suppose l'intégrité des organes des sens qui permettent de capter l'information venant de l'extérieur. Sur le plan de la sexualité, elle repose sur une sécrétion hormonale adéquate et sur l'intégrité des organes sexuels.

Certains problèmes physiques peuvent entraver la capacité de s'exprimer verbalement, par exemple l'hémiplégie (paralysie de la moitiée du corps), le parkinson (affection dégénérative du système nerveux caractérisé par des tremblements et de la rigidité), l'**aphasie** ou la **dysarthrie**.

De nature psychologique

La capacité de communiquer repose aussi sur des habiletés cognitives qui permettent à la personne de capter des messages ou de l'information et d'y répondre. Sa réaction affective à l'égard des personnes ou des situations (pleurs, colère, etc.) influence également ses échanges avec les autres. Il est important d'observer les manifestations de retrait, d'apathie ou d'agressivité.

Certains problèmes psychologiques peuvent altérer sérieusement le rythme de la communication verbale (fuite des idées, **logorrhée**) ou son contenu (**délire, hallucination**); ils peuvent même occasionner le mutisme.

**ACCIDENT
CÉRÉBRO-VASCULAIRE**
Rupture d'un vaisseau ou
embolie dans un vaisseau
du cerveau.

L'image positive qu'a la personne d'elle-même, sa confiance en soi et sa capacité de s'affirmer influencent aussi la communication, et il est très important d'évaluer sa capacité d'exprimer ses besoins et ses opinions.

Chez la personne qui éprouve de la difficulté à s'exprimer à la suite d'un **accident cérébro-vasculaire**, par exemple, il est nécessaire d'observer dans quelle mesure elle est capable de se faire comprendre, d'exprimer ses besoins, ses opinions, ses sentiments par quelques paroles ou par d'autres moyens. Il faut alors chercher comment l'aider.

De nature socioculturelle, spirituelle et environnementale

Au sein de la famille ou du groupe social, il existe des habitudes relationnelles qui favorisent la communication ou lui nuisent. Certaines cultures valorisent les rapports chaleureux et ouverts, alors que d'autres entretiennent plutôt l'individualisme et la distance avec les autres.

La sexualité est aussi régie par un code social qui tend à s'élargir, mais qui, sous des formes différentes, demeure relativement étroit malgré des rapports plus libéraux entre les hommes et les femmes et une plus grande acceptation de l'homosexualité.

CONFUSION
Trouble de la pensée qui
provoque la désorientation,
la perte de mémoire, etc.

L'environnement crée un niveau de stress qui peut influencer positivement ou négativement la communication et l'équilibre de la personne. L'excès de stimuli peut la rendre anxieuse alors que la privation de stimuli peut la conduire à l'isolement social, à l'apathie et à la **confusion**.

Le besoin d'agir selon ses croyances et ses valeurs

> Nécessité pour la personne de faire des gestes et de prendre des décisions qui sont conformes à sa notion personnelle du bien et de la justice, d'adopter des idées, des croyances religieuses ou une philosophie de vie qui lui conviennent ou qui sont propres à son milieu et à ses traditions.

Mode de fonctionnement

Une croyance est une conviction profonde dans n'importe quel domaine: la santé, la politique, la religion. Elle se rattache à des valeurs, c'est-à-dire qu'elle accorde de l'importance à certaines choses (l'argent, la santé), à un système (la famille, la société), à un sentiment (l'amour, la liberté) qui orientent le comportement. Les valeurs sont différentes de la foi, qui est une croyance absolue en un être supérieur, en une personne ou en un système.

La foi aide à trouver un sens à la maladie et à la souffrance, alors que la religion est une forme ritualisée d'expression de la foi et des valeurs religieuses. Quant à la spiritualité, c'est un ensemble de croyances, d'aspirations et de pratiques propres à l'âme et à l'esprit.

Observations

De nature physique

L'infirmière doit chercher à savoir si la personne désire assister aux services religieux et observer sa capacité de s'y rendre, c'est-à-dire sa force physique, le bon fonctionnement de ses systèmes neuromusculaire et ostéo-articulaire et l'intégrité de certains organes des sens (vue, ouïe). Il est important d'évaluer comment la souffrance et diverses limites physiques entravent la satisfaction de ce besoin (faiblesse, immobilisation, difficulté à se vêtir, à se déplacer, à demeurer assise).

De nature psychologique

L'être humain a toujours cherché un sens à la vie, à la souffrance et à la mort. La maladie et le vieillissement amènent souvent à réfléchir à ce sujet. À ce moment, la volonté d'affirmer ses croyances et d'accomplir des actes qui permettent d'entrer en contact avec l'Être suprême s'accroît et devient même primordiale chez la personne très malade ou à l'article de la mort.

Ce désir est aussi lié à la personnalité. Certaines personnes sont plus religieuses ou plus mystiques ou plus fatalistes que d'autres. À ces préoccupations peuvent se mêler des sentiments que le malade veut exprimer, tels le regret, le remords, la peur de la punition ou la résignation.

Certains troubles de la pensée (délire religieux, confusion) viennent parfois intensifier ou inhiber le désir d'élévation spirituelle et de mysticisme.

Il faut comprendre les valeurs et les désirs de la personne face à ce besoin, particulièrement chez celle dont la vie tire à sa fin. Il faut l'aider à les exprimer et à les vivre: prier, assister aux services religieux, conserver près d'elle des objets de culte, trouver un sens à sa souffrance et à sa maladie.

De nature socioculturelle, spirituelle et environnementale

L'appartenance à une religion ou l'attachement à des valeurs spirituelles est une question personnelle, qui subit toutefois l'influence des idées qui prédominent dans le milieu. La culture du groupe social et de la famille est une source de valeurs sur lesquelles la personne se modèle souvent tout au cours de sa vie.

L'appartenance à une religion ou l'adhésion à une philosophie influence les actions et les décisions de la personne. Ainsi, ses convictions influencent ses décisions face à l'orientation de sa vie, à l'avortement, à la contraception, à la **stérilisation**, à l'éducation des enfants, etc. Les convictions religieuses aident les personnes dont la vie s'achève à envisager la mort plus sereinement.

STÉRILISATION
Suppression définitive de la capacité de procréer.

Le besoin de s'occuper en vue de se réaliser

Nécessité d'accomplir des actions qui permettent à la personne d'être autonome, d'utiliser ses ressources pour assumer ses rôles, pour être utile aux autres et pour s'épanouir.

Mode de fonctionnement

Ce besoin est lié à l'évolution de la personne au cours de sa croissance. Il touche le développement de l'autonomie, la volonté d'accomplir des choses pour soi, d'assumer les différents rôles qui lui incombent en fonction de son âge et de son sexe, de remplir les tâches associées aux différents stades de son développement (rôle d'étudiant, de travailleur, d'époux, de père, de membre d'une communauté).

À cela s'ajoute le rôle de malade qui est empreint de soumission aux indications thérapeutiques et de volonté de collaborer au traitement pour guérir.

Observations

ACUITÉ
Degré de sensibilité des organes des sens.

STOMIE
Ouverture chirurgicale d'un conduit naturel à la peau pour établir une dérivation. (Ex.: colostomie)

De nature physique

L'infirmière doit évaluer dans quelle mesure la personne est autonome ou peut le devenir et dans quelle mesure elle peut exercer ses rôles. Il est important de noter les sentiments de frustration, de colère, de remords et de dévalorisation personnelle qu'occasionne une difficulté à être autonome et à remplir ses rôles. Les obstacles les plus fréquents sont la faiblesse, la douleur, les limites de la mobilité, la diminution de l'**acuité** des sens, les modifications corporelles (amputation, **stomie**, etc.) qui entravent totalement ou partiellement les soins d'hygiène, l'élimination et les déplacements.

Le moment de la retraite et la vieillesse sont souvent des périodes où les rôles de la personne se modifient ou deviennent difficiles à remplir.

De nature psychologique

L'état psychologique de la personne influence sa capacité de se réaliser. La confiance en soi, la motivation, l'optimisme aident la personne à demeurer active et autonome dans ses rôles. Les principales difficultés sont l'image négative de soi, la dépression, les troubles de la pensée, etc.

Les changements de rôles (mariage, naissance d'un bébé) et les conflits de rôles (travail extérieur et famille) entraînent souvent de l'anxiété et des difficultés d'adaptation.

De nature socioculturelle, spirituelle et environnementale

La notion de rôle est largement déterminée par la société en fonction des attentes par rapport à une personne placée dans une position donnée. La valeur accordée au travail et à l'efficacité tire aussi ses racines du groupe familial et social.

Comme la personne âgée n'a plus la même utilité sociale, elle se voit souvent mise à l'écart et se sent dévalorisée. Le travail bénévole permet à plusieurs personnes jeunes et moins jeunes de satisfaire leur besoin de rendre service aux autres.

Être utile à soi et aux autres est un objectif noble, mais il serait insuffisant s'il ne s'élargissait à l'environnement. C'est ainsi que le besoin de se consacrer à une bonne cause vient animer certains écologistes.

Le besoin de se récréer

Nécessité pour la personne de se détendre physiquement et psychologiquement par des loisirs et des divertissements.

Mode de fonctionnement

Pour conserver son équilibre, la personne doit répartir équitablement le travail, le sommeil et les loisirs. Le besoin de se récréer complète les besoins de communiquer et de s'occuper; il apporte une nuance particulière à l'épanouissement de l'être humain. Il favorise les relations humaines, l'expression personnelle, l'initiative, la créativité et le développement de la culture personnelle. Il peut être comblé par la pratique d'un sport (marche, pêche, pétanque, quilles, etc.), ou d'un art (musique, dessin, peinture, sculpture), l'exercice physique, les rencontres mondaines, les voyages ou les passe-temps (collection de timbres, fabrication de modèles réduits, couture, lecture, entretien d'un animal favori, etc.).

Chez les personnes âgées, les loisirs sont plus qu'une forme d'expression ou de divertissement, ils deviennent un moyen d'éviter la solitude et de conserver l'agilité du corps et le tonus de leurs facultés intellectuelles.

Observations

De nature physique

Il est important d'évaluer la capacité physique de la personne d'exercer ses loisirs préférés: sa force physique, sa résistance à l'effort, sa souplesse articulaire, sa capacité de se déplacer, de faire certains gestes, et de noter les facteurs d'empêchement tels que la douleur, la faiblesse, les modifications corporelles ou les limites sensorielles.

De nature psychologique

Les loisirs permettent de libérer les émotions et les tensions. La capacité de satisfaire le besoin de se récréer repose sur l'intégrité des facultés cognitives et sur une certaine ouverture psychologique de la personne. Sa motivation, son optimisme, sa volonté de créer un équilibre dans sa vie sont aussi des facteurs essentiels.

De nature socioculturelle, spirituelle et environnementale

Les rencontres de groupe (voyages, activités, conversations), les jeux d'équipe sont des formes de loisirs très appréciées. De nombreux groupes sociaux maintiennent leurs traditions et renforcent leur identité en organisant leurs propres activités de loisirs (parades, fêtes nationales, bals populaires, repas en groupe, etc.). Certaines démonstrations religieuses publiques (cérémonies à grand déploiement, processions, théâtre religieux) tiennent à la fois de la piété, des relations sociales et du spectacle.

Les loisirs ne sont pas tous onéreux, mais ils exigent tout de même un minimum de moyens financiers. L'environnement dans lequel évolue la personne exerce également une grande influence sur ses loisirs. Certains milieux offrent davantage de possibilités.

Le besoin d'apprendre

Nécessité pour l'être humain d'acquérir des connaissances sur soi, sur son corps
et son fonctionnement, sur ses problèmes de santé et sur les moyens de les prévenir
et de les traiter afin de développer des habitudes et des comportements adéquats.
Le besoin d'apprendre touche tous les autres besoins, puisque pour bien les satisfaire
la personne doit souvent recevoir de l'information.

Mode de fonctionnement

L'être humain est constamment en situation d'apprentissage. L'expérience
quotidienne lui apporte une multitude de connaissances diverses dont
certaines, plus utiles, sont emmagasinées dans les circuits de sa mémoire,
prêtes à être repêchées en temps opportun.

Nous éprouvons constamment le besoin d'apprendre, et la personne
qui veut demeurer en santé, combattre la maladie ou modifier ses habitudes
de vie doit souvent recevoir de l'information. Il en va de même pour suivre
un traitement ou un régime.

Bien que la personne âgée éprouve parfois des difficultés à se concentrer et à mémoriser, cela ne l'empêche pas d'apprendre. L'être humain peut
apprendre tout au long de sa vie.

Pour apprendre, on dit que la personne doit être en état de *readiness*,
c'est-à-dire qu'elle doit être ouverte, prête à recevoir la connaissance. À cet
égard, l'influence de l'infirmière est déterminante.

Observations

De nature physique

L'apprentissage exige l'intégrité des structures biologiques cérébrales et un
fonctionnement suffisant des organes des sens. Les principaux problèmes
qui entravent l'acquisition de connaissances sont les embolies et les tumeurs
cérébrales, les troubles de la pensée, les maladies dégénératives telles que
la maladie de Pick ou la maladie d'Alzheimer.

De nature psychologique

L'état psychologique, de maturité ou de vivacité intellectuelle influence
grandement l'apprentissage. Mais des facteurs comme le manque de motivation, la difficulté d'attention et de concentration, l'anxiété, la peur, la douleur, la dépression, les problèmes de communication peuvent l'entraver.

De nature socioculturelle, spirituelle et environnementale

Les valeurs issues de la famille et de la société influencent l'apprentissage
des habitudes d'hygiène et des habitudes alimentaires et modulent les perceptions de la personne sur la maladie, la souffrance et la mort.

Un problème de santé peut aussi être une occasion d'apprendre. La
personne peut alors réaliser la valeur de la vie, de l'amour des siens et la
nécessité de changer ses comportements et ses habitudes.

Bibliographie

BENNER CARSON, Verna (1989). *Spiritual Dimensions of Nursing Practice*. Philadelphia, W. B. Saunders.

BERGER, Louise et MAILLOUX–POIRIER, Daniel (1989). *Personnes âgées: une approche globale*. Montréal, Études Vivantes.

CHALKER, Rebecca et WHITMORE, Kristene E. (1990). *Overcoming Bladder Disorders*. Toronto, Harper and Row.

FUNK, Sandra G. (1989). *Key Aspects of Comfort*. New York, Springer Publishing Co.

GODEFROID, Jo (1987). *Psychologie: science humaine*. Montréal, Études Vivantes.

GRONDIN, Louise et PHANEUF, Margot (1995). *Mémento de l'infirmière: utilisation des diagnostics infirmiers*. Paris, Maloine.

LAQUATRA, Ida Marie et GERLACH, Mary Jo (1990). *Nutrition in Clinical Nursing*. Albany, New York, Delmar Publisher.

RIOPELLE, Lise, GRONDIN, Louise et PHANEUF, Margot (1984). *Soins infirmiers: un modèle centré sur les besoins de la personne*. Montréal, McGraw–Hill.

SEXTON, Dorothy L. (1990). *Nursing Care of the Respiratory Patient*. Norwalk, Conn., Appleton & Lange.

SPENCE, A. P. et MASON, E. B. (1983). *Anatomie et Physiologie*. Montréal, Éditions du Renouveau Pédagogique.

THOMPSON, L. E. (janvier 1987). «When Caring Is the Only Cure». *Nursing*, p. 58–59.

YURA, Helen et WALSH, Mary B. (1978). *Human Needs and the Nursing Process*. Vol. 1. Norwalk, Conn., Appleton–Century–Crofts.

YURA, Helen et WALSH, Mary B. (1982). *Human Needs and the Nursing Process*. Vol. 2. Norwalk, Conn., Appleton–Century–Crofts.

YURA, Helen et WALSH, Mary B. (1983). *Human Needs and the Nursing Process*. Vol. 3. Norwalk, Conn., Appleton–Century–Crofts.

La démarche de soins: généralités et vue globale

Objectif terminal

L'étudiante prendra conscience de la nécessité de développer un mode de pensée logique et rigoureux, appelé «démarche de soins», pour planifier ses interventions.

Objectifs intermédiaires

De façon plus spécifique, l'étudiante sera capable:

1° de définir dans ses propres termes la démarche de soins, ses composantes et ses caractéristiques;

2° d'expliquer succinctement les cinq étapes de son déroulement;

3° d'expliquer les avantages de l'utilisation de la démarche de soins;

4° d'établir des relations entre la communication et la démarche de soins;

5° de voir les liens qui existent entre l'utilisation de la démarche et l'engagement professionnel, notamment face aux normes de compétence de sa profession;

6° de considérer la planification des soins comme un outil dont il faut se servir de façon autonome et responsable pour s'inscrire dans un mouvement de développement personnel et professionnel.

Lorsque vous affrontez un problème de la vie quotidienne, que faites-vous? Imaginons, par exemple, qu'en arrivant chez vous vous constatez que la porte de votre appartement est ouverte. Vous vous demandez sans doute ce qui s'est passé, puis vous vous interrogez: «Ai-je oublié de fermer la porte à clé? Ai-je eu la visite des cambrioleurs?»

Vous entrez alors avec précaution et vous regardez attentivement tout autour pour tenter de découvrir ce qui s'est passé. Vous notez qu'une fenêtre est ouverte et que les papiers sont épars, mais, après tout, peut-être est-ce le vent. Vous poursuivez votre inspection et vous apercevez la porte de la garde-robe grande ouverte. La chambre est sens dessus dessous. Ça y est, vous n'avez plus de doute, quelqu'un est entré chez vous! Vous avez été cambriolée. Vous venez de poser un diagnostic. Vous vous demandez maintenant quoi faire: quel serait le meilleur plan d'action? Appeler les policiers, prévenir vos parents, avertir les assureurs, estimer les dégâts, appeler les voisins à la rescousse, etc. Après réflexion, vous décidez de tout mettre en œuvre.

Juste à ce moment, votre jeune frère entre en coup de vent. Il se confond en excuses pour le désordre qu'il a créé en cherchant son équipement de sport. Il est revenu parce qu'il s'est souvenu d'avoir laissé la porte et la fenêtre ouvertes dans sa précipitation.

Soulagée, vous pensez à votre réaction et à ce que vous avez fait. En somme, vous évaluez le cheminement de votre pensée, vos décisions et vos actions, et vous en tirez une conclusion. Dans le cas présent, vous vous dites que ce n'était pas si mal, mais pas tout à fait approprié; la prochaine fois, il faudrait peut-être agir un peu différemment…

En fait, vous avez suivi un processus de résolution de problèmes: c'est habituellement ainsi que fonctionne l'intelligence humaine lorsqu'il faut affronter une difficulté. Dans le domaine des soins infirmiers, ce processus s'appelle «démarche de soins» parce qu'il s'applique aux soins.

Tous les scientifiques ou les professionnels suivent, à leur façon, un processus de résolution de problèmes ou de démarche scientifique qui les aide à travailler avec méthode et rigueur. Il en est de même en soins infirmiers. La démarche de soins nous aide à découvrir les difficultés auxquelles font face les personnes soignées, à identifier les problèmes avec une certaine précision et, par conséquent, à les diagnostiquer. La planification de ce processus nous permet de décider de l'action à entreprendre pour les résoudre et d'évaluer les résultats.

La démarche de soins est un outil qui nous aide à travailler de façon systématique et à agir comme de vraies professionnelles. L'organisation des soins infirmiers est une tâche trop sérieuse et trop complexe pour être laissée au hasard. Elle exige une observation systématique, un raisonnement solide, un bon jugement clinique et une planification précise. Elle n'a rien d'aléatoire ni d'arbitraire. Apprendre la démarche de soins, c'est apprendre à penser et à travailler comme une infirmière professionnelle.

La démarche de soins: notions de base

Définition de la démarche de soins

Les sciences infirmières se fondent sur une vaste base théorique, et la démarche de soins représente le moyen d'appliquer des concepts dans la pratique (Iyer, Taptich et Bernocchy-Losey, 1986, p. 10). C'est un processus logique et délibéré, utilisé pour la planification des interventions en soins infirmiers. Il comprend cinq étapes interreliées visant principalement la planification de soins personnalisés. Virginia Henderson écrivait même que «la démarche de soins est un processus logique de résolution de problèmes qui devrait être utilisé par tous les professionnels qui œuvrent auprès des malades» (Halloran, 1995, p. 201).

> ### La démarche de soins
>
> Processus intellectuel et délibéré, structuré selon des étapes logiquement ordonnées, utilisé pour planifier des soins personnalisés visant le mieux-être de la personne soignée.

La démarche de soins requiert des capacités cognitives, interpersonnelles et techniques. «C'est une démarche scientifique parce qu'elle est utilisée de façon systématique et structurée. Elle comprend des étapes définies qui répondent à des normes logiques communes à toutes les approches scientifiques.» (Bizier, 1992, p. 35)

Ce processus ne peut être efficace sans reposer sur un contenu cognitif important qui exige des connaissances en sciences exactes et en sciences humaines, appliquées non seulement aux soins infirmiers, mais aussi à d'autres disciplines connexes telles que la médecine, la psychologie et la sociologie (Doenges et Moorhouse 1992, p. 4). La créativité est un autre élément essentiel à l'application de la démarche de soins. Posséder des connaissances, c'est bien, mais ça ne suffit pas. Encore faut-il les adapter au changement continu de l'état de la personne, à ses besoins particuliers et à sa culture, ce qui n'est pas toujours une mince affaire.

L'application de la démarche de soins exige aussi une orientation de la pensée qui dépasse les objectifs organisationnels. Selon M. E. Doenges et M. F. Moorhouse (1992, p. 6), la base de la démarche de soins repose sur plusieurs postulats qui devraient toujours être présents à l'esprit de l'infirmière qui applique la démarche de soins:

- le malade est un être humain qui a sa valeur et sa dignité;
- la personne a des besoins qui, s'ils demeurent insatisfaits, causent des problèmes exigeant l'intervention d'une autre personne, mais seulement en attendant qu'elle puisse en assumer elle-même la responsabilité;
- le malade a droit à des soins de qualité, dispensés avec sollicitude, compassion et compétence, centrés sur la progession vers un mieux-être et sur la prévention;
- la relation entre l'infirmière et la personne soignée est importante dans ce processus.

Les étapes de la démarche de soins

Même si depuis quelques années déjà la démarche de soins se divise en cinq étapes, cette division est un peu artificielle puisqu'il s'agit d'un processus intellectuel souvent diffus, dont les phases se chevauchent parfois. En fait, cette démarche s'apparente à celle que nous suivons pour résoudre spontanément nos problèmes de la vie quotidienne.

Faisons d'abord un bref historique de la question. La première personne à proposer un processus logique et ordonné de planification des soins a été L. E. Hall, dans une publication de 1955, «Quality of Nursing Care» dans *Public Health News*. Helen Yura et Mary B. Walsh (1983, p. 22) mentionnent qu'avant 1960 le terme «démarche de soins» apparaît rarement dans les écrits. Au début, ce processus comprenait trois étapes dont la définition annonçait déjà celle qui allait devenir la quatrième avec Helen Yura et Mary B. Walsh vers 1967. En 1976, Callista Roy et M. J. Aspinall ajoutaient une cinquième étape. Depuis ce temps, plusieurs ouvrages ont été publiés et le concept de la démarche de soins est maintenant reconnu comme l'un des fondements des soins infirmiers. Ce processus, en plus de servir à la planification des soins, a été utilisé pour formuler des critères de compétence professionnelle, établir des standards de qualité pour l'évaluation du travail infirmier et déterminer des balises pour la certification.

À l'aube de l'an 2000, la démarche de soins demeure l'instrument conceptuel le plus utile à l'infirmière. Elle existe dans les établissements de soins et dans les écoles de plusieurs pays. L'évaluation de la compétence de l'étudiante comprend d'ailleurs un volet important sur sa capacité de maîtriser la démarche de soins.

La démarche de soins est un processus spiralé et continu qui ne peut être tranché au couteau. Elle doit être perçue dans toute sa dynamique et sa continuité (Phaneuf, 1985, p. 49-57). C'est une démarche où les étapes se succèdent, mais où elles se chevauchent aussi parfois. En effet, le cheminement amorcé pour régler un problème peut être rendu à une étape avancée, alors que le cheminement pour résoudre une autre difficulté peut en être seulement au stade de la collecte de données. M. E. Doenges et M. F. Moorhouse (1992, p. 3) et, plus près de nous, Monique Lefebvre et Andrée Dupuis (1993, p. 1-2) soulignent aussi l'importance d'une approche globale. Dans le présent ouvrage, la démarche est présentée par étapes simplement pour en faciliter l'étude. La planification des soins s'apparente au processus de résolution de problèmes dont elle est l'une des multiples variantes. En fait, dans les deux cas, il s'agit d'une succession de raisonnements conduisant à l'action, c'est-à-dire un cheminement logique pour arriver à résoudre un problème. Voici, en résumé, les étapes de la démarche de soins.

Étapes de la démarche de soins

- LA COLLECTE DES DONNÉES: Quête systématique de renseignements sur la personne, ses habitudes de vie, ses difficultés liées à son état de santé.
- L'ANALYSE ET L'INTERPRÉTATION DES DONNÉES: Processus qui permet d'arriver à poser le diagnostic infirmier.
- LA PLANIFICATION: Réponse de l'infirmière pour résoudre une difficulté et aider la personne à satisfaire ses besoins. Cette étape tient compte des priorités, des objectifs (ou résultats attendus) et du choix des interventions organisées en un plan d'action.
- L'EXÉCUTION DES INTERVENTIONS: Application du plan établi.
- L'ÉVALUATION: Appréciation des résultats obtenus, de l'efficacité et de l'adéquation du plan d'action, suivie d'une mise à jour.

Les buts de la démarche de soins

La démarche de soins vise d'abord à procurer un cadre pour la planification des soins infirmiers de manière à les personnaliser afin qu'ils répondent aux besoins des personnes ou des groupes dont l'infirmière s'occupe (Iyer, Taptich et Bernocchi–Losey, 1986, p. 11).

Elle vise ensuite à maximiser les ressources de la personne soignée et à mettre sur pied des interventions appropriées afin de l'aider à conserver un état de bien–être optimal tant au point de vue physique qu'au point de vue psychologique. Elle permet de découvrir les ressources personnelles du malade, telles que sa force de caractère, sa motivation, ses capacités intellectuelles, son degré d'instruction, ses habitudes de vie, le tonus de certains muscles, etc. Elle permet aussi de connaître les ressources extérieures de la personne, c'est-à-dire son réseau de soutien, l'efficacité de ce réseau, sa disponibilité et sa volonté d'aider. À ces moyens s'ajoutent encore les ressources financières de la personne et les ressources communautaires de son milieu qu'il faut parfois découvrir. Si l'état du malade se modifie, la démarche de soins vise à lui assurer les soins de qualité que son évaluation requiert. Lorsque la guérison est impossible, elle tend alors à aider la personne à atteindre une meilleure qualité de vie.

La démarche de soins, principe organisationnel dynamique, vise aussi à établir une relation positive avec le malade, à lui redonner sa place au cœur des soins et à l'amener, par un échange d'information, à se voir comme un participant actif dans sa propre situation.

La démarche de soins vise en outre à coordonner le travail de l'équipe soignante. Un plan de soins bien organisé permet de savoir quoi faire, quand le faire et qui doit le faire.

Le plan de soins favorise la continuité des soins. En consultant le dossier du malade, les infirmières des différents quarts de travail ou les remplaçantes, conscientes de l'action entreprise, peuvent la poursuivre plus facilement.

Voici, en résumé, les buts de la démarche de soins.

Buts de la démarche
- Fournir un cadre pour la planification des soins infirmiers.
- Personnaliser les soins afin de mieux répondre aux besoins de la personne.
- Découvrir et maximiser les ressources personnelles et les ressources extérieures de la personne.
- Planifier des interventions qui permettent de conserver à la personne un état de bien–être et d'indépendance optimal.
- Coordonner le travail de l'équipe en indiquant ce qu'il faut faire et qui doit le faire.
- Assurer la continuité des soins malgré les différents quarts de travail, les changements d'équipes et les remplacements.

Les caractéristiques de la démarche de soins

Voici les principales caractéristiques de la démarche de soins:

- elle est systématique, c'est-à-dire qu'elle s'inscrit dans un processus ordonné qui ne laisse rien au hasard. Elle suppose une approche méthodique de résolution de problèmes, qui minimise les essais et les erreurs, les omissions et les pertes de temps;

- elle est dynamique, c'est-à-dire qu'elle nécessite des changements continuels liés aux signes et aux symptômes présentés par la personne. En somme, la démarche de soins et le plan qui en découle évoluent avec l'état de la personne;
- elle est interactive, c'est-à-dire qu'elle suppose une collaboration continuelle entre l'infirmière et la personne soignée. Ce contact s'établit dans un climat de relation d'aide pour assurer des soins personnalisés et adéquats. Elle permet de stimuler la personne pour qu'elle participe à ses soins et éprouve un sentiment de responsabilité et de contrôle sur la situation;
- elle est flexible, c'est-à-dire qu'elle peut s'adapter à tous les contextes: soins préventifs, soins de longue durée, soins aigus;
- elle doit se fonder sur un modèle conceptuel qui lui donne un sens;
- elle vise des objectifs clairs et précis;
- elle est reconnue comme l'une des composantes organisationnelles essentielles du dossier du malade.

Les avantages professionnels de la démarche de soins

La démarche de soins comporte aussi des avantages professionnels importants:

- elle met en lumière la contribution de l'infirmière aux soins préventifs et curatifs. Une planification bien faite, qui répond aux besoins de la personne, démontre clairement l'intervention de l'infirmière auprès du malade;
- elle contribue au développement de tout un éventail de connaissances propres aux soins infirmiers et favorise les interventions autonomes. Après avoir reconnu les difficultés de la personne soignée, l'infirmière peut s'interroger sur ce qu'il faut faire pour l'aider et mettre en place un ensemble d'interventions pertinentes. Ces interventions se multiplient et viennent enrichir le champ d'action de l'infirmière;
- elle permet à l'infirmière d'exercer un meilleur contrôle sur son travail. Une planification bien structurée lui fournit des directives claires, fondées sur sa propre identification de la difficulté, à partir de ses connaissances et organisées en fonction de ce qu'elle peut faire dans le cadre légal de sa profession;
- elle peut servir d'instrument pour l'évaluation de la qualité des soins et de la charge de travail. Quoi de mieux que le plan de soins pour analyser la qualité des soins que l'infirmière dispense au malade! Quant à l'évaluation de la charge de travail, elle est grandement facilitée par le plan de soins qui comporte tout un volet sur l'intervention autonome.

Pendant très longtemps les services offerts par l'infirmière sont demeurés relativement dans l'ombre. Accaparée par les réalités quotidiennes, l'infirmière écrivait peu et ses interventions n'étaient à peu près jamais consignées dans les archives. C'était presque le vide, un peu comme si les infirmières n'existaient pas. Encore aujourd'hui, dans certains pays où les dossiers sont presque inexistants, cette situation perdure. Pourtant, 24 heures par jour, 365 jours par année, des infirmières s'évertuent à soigner des malades et, malgré cela, les directions administratives et médicales n'arrivent pas à imaginer le travail qu'elles accomplissent parce qu'il existe peu de documents pour en témoigner.

Les écueils que la démarche de soins permet d'éviter

Comme nous l'avons vu, la démarche de soins comporte de multiples aspects positifs; elle permet aussi d'éviter certains pièges. L'observation systématique que suppose la collecte des données (anamnèse), riche de ses multiples raisonnements inductifs, évite de porter des jugements rapides fondés sur des perceptions imprécises où risquent de dominer l'arbitraire, les valeurs personnelles et les habitudes d'automatisme perceptuel de la soignante.

Cette étape permet de percevoir les besoins réels de la personne soignée, ses désirs, ses attentes, évitant ainsi les effets de la rigidité d'un système et les soins stéréotypés. C'est à cette étape que se révèlent les besoins insatisfaits et les problèmes auxquels l'infirmière doit s'arrêter.

La collecte des données fournit à l'infirmière une vision globale de la personne et de son expérience de malade, lui évitant ainsi de se concentrer sur un problème qui semble évident et de négliger des difficultés plus grandes encore, mais peut-être moins apparentes.

L'examen attentif des données à l'étape d'analyse et d'interprétation suppose, lui aussi, plusieurs types de raisonnements qui conduisent à l'identification des problèmes. À ce moment, il faut établir des liens entre les données, les regrouper, éliminer les données non essentielles et retenir les hypothèses de diagnostics infirmiers les plus probables.

Tout ce processus de réflexion et de jugement clinique permet d'éviter l'aléatoire, la planification par essais et erreurs, les pertes de temps et d'énergie et les désagréments pour la personne soignée. L'étape de la planification vise des objectifs et propose des interventions claires et précises qui permettent d'éviter les oublis et le désordre dans l'organisation des soins. L'évaluation empêche de s'enliser dans un cheminement inadéquat ou inefficace.

Les liens entre la démarche de soins, la démarche de résolution de problèmes et la démarche scientifique

On se demande parfois quelles sont les différences entre ces processus. Ils permettent tous de surmonter certaines difficultés. La capacité de résoudre des problèmes est un élément fondamental de notre vie quotidienne. Elle joue un rôle important sur les plans de l'adaptation et de l'efficacité. Selon certains auteurs, l'activité mentale qu'elle mobilise est presque inséparable de l'intelligence humaine (Brandsford et Stein, 1984, p. 2). L'école de pensée la plus reconnue actuellement en matière de résolution de problèmes est celle du traitement de l'information. Selon les tenants de cette école, les connaissances acquises et une représentation mentale claire du problème sont des éléments essentiels pour aboutir à une solution.

Ce processus se déroule globalement en trois étapes: la préparation, qui se fait à partir des indices décelés dans la réalité ou tirés des connaissances emmagasinées dans notre mémoire; l'élaboration de la solution, par l'évocation de solutions déjà utilisées (reconnaissance de schèmes) ou par un processus plus complexe de découverte qui conduit à la résolution du problème; l'évaluation du processus suivi, afin de le poursuivre ou de le modifier. Une façon de se rappeler les étapes du processus de résolution de problèmes est le système IDEES, une adaptation du modèle IDEAL de John Brandsford et Barry Stein.

I. Identifier le problème.
D. Définir et représenter le problème.
E. Explorer les solutions possibles.
E. Exécuter les actions prévues pour résoudre le problème.
S. Supputer, évaluer les résultats.

(Bruneau-Morin et Phaneuf, 1991, tome 1, p. 200-208)

La démarche de soins infirmiers constitue l'une des nombreuses variantes du processus de résolution de problèmes appliqué de façon particulière aux soins infirmiers. Aussi, en dépit de quelques différences, existe-t-il de grandes similitudes entre les deux processus. La démarche scientifique, utilisée surtout en recherche, s'apparente aussi au processus de résolution de problèmes et à la démarche de soins. La différence tient au fait que le problème est généralement défini au départ et que la collecte des données se fait après cette identification, en fonction même de ce problème. Les autres étapes de ce processus présentent des ressemblances avec celles de la résolution de problèmes et de la démarche de soins, mais ce processus se caractérise surtout par sa très grande rigueur.

La démarche de soins et la créativité

La créativité est une importante habileté à développer pour appliquer la démarche de soins. Il devient de plus en plus évident que cette habileté intellectuelle constitue un élément favorable à la résolution de problèmes et à la démarche de soins. La définition qu'en fait Torrance (dans Amegan, 1987, p. 10) est particulièrement intéressante. Il écrit que «la créativité est un processus par lequel une personne devient consciente d'un problème, d'une difficulté ou d'une lacune de connaissance pour laquelle elle ne peut trouver de solution apprise ou connue; elle cherche des solutions possibles en avançant des hypothèses qu'elle évalue et éprouve». C'est exactement le cheminement de la démarche de soins.

La créativité utilise la pensée divergente qui favorise l'établissement de liens et la recherche d'une diversité de solutions ou d'actions, ce qui se révèle particulièrement intéressant pour la démarche de soins. La créativité permet d'éviter la routine et d'imaginer des interventions qui sortent de l'ordinaire. On a souvent tendance à proposer des solutions semblables pour un même problème, alors qu'un peu d'imagination permettrait de mieux répondre aux besoins de la personne.

La démarche de soins et l'utilisation globale des composantes du cerveau

La démarche de soins, comme le processus de résolution de problèmes, fait appel à l'ensemble des structures cérébrales de la personne qui l'applique. On est porté à penser que ce processus se compose surtout d'éléments de logique stricte, mais il est beaucoup plus riche que cela. Comme l'explique Louis Timbal-Duclaux (1986, p. 42) à propos de la résolution de problèmes: «Ce processus fait d'abord appel à la capacité de la personne de voir une situation d'ensemble, de percevoir les difficultés qui émergent, de ressentir les émotions qui s'en dégagent.» Ces habiletés relèvent du cerveau droit. Il lui faut ensuite conceptualiser globalement les problèmes, puis les soumettre au raisonnement logique et en déduire des solutions, attributs du cerveau droit. La planification relève donc d'une certaine manière du cerveau gauche, mais elle s'inspire largement de l'intuition de la personne et de ses aptitudes de créativité, autres attributs du cerveau droit. (L'appellation «cerveau droit» et «cerveau gauche» fait référence aux régions corticales et limbiques droites et gauches.)

Comme nous le voyons, l'application de la démarche de soins fait appel à de nombreuses aptitudes qui mettent à contribution l'ensemble du cerveau. Par conséquent, les raisonnements inductifs à partir de la réalité, la communication avec la personne soignée, les processus d'analyse, de synthèse, de déduction et d'élaboration d'hypothèses débouchant sur une action organisée deviennent en même temps, par leurs exigences, des instruments de formation intellectuelle pour l'infirmière. L'application de la démarche de soins, en raison de tous les processus mentaux qui la soustendent, est un excellent moyen de développer la pensée formelle telle que la décrivaient Piaget et, plus près de nous, au Québec, le Groupe Démarche.

L'utilisation des diverses capacités cérébrales dans l'application de la démarche de soins est schématisée à la figure 4.1. Ce schéma, inspiré de Denise Bruneau–Morin et Margot Phaneuf (1991, p. 207), distingue les capacités des zones corticales de celles des zones limbiques.

Figure 4.1   **PROCESSUS DE RÉSOLUTION DE PROBLÈMES**

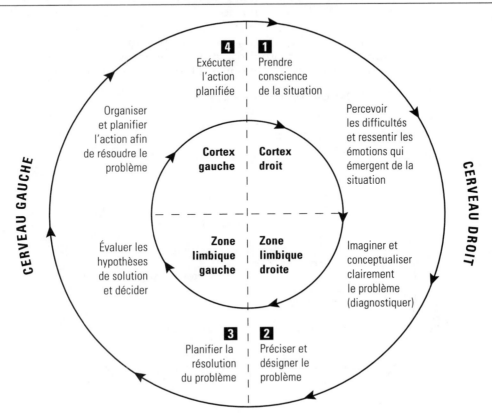

Selon la théorie de la superposition évolutive de nos trois cerveaux, faisant suite aux travaux de P. D. McLean (1973), le cortex cérébral est la partie la plus récente de notre cerveau. C'est aussi la plus évoluée. Quant aux zones limbiques, elles appartiendraient à notre cerveau mammalien, d'origine beaucoup plus ancienne, qui se serait superposé à notre cerveau reptilien archaïque. Il existe des différences marquées entre les possibilités des structures droite et gauche et entre les structures corticale et limbique d'un même côté.

Le profil d'apprentissage est déterminé par l'utilisation de certaines structures cérébrales. Ainsi, une personne peut manifester plus ou moins d'aptitudes soit pour l'analyse, la vision détaillée, le raisonnement déductif précis, la résolution logique de problèmes (cortex gauche), soit pour l'organisation séquentielle et les applications techniques (zone limbique gauche), soit pour la synthèse, la vision globale, l'induction, la résolution intuitive de problèmes et la créativité (cortex droit), soit encore pour l'ouverture aux autres et les relations humaines (zone limbique droite). La démarche de soins, à différentes étapes, exige toutes ces capacités.

Chacune de nos structures cérébrales renferme des richesses que la démarche de soins permet d'exploiter. La figure 4.2 présente les fonctions propres à chacun des hémisphères et met en évidence leurs capacités respectives.

Là encore, nous pouvons apprécier la variété des fonctions auxquelles la démarche de soins fait appel. Une bonne connaissance de nos possibilités nous permet d'évaluer nos forces et nos faiblesses pour en tirer le meilleur parti possible. Cette connaissance de soi sert non seulement à la démarche de soins, mais aussi à l'évolution personnelle. En effet, quand nous connaissons notre profil d'apprentissage et que nous l'utilisons adéquatement, celui-ci s'avère toujours un formidable outil d'évolution.

Figure 4.2   **CAPACITÉS PROPRES À CHACUN DES HÉMISPHÈRES**

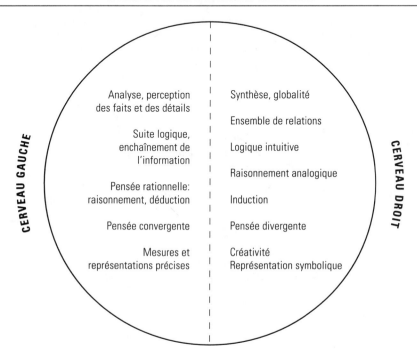

CERVEAU GAUCHE

Analyse, perception des faits et des détails

Suite logique, enchaînement de l'information

Pensée rationnelle: raisonnement, déduction

Pensée convergente

Mesures et représentations précises

CERVEAU DROIT

Synthèse, globalité

Ensemble de relations

Logique intuitive

Raisonnement analogique

Induction

Pensée divergente

Créativité
Représentation symbolique

L'engagement professionnel et l'autonomie de l'infirmière

La démarche de soins est un outil logique qui aide l'infirmière à définir ce qu'elle peut faire auprès d'une personne soignée. Elle ne vise que les actions autonomes, c'est-à-dire celles que l'infirmière peut légalement planifier à partir de sa propre identification du problème et de ses propres connaissances, sans ordonnance médicale. C'est un moyen de préciser son rôle par rapport à celui des autres membres de l'équipe.

L'infirmière n'est plus seulement une personne qui administre des médicaments: son champ d'action est beaucoup plus large. Elle devient quelqu'un qui observe la personne soignée, qui perçoit les difficultés de cette dernière et qui les exprime clairement afin de mieux cerner les moyens de l'aider. De simple exécutante, elle se transforme en planificatrice, en professionnelle consciente de son autonomie.

Il existe plusieurs définitions du rôle autonome de l'infirmière. Monique Formarier (1994, p. 118) cite celle de Rosemary Crow pour qui ce rôle est plutôt lié au comportement de l'infirmière dans l'exercice de ses fonctions. Dans cette optique, l'autonomie de l'infirmière n'est pas seulement liée à la possibilité de planifier des actions non prescrites, mais aussi à sa capacité de se diriger elle-même, c'est-à-dire faire ses choix, prendre ses décisions et faire avec confiance les gestes qui en découlent pour assurer le mieux-être de la personne soignée.

La démarche de soins, outil de systématisation et d'humanisation des soins, devient ainsi un instrument de valorisation professionnelle. Plus encore, la planification des soins fait partie des critères de qualité de l'exercice infirmier au Québec et dans différents pays. (Voir l'annexe à la fin du présent chapitre.)

La planification systématique des soins permet à l'infirmière de travailler de façon plus responsable et véritablement professionnelle. Nous voulons être considérées comme des professionnelles; encore faut-il manifester tout le sérieux digne de ce statut et répondre aux exigences qui s'y rattachent.

Cette revendication est assez récente. Au fil des ans, notre perception du rôle de l'infirmière a beaucoup évolué. Pendant très longtemps, les religieuses se sont littéralement consacrées aux malades: elles s'y vouaient corps et âme. Vint ensuite l'ère laïque, puis le progrès de la médecine et de la technologie dont la magie fascina plusieurs générations d'infirmières. C'était l'époque du triomphe de la technicienne, qui se répercute encore aujourd'hui. De nos jours, grâce à une formation plus solide et à l'évolution de la femme, les valeurs changent et les membres de la profession réclament un statut différent. Elles veulent être perçues comme des membres responsables, capables de prendre des décisions et de faire des gestes délibérés. Elles veulent devenir des interlocutrices valables pour le médecin et non plus être de simples exécutantes. Somme toute, elles désirent être considérées comme les membres d'une véritable profession.

L'autonomie professionnelle dans l'utilisation de la démarche de soins et du diagnostic infirmier ne signifie pas «action à part», sans égard pour le traitement prescrit par le médecin. Elle signifie au contraire une collaboration étroite avec tous les professionnels qui reconnaissent réciproquement leurs compétences particulières.

On peut se demander sur quels critères se fonder pour qu'un travail accède au rang de profession. Depuis plus d'un demi-siècle, de nombreuses études sur le professionnalisme ont été menées par des auteurs tels que

T. Parsons ou P. Elliot et J. T. Johnson, et plus récemment par Mary Conway (1983), Andrea O'Connor (1983) et Bonnie Bullough (1983). Le tableau 4.1, inspiré de ces auteurs, mais plus particulièrement de Georges Ritzer (1972, p. 54–55) et René Larouche (1987, p. 90–100), énumère quelques critères de professionnalisme.

Tableau 4.1 Critères de professionnalisme

UNE PROFESSION
• se compose d'un groupe de praticiennes qui partagent des valeurs et des buts communs;
• englobe un ensemble systématisé de connaissances théoriques qui guident la pratique. Une profession possède son propre «patrimoine» intellectuel (philosophie, modèles conceptuels, démarche de soins, principes de base et techniques). Des éléments de connaissance d'autres disciplines comme la pathologie, la psychologie ou la sociologie peuvent se greffer, mais leur utilisation doit toujours être particulière aux soins infirmiers;
• se définit comme un service à la communauté;
• oriente le service de ses membres vers des éléments de première importance sur le plan humain;
• acquiert une certaine autorité en inspirant confiance à la clientèle qui fait appel aux services de ses membres et en démontrant la nécessité de ces services;
• jouit d'une autonomie certaine pour l'accomplissement de certains actes, autrement ses membres ne seraient que de simples exécutantes, pas des professionnelles;
• se situe dans une relation de respect et de collaboration avec les autres professionnels;
• exerce son propre contrôle sur le service offert à la population et sur son champ d'action;
• est reconnue légalement comme profession et acceptée socialement comme telle (Loi sur les infirmières et les infirmiers, Québec, 1972);
• a développé une culture qui lui est propre en sensibilisant ses membres aux pratiques et aux valeurs qu'elle privilégie.

Certaines personnes s'interrogent sur l'existence réelle d'un ensemble de connaissances propres aux soins infirmiers. Il existe pourtant bel et bien. En 1959, Dorothy Johnson décrivait déjà les soins infirmiers comme «une synthèse, une réorganisation ou un élargissement de concepts tirés d'autres sciences qui, dans leur nouvelle formulation, deviennent d'autres concepts scientifiques».

Les connaissances en soins infirmiers englobent des connaissances communes à d'autres sciences et des connaissances scientifiques spécifiques. Elles reposent sur les sciences fondamentales, qui visent à fournir des explications aux phénomènes observés et à procéder à la systématisation du savoir, et sur les sciences appliquées, à la poursuite de buts précis propres aux soins infirmiers. Martha Rogers (1990) abonde dans le même sens en décrivant les sciences infirmières comme un ensemble de connaissances scientifiques et de principes prédictifs au sujet des processus de vie de l'être humain.

L'autonomie de l'infirmière est un autre critère de professionnalisme parfois remis en cause. Bien sûr, si l'on ne considère que les actions accomplies, le travail de l'infirmière n'est certes pas entièrement autonome puisqu'une partie des gestes qu'elle fait tiennent à son rôle de collaboratrice et sont déterminés par l'ordonnance médicale et certains protocoles de soins préétablis. Il est vrai que la prépondérance des gestes techniques varie selon le type de soins dispensés. Certaines unités de soins requièrent de nombreux gestes techniques liés à l'ordonnance médicale (salles d'urgence, services de chirurgie) tandis que d'autres laissent plus de latitude (services de géronto–gériatrie, services de médecine, soins à long terme). Toutefois, l'autonomie de l'infirmière ne s'exerce pas tant dans le type d'actes qu'elle accomplit que dans sa manière de les accomplir. Par conséquent, peu importe le type de soins que l'infirmière prodigue, elle peut toujours jouir de son autonomie puisqu'elle peut toujours être à l'écoute de la personne soignée et faire les gestes qui l'aideront à satisfaire les besoins de cette dernière. Dès lors, on peut affirmer qu'elle cesse d'être uniquement une exécutante et devient vraiment professionnelle dans la mesure où elle exécute une part de sa tâche à partir de son propre diagnostic infirmier et de ses propres décisions. Cette autonomie paraît plus évidente au sein de l'organisation professionnelle elle–même, au Québec du moins, car il existe une association, l'Ordre des infirmières et infirmiers du Québec, qui exerce un contrôle sur ses membres. Des pairs sont chargés de superviser les services offerts, d'en évaluer la qualité et d'apporter les améliorations nécessaires.

L'autonomie et les relations professionnelles

Le concept d'autonomie de l'infirmière nous amène à réfléchir à ses relations professionnelles avec le médecin d'abord et avec les autres travailleurs du domaine de la santé ensuite. Comment concilier cette autonomie avec un rôle de collaboration et d'interdépendance avec les autres professionnels? Certaines recherches tendent à démontrer que la capacité de l'infirmière à s'affirmer et à prendre sa place est un critère de collaboration efficace avec les médecins (Lemay et Duquette, 1995, p. 60–67).

Le modèle présenté à la page suivante décrit cinq comportements qui nous aident à comprendre un peu mieux le type de relations que l'infirmière entretient avec les médecins (ou même avec les autres professionnels). Il permet de voir, pour chacun des comportements, le niveau d'affirmation de soi et d'autonomie de l'infirmière et le degré de collaboration entre elle et le médecin.

> **Affirmation de soi, autonomie et collaboration avec le médecin**
> - 1er comportement: évitement. On n'y observe ni affirmation de soi, ni réelle autonomie, ni surtout de collaboration entre les professionnels.
> - 2e comportement: accommodation. L'infirmière manifeste un faible niveau d'affirmation de soi et d'autonomie; elle n'est qu'une exécutante, mais la collaboration est très bonne.
> - 3e comportement: compétition. L'infirmière s'affirme davantage et fait preuve de plus d'autonomie, mais la collaboration est faible.
> - 4e comportement: compromis. L'affirmation et l'autonomie sont mitigées; la collaboration aussi. L'infirmière est une exécutante critique.
> - 5e comportement: coopération. L'infirmière s'affirme franchement et fait montre de beaucoup d'autonomie. Elle est exécutante, mais elle est aussi capable de déterminer son action. La relation entre elle et le médecin est empreinte de respect mutuel et permet une véritable collaboration.

(Adapté de K. Thomas, 1976, p. 900.)

Ces portraits reflètent assez fidèlement les comportements des infirmières. Rappelons que l'application de la démarche de soins constitue pour les infirmières le moyen par excellence de faire valoir leur professionnalisme.

Les rôles et les fonctions de l'infirmière

Nous avons déjà parlé du rôle autonome de l'infirmière, de ses fonctions et de sa collaboration. Toutefois, quelques précisions s'imposent. Un rôle se définit par la conduite sociale d'une personne qui occupe une certaine place dans la société, par ses actions, par l'influence qu'elle exerce et par les fonctions qu'elle remplit dans le cadre de ses occupations. Dans le monde interdisciplinaire où évolue l'infirmière, cette notion de rôle est particulièrement importante. Elle permet de délimiter le champ d'action des différents membres de l'équipe.

Dans plusieurs pays occidentaux, il est généralement admis que les rôles de l'infirmière se répartissent entre son rôle autonome, son rôle de collaboration avec le médecin et son rôle d'interdépendance avec les autres membres du milieu de la santé. Dans l'organisation systémique du présent ouvrage, il est important de voir les liens et les interactions entre ces trois types de rôles de l'infirmière et les fonctions qu'elle exerce. Le tableau 4.2 définit les fonctions et précise les divers types d'interventions qu'elles touchent. Ainsi, les rôles et les fonctions autonomes comprennent les soins de base, le diagnostic infirmier et la planification des soins, la communication, la relation d'aide et l'enseignement à la clientèle.

La surveillance et le monitorage liés aux différentes fonctions de l'organisme ou certains actes que l'infirmière peut accomplir sans ordonnance médicale, telle la surveillance des effets thérapeutiques et secondaires de la médication, relèvent du rôle autonome de l'infirmière, mais ils touchent aussi sa fonction de collaboration puisque c'est le médecin qui les prescrit.

De plus, ils sont liés au rôle d'interdépendance, car pour effectuer ces tâches l'infirmière doit souvent travailler en collaboration avec d'autres membres de l'équipe.

Les rôles et les fonctions de collaboration touchent toutes les actions prescrites par le médecin pour diagnostiquer la maladie, la prévenir et la traiter. Les actes autonomes de l'infirmière (surveillance, positionnement, assistance) viennent les compléter.

Les rôles et les fonctions interdépendantes s'exercent en collaboration avec les autres membres du milieu de la santé. Le tableau 4.2 établit les rapports entre ces fonctions.

Tableau 4.2 Rapports entre les fonctions de l'infirmière dans un contexte multidisciplinaire

FONCTIONS AUTONOMES	FONCTIONS DE COLLABORATION	FONCTIONS INTERDÉPENDANTES
Fonctions que l'infirmière peut légalement exercer de son propre chef, à partir de ses connaissances et de son évaluation personnelle des besoins de la personne, en utilisant des moyens propres aux soins infirmiers pour l'aider.	Fonctions que l'infirmière peut légalement exercer sous la direction du médecin, qui prescit l'ordonnance médicale, pour accomplir des actes visant à participer aux méthodes diagnostiques, au traitement ou à la prévention de la maladie.	Fonctions que l'infirmière peut normalement exercer librement pour consulter un autre professionnel, discuter d'une situation problématique concernant une personne soignée, compléter l'action d'un autre thérapeute ou partager la responsabilité d'un plan de traitement.

Ce tableau fait ressortir les liens qui existent entre le travail de l'infirmière et celui des autres membres de l'équipe. Il est important de bien saisir ces liens, car on pourrait penser que chaque système d'intervention est parfaitement indépendant. Lorsqu'une autre personne (psychologue, diététicienne, ergothérapeute, physiothérapeute ou kinésithérapeute) est appelée auprès d'un malade, il arrive parfois que l'infirmière considère que les besoins du malade qui relèvent de leur spécialité ne la concernent pas et qu'elle n'a plus à s'en occuper. Pourtant, ce n'est pas en se dégageant de ses responsabilités que l'infirmière peut maximiser l'action de chacun des membres de l'équipe. C'est elle qui demeure toujours responsable de la satisfaction des besoins du malade, quelle que soit la situation.

Il faut se rappeler que les autres membres de l'équipe ne voient les malades que pendant de très courts moments, alors que les infirmières sont constamment près d'eux. De plus, les malades hospitalisés reçoivent tous à un moment ou à un autre les soins d'une infirmière, mais ils ne voient pas tous des psychologues, des diététiciennes, etc. Si ces considérations traduisent l'importance de notre profession, elles révèlent aussi la nécessité d'une véritable collaboration avec les autres professionnels. Aussi l'infirmière doit-elle apprendre à respecter le champ d'action des autres professionnels et à occuper pleinement le sien, ce qui semble parfois plus difficile.

La démarche de soins et les fils conducteurs du programme de formation en soins infirmiers

La démarche de soins est l'un des cinq fils conducteurs du programme de formation en soins infirmiers. Ces fils conducteurs favorisent non seulement l'intégration des connaissances acquises au cours d'une même année de formation, mais aussi celles qui sont acquises au cours de tout le programme. Voici les cinq fils conducteurs du programme d'études collégiales (180.01) au Québec:

- l'actualisation de soi;
- la communication;
- la connaissance de la personne;
- la démarche de soins;
- l'engagement professionnel.

Afin de faciliter l'intégration des connaissances relatives à chacun de ces concepts, il est important de voir les liens qui existent entre eux.

La démarche de soins et l'actualisation de soi

L'actualisation de soi est un concept fondamental en soins infirmiers. L'application de la démarche de soins suppose le développement personnel lié aux capacités d'observation, d'intuition, de raisonnement inductif et déductif, de prise de décision et d'affirmation de soi dans une perspective de responsabilité et d'autonomie.

L'apprentissage de la démarche de soins vise à développer une compétence chez l'infirmière. Or, comme le signale Guy Le Boterf (1994, p. 149–155), «l'application d'une compétence suppose chez la personne la capacité de mobiliser ses connaissances et ses habiletés». Mais comment peut-elle le faire si elle n'a pas conscience de les posséder ou qu'elle ignore comment s'en servir? Les apprentissages liés à l'actualisation de soi lui permettent de prendre conscience de ses connaissances et de ses habiletés.

La démarche de soins et la communication

La démarche de soins est un processus interactif entre la soignante et la personne soignée. Cette interaction se fait tout au long des soins, mais plus particulièrement au moment de la collecte des données (anamnèse) et de la consultation en vue de valider le diagnostic infirmier. Elle se fait aussi quand vient le temps de fixer des objectifs et d'évaluer le plan de soins. Ce processus de communication change le rôle de la personne: de témoin passif de ses soins, elle devient une collaboratrice capable de nommer ses problèmes, d'en rechercher les causes, de viser des objectifs précis et, dans la mesure de ses possibilités, de participer à ses soins. Le plan de soins, avec toute l'information qu'il recèle, constitue un élément précieux du dossier du malade au même titre que l'anamnèse et les ordonnances médicales.

Des habiletés suffisantes de communication sont un gage de la qualité de la démarche de soins, puisque celle-ci repose sur une collecte des données résultant d'un dialogue entre l'infirmière et la personne soignée.

La démarche de soins et la connaissance de la personne

La connaissance de la personne touche le savoir lié au modèle conceptuel utilisé dans le programme de formation et les connaissances liées au diagnostic infirmier. Pour la plupart des collèges, au Québec, elle englobe les besoins de la personne.

L'engagement professionnel

L'engagement professionnel est un fil conducteur important. Il reflète les comportements de l'infirmière dans l'exercice de sa profession. On y trouve les valeurs qui se rattachent à l'éthique, à la responsabilité vis-à-vis des soins offerts, à la personnalisation des soins, à la planification éclairée, à la rigueur et à l'évaluation du travail de l'infirmière.

L'engagement professionel touche les bases légales de l'exercice infirmier, sa définition et son application contrôlée selon des critères d'évaluation de la qualité établis par l'Ordre des infirmières et infirmiers du Québec, où la démarche de soins joue un rôle de premier plan.

A nnexe

Les assises de la profession d'infirmière au Québec

Les normes et les critères de compétence du Québec ont été revisés et acceptés par le Bureau de l'Ordre des infirmières et infirmiers du Québec en 1996 dans le texte intitulé *Perspective de l'exercice de la profession d'infirmière*, où figurent les «Assises de l'exercice de la profession d'infirmière».

Les croyances concernant la personne, la santé, l'environnement et le soin sur lesquelles se fondent ces assises sont importantes pour l'étudiante qui apprend à planifier des soins. Leur description s'énonce comme suit.

La personne

«Tout indivisible, unique et en devenir, agissant en conformité avec ses choix, ses valeurs et ses croyances ainsi que selon ses capacités. La personne est en relation avec les autres et en interaction avec son environnement.»

La santé

«Processus dynamique et continu dans lequel une personne (famille, groupe et collectivité) aspire à un état d'équilibre favorisant son bien-être et sa qualité de vie. Ce processus implique l'adaptation à de multiples facteurs environnementaux, un apprentissage ainsi qu'un engagement de la personne et de la société.»

L'environnement

«Ensemble des éléments constitutifs d'un milieu qui entre en interaction avec la personne (famille, groupe ou collectivité). L'environnment comprend les dimensions suivantes: physique (milieu naturel, milieu de soins), psychosociale (réseau naturel ou réseau organisé offrant du soutien ou imposant des contraintes), politique et économique, spirituellle, culturelle et organisationnelle (structure de prestation de soins).»

Le soin

«Processus dynamique visant la promotion, le maintien ou l'amélioration de la santé d'une personne (famille, groupe ou collectivité), la prévention de la maladie et la réadaptation; ce processus englobe les activités liées au traitement médical ainsi que l'enseignement et le soutien au client. L'infirmière s'acquitte des activités de soins infirmiers associées à ce processus en utilisant une **démarche systématique**. Ces activités sont effectuées dans une relation de partenariat avec le client et dans le respect de ses capacités.» (O.I.I.Q., 1996, p. 8)

Il est à remarquer que la nécessité de l'utilisation d'une démarche de soins systématique est ici réaffirmée de même que celle de l'enseignement au client.

Les croyances et les postulats qui fondent les soins sont les suivants:

- «Les soins infirmiers contribuent de façon particulière à la promotion, au maintien et à l'amélioration de la santé, du bien-être et de la qualité de vie de la personne.
- Les soins infirmiers tiennent compte de l'histoire de santé de la personne. Pour connaître cette histoire, l'infirmière établit une relation avec le client, dans laquelle chacun des partenaires exprime ses attentes.

- Les soins infirmiers aident la personne à assumer ses responsabilités en matière de santé et à mobiliser ses ressources pour maintenir ou améliorer sa santé, en tenant compte de l'environnement dans lequel elle évolue.
- Les soins infirmiers aident la personne à acquérir des mécanismes d'adaptation qui lui permettront de prévenir ou de surmonter les problèmes de santé et les situations de crise.
- Les soins infirmiers contribuent à compenser les déficits de la personne et la guident dans son adaptation à une nouvelle situation de santé.
- Les soins infirmiers aident la personne à apprendre comment accroître le répertoire de ses ressources personnelles pour assumer ses responsabilités en matière de santé et acquérir des habiletés d'autosoins.
- Les soins infirmiers sont empreints d'humanisme. L'infirmière fait respecter les droits de la personne qu'elle soigne et l'aide dans les situations où ses droits sont lésés.
- Les soins infirmiers s'inscrivent dans un cadre interdisciplinaire. Ils sont offerts de concert avec les services des autres professionnels de la santé et des organismes du milieu.» (O.I.I.Q., 1996, p. 11)

Les buts de la pratique infirmière

À l'intérieur de ces nouvelles perspectives pour la profession d'infirmière, le but de la pratique se définit comme suit:

«La pratique infirmière vise à rendre la personne (famille, groupe ou collectivité) apte à prendre sa santé en charge selon ses capacités et les ressources que lui offre son environnement quelle que soit l'étape de la vie qu'elle traverse et quelle que soit la phase de sa maladie. Elle vise également à rendre la personne capable d'assurer son bien-être et d'avoir une bonne qualité de vie.» (O.I.I.Q., 1996, p. 12)

Le développement des nouvelles perspectives pour la pratique infirmière est à la fois large dans son approche philosophique et ses objectifs et touffue dans ses apports plus concrets. Malheureusement, le cadre du présent ouvrage ne nous permet pas d'en faire un énoncé exhaustif. Aussi, parmi les énoncés descriptifs de la pratique infirmière, nous n'avons dégagé que les dimensions qui ont un rapport étroit avec cet ouvrage qui traite de la planification des soins. À la catégorie «Partenariat infirmière-client» nous trouvons entre autres, en ce qui a trait aux **éléments organisationnels**:

«La démarche systématique est l'outil privilégié par l'infirmière pour la planification des soins. Les intruments de travail pour l'appliquer (histoire de santé, plan d'intervention) sont disponibles et fondés sur une conception des soins infirmiers.» (O.I.I.Q., 1996, p. 13)

Le législateur a prévu que l'Ordre des infirmières et infirmiers du Québec préside au contrôle de l'exercice infirmier (Code des professions, article 112, L. R. 1977, C-26). L'Ordre a alors décrété que l'évaluation de la compétence des infirmières devait se faire à partir de normes acceptées par les membres de la profession. Le comité d'inspection professionnelle se charge ensuite d'établir les priorités d'un programme de surveillance de l'exercice infirmier (*Évaluation de la compétence professionnelle de l'infirmière et de l'infirmier au Québec*, tomes 1, 2 et 3. Montréal, O.I.I.Q., 1980).

L'Association des infirmières et infirmiers du Canada (A.I.C.) a établi des normes pour la démarche de soins. La norme II stipule que les infirmières doivent:

- recueillir les données conformément à leur conception du client;
- analyser les données recueillies conformément à leur conception de la profession infirmière, de leur rôle et de l'origine des difficultés du client;
- planifier leurs activités en fonction des problèmes réels ou éventuels du client et en conformité avec leur conception du but poursuivi et des modes d'intervention disponibles;
- engager des actions qui permettent la mise en œuvre du plan;
- évaluer toutes les étapes du processus infirmier en conformité avec leur modèle conceptuel.

A.I.C. (1987). *Définition de la pratique infirmière: normes de la pratique infirmière*, Ottawa.

En France, le ministère des Affaires sociales et de l'Intégration a aussi fait connaître ses normes concernant la démarche de soins. On peut y lire:

Article 3.1.1
La pratique infirmière s'appuie sur une démarche de soins pour dispenser des soins personnalisés.

Article 3.1.1.1
Les soins infirmiers s'appuient sur un modèle conceptuel ou sur une théorie de soins.

Article 3.1.1.2
Les éléments d'analyse prennent en compte les besoins de chaque personne soignée ainsi que les informations médicales et celles de l'équipe pluridisciplinaire. Ils ont pour but d'aider la personne soignée à restaurer sa santé, à conserver, recouvrer ou développer son autonomie.

Article 3.1.1.3
Les objectifs de soins infirmiers sont déterminés avec la personne soignée, son entourage, l'équipe multiprofessionnelle, en prenant en compte leurs ressources et celles de la structure de soins.

Article 3.1.1.4
Les soins infirmiers sont programmés et effectués en fonction des objectifs de soins infirmiers et des prescriptions médicales.

Article 3.1.1.5
La démarche de soins est écrite dans le dossier de soins afin de permettre le suivi de chaque personne soignée.

Article 3.1.1.6
L'évaluation des résultats est prévue et réalisée; elle permet d'éventuels réajustements avec la participation de la personne soignée.

B *ibliographie*

AMEGAN, Samuel (1987). *La Créativité en pratique et en action*. Montréal, Presses Universitaires de l'UQAM.

ASPINAL, M. J. (1976). «Nursing Diagnosis – The Week Link». *Nursing Outlook*, vol. 23, p. 433–437.

BIZIER, Nicole (1992). *De la pensée au geste*. Montréal, Décarie Éditeur.

BRANDSFORD, John et STEIN, Barry (1984). *The IDEAL Problem Solver*. New York, Freeman and Company.

BROWN, Patricia (1984). *Fundamentals of Nursing. A Frame Work for Practice*, Instructors Manual. Boston, Little Brown Co.

BRUNEAU–MORIN, D. et PHANEUF, M. (1991). *Structures pédagogiques pour le programme de soins infirmiers 180.01*. Tome 1. Saint–Jean–sur–Richelieu, Collège de Saint–Jean–sur–Richelieu.

BULLOUGH, Bonnie (1983). «Career Ladder in Nursing» dans Norma L. Chaska [s. la dir. de] (1983). *A Time to Speak*. New York, McGraw-Hill.

CARNEVALI, D. L. et THOMAS, M. D. (1993). *Diagnostic Reasoning and Treatment Decision Making in Nursing*. Philadelphia, J. B. Lippincott.

CARPENITO, Lynda J. (1990). *Diagnostic infirmier. Du concept à la pratique clinique*, traduit par Catherine Collet. 2e édition française. Paris, Medsi/McGraw-Hill.

CARPENITO, Lynda J. (1993). *Nursing Diagnosis. Application to Clinical Practice*. 5e édition. Philadelphia, J. B. Lippincott.

COMBS, A., RICHARD, A. C. et RICHARD, F. (1976). *Perceptual Psychology: A Humanistic Approach to the Study of Persons*. New York, Harper and Row.

CONWAY, Mary (1983). «Prescription for Professionnal-ization» dans Norma L. Chaska [s. la dir. de] (1983). *A Time to Speak*. New York, McGraw-Hill.

DÉSILETS, Jean et ROY, Daniel (1984). *L'Apprentissage du raisonnement*. H.R.W., coll. Les Éditions parallèles.

DOENGES M. E. et MOORHOUSE, M. F. (1992). *Application of Nursing Process and Nursing Diagnosis: An Interactive Text.* Philadelphia, F. A. Davis.

DOENGES, M. E. et MOORHOUSE, M. F. (1993). *Nurse's Pocket Guide. Nursing Diagnosis with Interventions.* 4e édition, Philadelphia, F. A. Davis.

ELLIOT, P. (1972). *The Sociology of the Professions.* London, The MacMillan Press.

FORMARIER, Monique (novembre 1994). *Recherche en soins infirmiers. Spécial méthodologie.*

FREY, Velma, HOCKETT, C. et MOIST, G. (1990). *Guide pratique de diagnostics infirmiers. Diagnostics infirmiers et plan de soins.* Montréal, Lidec.

GORDON, Marjory (1989). *Diagnostic infirmier. Méthodes et applications.* Paris, Medsi.

GORDON, Marjory (1993–1994). *Manual of Nursing Diagnosis.* 6e édition, St. Louis, Missouri, Mosby.

GRONDIN, L., LUSSIER, R. J., PHANEUF, M. et RIOPELLE, C. L. (1990). *Planification des soins infirmiers, Modèle d'interventions autonomes.* Laval, Études Vivantes.

GROUPE DÉMARCHE (1987). *Programme de développement de la pensée formelle.* Tome 2. *Approche pédagogique.* Québec, Collège de Limoilou.

HALL, L. E. (1955). «Quality of Nursing Care» dans *Public Health News.*

HALLORAN, Edward J. (1995). *A Virginia Henderson Reader.* New York, Springer Publishing.

IYER, Patricia, TAPTICH, B. J. et BERNOCCHI–LOSEY, D. (1986). *Nursing Process and Nursing Diagnosis.* Philadelphia, Saunders.

JOHNSON, Dorothy E. (1959). «A Philosophy for Nursing Diagnosis». *Nursing Outlook,* vol. 7, no 4, p. 198–200.

JOHNSON, Dorothy E. (1980). «The Behavioral System Model for Nursing» dans J. P. Riehl et Callista Roy. *Conceptual Models for Nursing Practice.* 2e édition. New York, Appleton–Century–Crofts.

JOHNSON, J. T. (1972). *Profession and Power.* London, The MacMillan Press.

LAROUCHE, René (1987). *La Sociologie des professions.* Québec, Département de sociologie de l'Université Laval.

Le BOTERF, Guy (1994). *De la compétence: essai sur un attracteur étrange.* Paris, Les Éditions d'Organisation.

LEE, W. (1971). *Decision Theory and Human Behavior.* New York, Wiley.

LEFEBVRE, Monique et DUPUIS, Andrée (1993). *Le Jugement clinique en soins infirmiers.* Montréal, ERPI.

LEGENDRE, Rénald (1983). *L'Éducation totale.* Montréal, Éditions Ville–Marie/Fernand Nathan.

LEMAY, Sylvie et DUQUETTE, André (décembre 1995). «Prédicteurs de la collaboration infirmière–médecin, perceptions d'infirmières de soins intensifs» dans *Recherche en soins infirmiers.*

LYSAUGHT, Jerome B. (1981). *Action in Affirmation: Toward an Unambiguous Profession of Nursing.* New York, McGraw–Hill.

McLEAN, P. D. (1973). *A Tribune Concept of The Brain and the Behavior.* Toronto, The Hincks Memorial Lecture, p. 6–66.

MILLER, Emmy (1989). *How to Make Nursing Diagnosis Work. Administrative and Clinical Strategies.* Norwalk, Conn., Appleton & Lange.

MORGAN, Clifford (1974). *Introduction à la psychologie.* Montréal, McGraw–Hill.

NEWELL, A. et SIMON, H. (1972). *Human Problem Solving.* Englewood Cliffs, N. J., Prentice–Hall.

O'CONNOR, Andrea (1983). «Continuing Education for Nursing Leaders» dans Norma L. Chaska [s. la dir. de] (1983). *A Time to Speak.* New York, McGraw–Hill.

ORDRE DES INFIRMIÈRES ET INFIRMIERS DU QUÉBEC (1985). *Normes et Critères de compétence pour les infirmières et infirmiers.* Montréal, O.I.I.Q.

ORDRE DES INFIRMIÈRES ET INFIRMIERS DU QUÉBEC (1996). *Perspective de l'exercice de la profession d'infirmière.* Montréal, O.I.I.Q.

PARSONS, T. (1971). «The Professions: Reports and Opinions» dans *American Sociological Review,* p. 547–559.

PHANEUF, Margot (1985). *La Démarche scientifique.* Montréal, McGraw–Hill.

RAIFFA, H. (1970). *Decision Analysing.* Reading, Mass., Addison–Wesley.

RIOPELLE, L., GRONDIN, L. et PHANEUF, M. (1984). *Soins infirmiers, un modèle centré sur les besoins de la personne.* Montréal, McGraw–Hill.

RIOPELLE, L., GRONDIN, L. et PHANEUF, M. (1987). *Répertoire des diagnostics infirmiers selon le modèle conceptuel de Virginia Henderson.* Montréal, McGraw–Hill.

RITZER, Georges (1972). *Man and his Work.* New York, Meredith, cité dans René Larouche (1987). *La Sociologie des professions.* Québec, Département de sociologie de l'Université Laval.

RODGERS, Martha E. (1990). «Nursing Science of Unitary, Irreducible Human Being». Mise à jour en 1990 dans *Vision of Rodgers Science-base Nursing.* National League for Nursing Publishers, no 15, p. 2285.

ROY, Callista (1976). «The Impact of Nursing Diagnosis». *American Operating Room Nursing Journal,* vol. 21, no 5, p. 1023–1030.

TAPTICH, B. J., IYER, P. W. et BERNOCCHI–LOSEY, D. (1989). *Nursing Diagnosis and Care Planning.* Philadelphia, Saunders.

THOMAS, K. (1976). «Conflict and Conflict Management» dans D. L. Carnevali et M. D. Thomas (1993). *Diagnostic Reasoning and Treatment Decision Making in Nursing.* Philadelphia, J. B. Lippincott.

TIMBAL–DUCLAUX, Louis (1986). *L'Écriture créative.* Paris, Ritz.

TORRANCE (1972). AMEGAN, S. (1987). *Pour une pédagogie active et créative.* Montréal, Presses Universitaires de l'UQAM.

YURA, Helen et WALSH, Mary B. (1983). *Human Needs and the Nursing Process.* Norwalk, Appleton–Century–Crofts.

La collecte des données, étape 1 de la démarche de soins

Objectifs terminaux

1° L'étudiante développera sa capacité d'observation afin de connaître les besoins de la personne.

2° Elle exploitera ses habiletés de communication en recueillant des données auprès de la personne soignée afin d'établir un plan de soins.

Objectifs intermédiaires

De façon plus spécifique, l'étudiante sera capable:

1° de préciser en quoi consiste la collecte des données;

2° de déterminer:
- quelles informations recueillir afin d'établir un profil de la personne soignée;
- à quelles sources d'information elle peut puiser;

3° d'exercer ses habiletés d'observation pour découvrir les forces et les difficultés de la personne;

4° d'utiliser ses habiletés de communication pour créer un climat propice au dialogue afin d'amener la personne soignée à préciser ses habitudes de vie et à exprimer son degré de satisfaction pour chacun des besoins;

5° de situer son entretien avec la personne dans un climat simple et chaleureux et d'utiliser avec discernement un instrument de collecte des données;

6° de s'adapter au contexte des soins et de centrer sa collecte des données sur les éléments les plus importants compte tenu de l'état de la personne.

La collecte des données

ANAMNÈSE
Renseignements fournis par le sujet sur son état.

La collecte des données, appelée «**anamnèse**», est la première étape de la démarche de soins. Elle constitue un élément important de la planification des soins, puisque c'est à partir de ces observations que s'élabore le diagnostic infirmier, plaque tournante des soins. Par conséquent, l'étudiante soucieuse de s'engager dans une démarche de soins doit développer les habiletés nécessaires pour recueillir des données.

La collecte des données, phase initiale de la démarche de soins, est aussi en quelque sorte la clé de la planification des soins. L'importance de cette étape a été mise en lumière dans l'énoncé des **normes** et **critères** de compétence définis en 1980 par l'Ordre des infirmières et infirmiers du Québec (révisés en 1996).

NORME
Règle, principe, modèle de ce qui doit être.

CRITÈRE
Caractère, signe qui permet de juger d'une chose.

> ### Collecte des données
>
> Processus organisé et systématique de recherche d'information faite à partir de diverses sources afin de découvrir le degré de satisfaction des différents besoins de la personne, d'identifier ainsi ses problèmes, de connaître ses ressources personnelles et de planifier des interventions susceptibles de l'aider.

La collecte des données: processus initial et processus continu

AMORCER
Commencer, débuter.

La démarche de soins s'**amorce** par la collecte des données dès l'arrivée de la personne dans un service de soins ou au cours des premières heures de son hospitalisation. Il est important de recueillir l'information tôt puisque c'est une occasion de faire connaissance avec la personne. Certains milieux adoptent même des règles de fonctionnement à ce sujet. Dans un centre de soins aigus, par exemple, la première collecte de données doit se faire dans les 8 premières heures et être complétée en 24 heures. Dans les services de courts séjours, ces délais sont raccourcis. Pour les soins à long terme, même si le délai peut être plus long, il faut tracer un profil du malade assez tôt afin de pouvoir lui offrir un service de qualité.

La collecte de données, qui permet d'établir un contact privilégié avec le malade, n'est pas figée dans le temps. C'est un processus continu et dynamique où l'infirmière ne cesse d'observer, de consulter, de questionner et de compiler de l'information.

Les buts de la collecte des données

La collecte des données permet de mieux comprendre le malade et de planifier des soins appropriés. Cette étape de la démarche fournit une image globale de l'état de santé de la personne et permet à l'infirmière de porter un ou des jugements cliniques spécifiques, c'est-à-dire identifier les difficultés à la suite de ses observations et de ses questionnements, et tenter de les résoudre dans le cadre de ses fonctions.

La collecte des données vise des objectifs précis qui varient selon les étapes de la démarche de soins. L'encadré suivant en résume les principaux objectifs.

BUTS DE LA COLLECTE DES DONNÉES

Au début des soins

- Découvrir les attentes et les besoins les plus immédiats de la personne.
- Déceler ses réactions face à son problème de santé (anxiété, peur, douleur, etc.).
- Déterminer les modifications de l'état de santé de la personne (perte de masse, nausées, constipation, etc.).
- Découvrir les facteurs de risque qui peuvent constituer une menace pour elle (vieillissement, tabagisme, alitement prolongé, etc.).
- Connaître ses habitudes de vie (alimentation équilibrée, sports de plein air, nombre d'heures de sommeil).
- Recueillir de l'information permettant d'élaborer une hypothèse de diagnostic infirmier.

Plus tard au cours des soins

- Approfondir l'information recueillie afin de préciser les hypothèses de diagnostic infirmier.
- Confirmer les hypothèses auprès de sources sûres.
- Procéder à une mise à jour régulière de la démarche de soins.

À la fin des soins

- Préparer le congé de la personne.

Les droits du malade et la collecte des données

L'information fournie par le malade est précieuse et l'infirmière en a grand besoin pour planifier les soins. Toutefois, un malade n'est jamais tenu de répondre aux questions qu'on lui pose. Il faut se rappeler qu'il est libre de refuser d'établir une relation, de répondre à des questions ou de recevoir des soins. La situation est rare: qui peut refuser de l'aide? Pourtant, lorsqu'elle se présente, elle est difficile à accepter pour la soignante qui vit souvent ce refus comme un échec de la relation.

En manifestant un peu de compréhension et de respect à l'égard d'une personne réticente et en l'invitant à participer à la planification des soins, vous obtiendrez sa collaboration. Même si quelques difficultés se présentent au début, en créant un lien avec la personne et en lui expliquant les raisons de la collecte de données, vous réussirez à aplanir les problèmes. Le malade est alors très content que l'on s'occupe de lui. Habituellement, une entrevue bien menée est accueillie favorablement: le malade l'accepte et peut même éprouver de la satisfaction.

Certains types de malades, telles les personnes négatives, méfiantes, hostiles ou agressives, exigent plus de doigté de la part de l'infirmière. Pour les rassurer et faciliter leur collaboration, il faut bien leur faire comprendre que cette information sert à mieux les aider et que toutes les personnes qui y ont accès sont tenues au secret professionnel.

Les diverses applications du processus de collecte des données

Nous parlons de la collecte de données, mais en réalité nous devrions plutôt parler des collectes de données, car les objectifs visés nous amènent à distinguer diverses applications de ce processus, à différents moments. Nous avons mentionné la collecte initiale des données et les collectes qui se font tout au long des soins: en fait, il s'agit des variantes d'un même processus appliqué à des moments différents ou présentant un degré varié d'approfondissement des questions.

Dans un centre hospitalier, la première collecte des données vise d'abord à répondre aux attentes et aux besoins les plus urgents de la personne, car on ne peut isoler le processus diagnostic des soins immédiats. Cette collecte vise ensuite à formuler des hypothèses de diagnostic infirmier.

Dès le premier contact, l'infirmière amorce son processus diagnostique à partir de ses impressions sur l'état de la personne. Elle devra ensuite approfondir ses impressions et les clarifier par des collectes de données qui lui permettront de préciser les problèmes et de les confirmer. Plusieurs auteures, dont Marilynn Doenges et Mary Frances Moorhouse (1992, p. 12), sont aussi d'avis que la collecte des données peut s'effectuer en plusieurs étapes. Toutefois, les collectes **subséquentes** ne sont pas **exhaustives**: elles touchent certains aspects qu'il faut approfondir ou des aspects qui se sont modifiés et qu'il faut mettre à jour.

SUBSÉQUENT
Qui vient ensuite.

EXHAUSTIF
Complet, traité à fond.

Finalement, lorsque la personne reçoit son congé, l'infirmière doit encore recueillir des données sur son état, sur ses connaissances du traitement à suivre, sur les conditions de réalisation du plan de traitement à la maison ou dans le centre où la personne est transférée afin de préparer le plan de départ. Le processus suivi pour toutes ces collectes est sensiblement le même; seul le but immédiat diffère. Considérée sous cet angle, la collecte des données se présente comme un processus répétitif dont les objectifs varient selon le moment de son application.

Les différents aspects de la collecte des données

La collecte de données peut se résumer ainsi:

- La collecte d'orientation (ou collecte sommaire)
  – elle vise à répondre aux besoins immédiats de la personne;
  – elle permet de formuler des hypothèses de diagnostic infirmier.
- Les collectes subséquentes
  – elles approfondissent les données recueillies afin de préciser les hypothèses;
  – elles permettent la mise à jour du plan de soins.
- La collecte de départ
  – elle prépare le plan de congé de la personne.

La collecte d'orientation ou collecte sommaire

Examinons chacune de ces collectes de données. La collecte des données fait partie du mode de fonctionnement habituel d'une unité de soins. Aussi l'infirmière doit-elle recueillir de l'information le plus tôt possible pour établir un plan de soins. Dès qu'une personne arrive, l'équipe soignante doit s'interroger rapidement sur les attentes et les besoins de cette personne.

HANDICAP
Désavantage, infériorité, infirmité.

COLLIGER
Réunir en un recueil, une synthèse; inscrire sur un instrument de collecte des données.

Les premières données doivent être brèves et pertinentes, car la personne qui vient d'arriver peut être souffrante, anxieuse et apeurée par ce nouveau milieu. Elle n'est peut-être pas en état de subir une longue investigation. Aussi cette collecte initiale doit-elle être centrée sur les éléments essentiels.

L'infirmière doit, par exemple, considérer l'état de conscience de la personne afin d'assurer sa protection s'il y a lieu. Elle doit ensuite se renseigner sur ses capacités physiques, ses **handicaps**, sa douleur, son inconfort, etc. Elle doit **colliger** les données traduisant un problème urgent ou un besoin important.

Toutefois, l'infirmière n'a pas toujours le temps de recueillir l'information. Si le malade est admis d'urgence ou si plusieurs malades se présentent en même temps à l'unité de soins, il faut trouver un moyen fonctionnel de recueillir les données essentielles tout en composant avec les autres activités du service. Si l'infirmière dispose de plus de temps et si l'état de la personne le permet, elle peut toujours faire une collecte des données plus élaborée. Une collecte sommaire est aussi utile pour les hospitalisations très courtes. Les données de la collecte d'orientation touchent:

- les conditions urgentes (exemple: difficulté à respirer);
- l'état de conscience (personne alerte intellectuellement, confusion, inconscience);
- l'état psychologique manifeste (agitation, idées suicidaires);
- les handicaps (vue, ouïe, amputation);
- les risques à prévenir (allergies, chute, fugue);
- l'état de souffrance et d'inconfort (douleur, incapacité de conserver certaines postures);
- le degré d'autonomie (pour manger, se lever, aller aux toilettes, etc.);
- le réseau de soutien (parents, amis) en cas de besoins particuliers.

Ce premier contact avec la personne permet à l'infirmière non seulement de satisfaire les besoins immédiats du malade, mais aussi d'avoir des perceptions qui la mettent sur la piste de certains diagnostics infirmiers. C'est alors qu'elle formule des hypothèses. Elle doit toutefois vérifier ses impressions par des collectes de données plus approfondies qui l'aideront à les préciser et à les confirmer. La démarche de soins n'est pas un processus linéaire où l'étape d'analyse et d'interprétation succède mécaniquement à la collecte des données. Il existe, au contraire, une relation dynamique permanente entre les perceptions de l'infirmière et l'interprétation qu'elle en donne. Marjory Gordon (1989, p. 122) souligne d'ailleurs que nous traitons l'information au fur et à mesure que nous la percevons. Plus près de nous, Hélène Sylvain (1994, p. 48–49) écrit que, chaque fois qu'une infirmière reconnaît certains indices d'un problème, ces données sont immédiatement traitées dans sa mémoire, des liens s'établissent avec des connaissances emmagasinées et des hypothèses de diagnostic sont alors émises.

L'infirmière a déjà perçu certaines difficultés qui lui permettent d'émettre des hypothèses de diagnostic infirmier que viendront confirmer ou infirmer les collectes de données subséquentes.

Mise en situation

Nathalie est une infirmière d'expérience; elle est efficace et se préoccupe du mieux-être de la personne soignée. Elle reçoit Mme Lebrun, hospitalisée d'urgence pour une infection grave; celle-ci est souffrante, fiévreuse et abattue.

Afin de planifier ses soins, Nathalie a besoin d'un certain nombre de renseignements. L'état de Mme Lebrun est sérieux et elle ne peut répondre à de longues questions. Aussi Nathalie se contentera-t-elle de recueillir l'information essentielle.

La simple observation de la malade la renseigne. Elle voit que cette dernière respire librement, mais rapidement; sa façon de parler montre qu'elle est consciente et lucide et Nathalie ne remarque pas de handicap évident. Pendant qu'elle l'installe et qu'elle prend ses **signes vitaux**, elle lui pose quelques questions afin de savoir si elle souffre de certaines allergies (elle devra prendre des antibiotiques) et si elle consomme des médicaments. Elle s'informe si elle est souffrante et si elle est installée confortablement. Elle constate que cette personne pourra boire et manger seule et lui suggère de demander le bassin au besoin, car elle ne peut se lever. Nathalie lui demande enfin si un proche peut lui apporter les quelques objets personnels dont elle a besoin. Mme Lebrun répond que ce ne sera pas nécessaire, puisqu'elle ne restera pas longtemps. Elle n'a jamais été malade et dit ne pas avoir besoin de traitement.

L'observation et une courte entrevue ont permis à Nathalie de satisfaire provisoirement quelques besoins et de répondre aux nécessités les plus urgentes.

La prise des signes vitaux lui a permis de constater que la malade fait de l'hyperthermie. De plus, le ton de sa voix, son regard, ses gestes nerveux lui donnent à penser qu'elle est anxieuse. Sa réponse trahit la panique ou le refus de la maladie. Nathalie pense que Mme Lebrun ne connaît probablement pas suffisamment son problème de santé et qu'elle acceptera peut-être difficilement le traitement.

SIGNES VITAUX
Ensemble de mesures vitales: pulsation, respiration, pression artérielle, auxquelles s'ajoute la température corporelle.

Il faut que l'infirmière retienne les observations suivantes qui lui serviront à formuler des hypothèses de diagnostic infirmier:

- l'hyperthermie;
- l'anxiété;
- le manque de connaissances;
- le risque de non–observance du traitement.

En identifiant des points qui posent problème, l'infirmière peut restreindre son champ de perception et fixer son attention sur des éléments importants.

Le cheminement de la pensée, de la collecte d'orientation à l'élaboration d'hypothèses de diagnostic infirmier, se déroule en quatre étapes:

- les impressions ressenties lors du premier contact;
- l'identification de points critiques révélant un problème qui est du ressort de l'infirmière;
- l'approfondissement des données relatives à ces points critiques;
- la formulation d'hypothèses de diagnostic infirmier.

Les collectes de données subséquentes

Après avoir recueilli sans délai les données essentielles et quelques impressions, l'infirmière doit approfondir la collecte de données afin de préciser et de confirmer ses impressions.

D'une part, les données préliminaires ne touchent que quelques besoins de la personne et d'autre part, les points critiques que l'infirmière a identifiés ne reposent que sur de vagues impressions. Aussi doit–elle poursuivre sa recherche d'information.

Tous les contacts avec le malade sont des occasions de faire des observations et de recueillir de l'information qui complète la collecte initiale. De cette façon, l'infirmière arrive à toucher l'ensemble des besoins et à poser les diagnostics infirmiers appropriés. Au fur et à mesure de l'évolution de l'état de la personne s'ajoutent de nouveaux renseignements qui l'aident à tenir sa démarche de soins à jour.

Au moment du départ du malade, elle doit encore faire une collecte d'information afin de préparer son congé.

Mise en situation

Reprenons l'exemple de Mme Lebrun. Certaines mesures et des collectes de données subséquentes ont permis de confirmer l'hyperthermie, l'anxiété et le manque de connaissances de la malade, mais la non-observance du traitement n'a pu être confirmée, puisqu'elle semble bien l'accepter. Les impressions créées lors du premier contact avec la personne et la collecte d'orientation se sont avérées des stimuli précieux qui ont incité l'infirmière à poser certains diagnostics.

Les collectes de données subséquentes ont aussi permis de compléter la collecte initiale et de toucher les autres besoins de Mme Lebrun, de connaître ses habitudes de vie, de suivre son évolution au cours de l'hospitalisation et de mettre la collecte des données à jour. Elles ont notamment permis de percevoir les difficultés respiratoires qui s'étaient manifestées quelque temps après son arrivée, de poser un diagnostic infirmier et de planifier les soins appropriés.

Comme l'illustre cet exemple, la collecte des données se fait au fil des contacts avec la personne soignée et, bien qu'elle soit une des étapes de la démarche de soins, elle se retrouve tout au long du processus.

Le temps consacré à la collecte des données

La collecte des données est un acte professionnel lié au rôle autonome de l'infirmière. Pour la personne soignée, elle est aussi nécessaire qu'une médication ou un traitement. L'infirmière doit donc planifier son temps pour la faire.

Certaines infirmières trouvent l'exercice fastidieux. Pourtant, il s'agit avant tout d'une habitude à prendre. Les soins infirmiers sont centrés sur la personne et chacun des contacts infirmière–malade devrait fournir une information pertinente.

Il est vrai que les soignantes disposent de peu de temps, mais elles peuvent faire des observations tout en s'occupant du malade. Ainsi, elles peuvent parler des habitudes de vie d'une personne en lui donnant un bain ou en administrant un médicament. La collecte des données se fait alors au cours d'une conversation normale qui ne suscite ni stress ni réticence. C'est souvent plus facile ainsi pour la personne et pour l'infirmière.

La soignante doit se rappeler qu'être à l'écoute du malade s'avère un bon investissement. En effet, une méconnaissance des besoins et des difficultés de la personne peut conduire à certaines complications et à une hospitalisation plus longue. De toute façon, avec le temps et l'expérience, cette habitude s'intègre aux schèmes de fonctionnement de l'infirmière, et l'efficacité de la collecte des données s'accroît. Somme toute, la collecte des données est primordiale et le manque de temps n'est pas une excuse valable.

Les sources d'information

La collecte des données permet à l'infirmière de mieux connaître la personne dont elle prend soin. L'information doit provenir de sources diverses telles que la personne elle-même, sa famille, les autres membres de l'équipe soignante, le dossier du malade et les ouvrages de référence.

La personne soignée

Le malade est la première source d'information à laquelle l'infirmière peut puiser soit par l'observation des signes et des symptômes, soit par un examen physique, soit encore par un questionnement approprié. La personne soignée fournit évidemment une information subjective: elle peut faire part de ses impressions et de ses sentiments à la soignante; elle peut préciser ses attentes, expliquer ses problèmes et communiquer son appréciation, permettant ainsi de valider les diagnostics infirmiers.

Elle fournit aussi une information objective que l'infirmière recueille au moyen d'instruments, de techniques et d'échelles de mesure: thermomètre, sphygmomanomètre (pour mesurer la pression artérielle), mesure de la pulsation, etc.

Mise en situation

Josée est hospitalisée pour une **appendicite**. L'infirmière remarque la rougeur de sa figure et observe qu'elle frissonne. Lorsqu'elle lui demande comment elle se sent, Josée répond qu'elle a froid et qu'elle est souffrante. L'infirmière remarque qu'elle porte la main à son abdomen et que sa figure est crispée. Elle utilise un thermomètre pour mesurer sa température. Ces observations subjectives et objectives, et la mesure de la température l'aideront à poser un diagnostic infirmier et à planifier des soins.

APPENDICITE
Infection de l'appendice vermiforme du cæcum.

La famille et les proches

Il arrive que la personne soignée ne puisse fournir l'information nécessaire en raison de son jeune âge, du vieillissement, de son état physique ou de son état de conscience. La famille et les proches peuvent alors fournir à l'infirmière les renseignements dont elle a besoin pour planifier les soins. Même si la personne soignée peut fournir des renseignements, l'information provenant de l'entourage peut aussi s'avérer utile.

Si l'infirmière désire, par exemple, connaître les habitudes de sommeil d'un jeune enfant, la mère peut l'informer. De même, si elle a besoin de renseignements sur les **antécédents** médicaux d'un traumatisé ou sur les préférences alimentaires d'une personne âgée un peu confuse, les membres de la famille ou d'autres proches peuvent l'aider.

ANTÉCÉDENTS
Les faits antérieurs à une maladie.

Mise en situation

Christiane, âgée de 20 ans, arrive à l'urgence à la suite d'un accident d'automobile. Elle est confuse en raison d'un **traumatisme crânien**. L'infirmière questionne alors son père sur son état de santé et elle apprend qu'à la suite d'un accident survenu à l'âge de huit ans Christiane a perdu l'usage de son œil droit. Cette information permettra à l'infirmière de mieux comprendre les réactions de Christiane et de planifier pour elle des soins véritablement adaptés.

TRAUMATISME CRÂNIEN
Ensemble de perturbations cérébrales causées par un choc violent.

Les proches peuvent fournir des renseignements, mais ils peuvent être aussi de précieux collaborateurs. Les infirmières cherchent de plus en plus à intégrer la famille dans leur planification des soins.

Les autres membres de l'équipe soignante

Les autres membres de l'équipe soignante se révèlent aussi d'un précieux secours pour la collecte des données. L'infirmière de nuit, par exemple, ou celle du soir, ou d'autres qui ont déjà pris soin de la personne peuvent avoir remarqué certains éléments importants et les communiquer à la soignante qui planifie les soins.

Il en est de même pour l'auxiliaire ou l'aide-soignante. La planification des soins fait partie des fonctions légales de l'infirmière et elle en est directement responsable, mais les auxiliaires, les préposés et les divers employés peuvent contribuer à la collecte des données. Leurs contacts directs avec les malades leur permettent souvent d'être les yeux et les oreilles de l'infirmière et de lui transmettre une information qu'elle ne saurait obtenir autrement.

D'autres professionnels peuvent aussi apporter une aide appréciable. Le médecin qui fait l'anamnèse de la personne et qui suit l'évolution de son état peut fournir à l'infirmière de l'information et des explications fort enrichissantes. Les **physiothérapeutes** (ou kinésithérapeutes), les ergothérapeutes, les **inhalothérapeutes** et les psychologues peuvent en faire autant. Même si leur contact avec les malades est assez bref et peu fréquent, ils les voient dans un autre contexte et parfois sous un jour différent qui leur permet d'apporter un complément d'information.

PHYSIOTHÉRAPEUTE
Thérapeute qui s'occupe des exercices et des positions nécessaires à un malade.

INHALOTHÉRAPEUTE
Thérapeute qui s'occupe des voies respiratoires.

Mise en situation

Lucette, âgée de 16 ans, est hospitalisée pour des problèmes rénaux. L'infirmière qui la soigne remarque qu'elle mange très peu et se demande si c'est à cause de la façon dont elle l'aborde, si elle est dépressive ou si c'est un signe de complication.

Elle en parle à une compagne qui a déjà pris soin de Lucette et qui lui dit: «J'ai remarqué la même chose; lorsque je lui en ai touché un mot, elle m'a confié qu'elle se trouvait grosse et qu'elle cherchait à maigrir.» Cette information peut sembler banale, mais, en réalité, elle aide l'infirmière à mieux comprendre ce que vit Lucette.

Ajoutons que, de façon générale, l'infirmière, tout en devenant de plus en plus autonome, travaille dans un contexte de collaboration de plus en plus étroite avec les pairs et les autres travailleurs de la santé.

Le dossier du malade

Le dossier du malade, appelé aussi «dossier de soins», est une autre source d'information. L'anamnèse médicale, la fiche d'évolution de l'état de la personne soignée, les observations des infirmières et des autres thérapeutes, les protocoles opératoires et plusieurs autres éléments du dossier recèlent une foule de renseignements utiles.

Ainsi, l'infirmière peut trouver dans le dossier des données démographiques (âge, occupation, religion), des renseignements socio-économiques (statut social, services d'aide qui ont envoyé le malade) et des renseignements médicaux (diagnostic, raison de l'hospitalisation ou de la référence au service, résultats des examens et tests, etc.). Pour se tenir au courant, il est très important que l'étudiante, comme l'infirmière, développe l'habitude de consulter souvent le dossier du malade.

La confidentialité

ÉTHIQUE
Science de la morale, de la direction des conduites.

On ne peut parler du dossier du malade sans aborder la question de la confidentialité. Les soignantes sont tenues au secret professionnel par le code d'**éthique** qui interdit la communication de l'information à un tiers non officiellement concerné par les soins de la personne (employeur, voisin, assureur, etc.).

«La confidentialité est le droit de disposer de sa propre intimité comme on l'entend.» (Blondeau, 1986, p. 139)

Ce droit comporte un aspect éthique (Code de déontologie des infirmières et infirmiers du Québec, art. 3.06.01) et un aspect légal (Charte des droits et libertés, art. 9) qui assurent la protection des droits et intérêts du bénéficiaire. Le Code de déontologie des infirmières et infirmiers du Québec, art. 3.06.01 stipule que: «Le professionnel en soins infirmiers doit respecter le secret de tout renseignement de nature confidentielle obtenu dans l'exercice de sa profession».

Le Code de déontologie de la profession de l'Association des infirmières et infirmiers du Canada (1991, p. 5) est aussi très explicite à ce sujet. La valeur 3, qui traite de la confidentialité, stipule que: «L'infirmière garde secrète toute information sur le client dont elle a eu connaissance dans l'exercice de son travail». On peut aussi y lire:

«Obligation: C'est à chacun de déterminer ce qu'il veut faire connaître de sa vie personnelle. Ce droit prend un relief particulier dans le milieu des soins de santé. En gros, il incombe au client de décider qui doit être mis au courant de son état de santé et dans quelle mesure.»

Mise en situation

Lucie est une enfant de trois ans hospitalisée pour contusions et fractures multiples. En lisant au dossier qu'elle est envoyée par la Direction de la protection de la jeunesse, l'infirmière imagine sans peine la situation où elle se trouve.

Une parente éloignée, apparemment un peu au courant, vient la visiter et lance sur un ton interrogateur: «Je suppose qu'elle a encore été battue?» Cette personne cherche une information qui doit demeurer confidentielle. Quelle que soit la situation et quelle que soit l'opinion de l'infirmière, celle-ci doit protéger l'intimité de la famille.

Les ouvrages de référence

Les ouvrages de référence peuvent aussi compléter l'information dont l'infirmière a besoin. Il peut être utile de les consulter pour mieux connaître une pathologie et les diagnostics infirmiers qui s'y rattachent ou les interventions pertinentes à planifier. On ne peut tout savoir, et les ouvrages de référence peuvent être d'un grand secours.

Mise en situation

Noémie est une jeune infirmière, en service depuis peu dans une unité de soins respiratoires. Elle s'occupe d'un malade qui ne peut respirer seul et qu'on a dû placer sous ventilation assistée. C'est la première fois qu'elle doit affronter ce type de problème. Elle a appris ce qu'il faut faire, mais elle aimerait être sûre de ses connaissances. Heureusement, au poste de l'unité où elle travaille se trouvent un livre de soins avancés en médecine et chirurgie et un ouvrage traitant des diagnostics infirmiers. L'aide de ses compagnes et l'information puisée dans ces ouvrages lui permettent de planifier des soins adéquats.

Au cours de sa collecte des données, l'infirmière recueille différents types d'informations: des informations de nature subjective, objective, actuelle et historique.

Nous avons déjà mentionné l'information subjective, c'est-à-dire celle qui nous vient du malade lui-même. Elle est importante puisqu'elle nous révèle la propre vision du malade de son problème de santé, ses habitudes de vie, sa perception de la douleur et des autres symptômes, son opinion sur le traitement, ses aspirations, ses attentes.

Puisque nous voulons que la personne reprenne sa place au cœur des soins, il est important de partir de ses perceptions. Ainsi, la douleur doit être mesurée à partir de la sensation du malade et non pas à partir de ce que peut penser l'infirmière.

L'information transmise par la famille est aussi subjective. Elle nous révèle les perceptions des proches sur l'état de santé de la personne et ses habitudes de vie. La plupart des renseignements provenant des autres membres de l'équipe soignante sont de même nature: ils reposent le plus souvent sur des opinions personnelles plutôt que sur des faits réels.

Les données objectives

En revanche, les données objectives sont observables et souvent mesurables. Elles proviennent des observations de l'infirmière, faites à partir de ses sens: la vue, l'odorat, l'ouïe et le toucher. La masse mesurée sur un pèse-personne, la fréquence de la pulsation, la température, la couleur de la peau, les tremblements, etc., sont des exemples de données objectives.

Quelle information faut-il privilégier?

La collecte des données comprend de l'information subjective et de l'information objective. Toute l'information est précieuse, mais il arrive parfois qu'en raison de l'état du malade les données subjectives soient rares, voire inexistantes. Il faut alors compenser par l'information objective et puiser des renseignements à d'autres sources.

Il arrive parfois que les données subjectives et les données objectives soient contradictoires. Une personne peut, par exemple, nier être souffrante après une intervention chirugicale (donnée subjective), alors qu'elle présente tous les signes de la douleur: transpiration profuse, pouls accéléré, faciès crispé, position antalgique. Dans un cas semblable, il faut poursuivre la collecte des données et chercher à savoir la raison de cette négation.

Les données actuelles et historiques

Il existe un autre type d'informations qui se rapporte plutôt au temps: il comprend des données actuelles et des données historiques.

Les données actuelles englobent ce qui se passe au moment où se fait la collecte des données. Elles touchent, par exemple, les nausées, les vomissements, les douleurs, les limites que vit présentement la personne.

Les données historiques font état de ce qui se passait avant son arrivée dans le service ou avant le début de la maladie, par exemple, son cycle d'élimination, son appétit, ses habitudes alimentaires, ses habitudes de sommeil ou ses problèmes antérieurs. Elles nous permettent de mieux connaître la personne et d'établir une comparaison avec ce qui se passe maintenant.

Mise en situation

Chloé, âgée de huit ans, est hospitalisée pour un problème gastro-intestinal. À son arrivée, une infirmière recueille des données sur ses malaises actuels et elle note que l'enfant souffre de diarrhées fréquentes (environ 10 fois par jour) et de nausées; elle se sent faible et a l'air abattue. Après avoir questionné l'enfant et la mère, l'infirmière apprend qu'il y a deux jours Chloé était pleine de vie; elle mangeait sans difficulé et ne souffrait pas de diarrhée. Cette information révèle l'évolution de son état pendant ce court laps de temps.

Parmi les données subjectives et objectives, certaines sont stables (goûts, répulsions, allergies) tandis que d'autres sont changeantes (pulsation, coloration de la peau, humeur, état de souffrance, etc.). Il faut suivre les fluctuations et faire une mise à jour.

Il n'existe ni cloisonnement ni hiérarchie dans les divers types d'informations. Les données sont toutes utiles.

Distinguer les indices réels des inférences

Les indices (signes et symptômes) sont des faits rapportés par la personne ou des observations objectives de l'infirmière, par exemple, l'essoufflement, la transpiration, le tremblement de la voix, la sécheresse de la peau ou les plaintes.

Les inférences sont des interprétations personnelles que l'infirmière fait à partir de ce qu'elle voit, de ce qu'elle entend ou de ce qu'elle perçoit par le toucher. Par exemple, lorsqu'elle questionne une personne sur sa fidélité à son traitement et que celle-ci répond en bafouillant, si l'infirmière suppose que c'est parce que la personne est gênée de ne pas avoir suivi l'ordonnance médicale, elle fait une inférence. Se fonder sur cette impression pour poser un diagnostic infirmier de non-observance peut être une erreur. La personne est peut-être tout simplement embarrassée par la présence de l'infirmière ou ennuyée d'avoir à répondre à des questions.

Lors de la collecte des données, il faut recueillir des indices et éviter les inférences. Si certaines impressions se créent, il faut les vérifier en se fondant sur des données valables. L'objectivité est toujours de rigueur.

La qualité des données recueillies

Pour être utiles, les données recueillies doivent répondre à certains critères. Elles doivent d'abord être pertinentes, c'est-à-dire apporter une information utile à la planification des soins. La collecte des données exige du temps et de l'énergie tant de la part de l'infirmière que de la part du malade. Il est donc important que les observations et les questions se limitent à certains aspects de la personne. Il est nécessaire de rappeler ici que recueillir des données ne signifie pas tout connaître au sujet d'une personne et encore moins brimer son intimité. Il existe des histoires personnelles que nous n'avons pas besoin de connaître et qu'il vaut mieux éviter d'aborder. C'est une question de jugement. Si une personne confie à l'infirmière qu'elle est triste et dépressive parce qu'elle sait qu'elle ne pourra pas avoir d'enfant, l'infirmière doit chercher à connaître les effets de cette tristesse sur l'appétit ou le sommeil de la personne. Elle n'a pas besoin de connaître les détails, par exemple les causes de cette stérilité ou qui des deux partenaires en est responsable, à moins bien sûr de travailler spécialement auprès des couples stériles.

Les données recueillies doivent aussi rester objectives, c'est-à-dire que l'infirmière ne doit pas porter un jugement prématuré sur leur signification. Elles doivent demeurer intactes jusqu'à ce que d'autres données les confirment. Si une personne se plaint de se sentir fatiguée et triste, par exemple, il ne faut pas conclure tout de suite à un état dépressif. Des données subséquentes révéleront peut-être que cet état est attribuable à un sentiment d'impuissance, à des stratégies d'adaptation inefficaces ou tout simplement à la fatigue.

Il faut non seulement éviter les jugements hâtifs, mais aussi, par souci d'objectivité, bannir les interprétations faites à partir de nos propres valeurs et croyances.

Mise en situation

Une infirmière reçoit une jeune femme enceinte de trois mois menacée de fausse couche. Cette soignante est farouchement opposée à l'avortement provoqué. Comme elle a déjà vu la personne manifester pour le droit à l'avortement, en face de l'hôpital, elle conclut, sans aucune information objective, qu'il y a eu des manœuvres quelconques pour que cette personne soit dans cet état. C'est une affirmation parfaitement gratuite, influencée par les valeurs de l'infirmière.

Citons cet autre exemple d'une infirmière dans un service de chirurgie qui, en consultant le dossier d'une personne dont elle prend soin, apprend qu'elle souffre d'un problème psychiatrique. Elle conclut que la personne sera difficile et peut-être même violente. C'est un jugement sans fondement et sans aucune objectivité, fait à partir de ses préjugés sur le malade psychiatrique.

Les données doivent être spécifiques et précises. Afin de planifier des soins adéquats, correspondant véritablement aux difficultés de la personne, l'infirmière ne peut se contenter de vagues informations ou de spéculations; elle doit, par divers moyens, obtenir des données aussi spécifiques que possible.

Par exemple, si le malade dit vomir souvent, il faut savoir ce que cela signifie: est-ce deux ou trois fois par semaine, tous les jours ou trois fois par jour? Rappelons que la rigueur est l'une des qualités de la démarche de soins qui la rapproche de la démarche scientifique et qu'il est impérieux de la conserver.

Les données colligées doivent être suffisamment développées pour constituer une base logique et utile pour la planification des soins. Une information insuffisante, qui néglige des points importants sur l'état du malade, ne peut conduire qu'à des diagnostics infirmiers douteux.

Cependant, il n'est pas nécessaire que la collecte des données soit exhaustive. L'infirmière doit plutôt faire preuve de jugement et discerner les points à approfondir dans une situation donnée. Rappelons qu'il faut éviter de fatiguer ou d'ennuyer le malade et éviter de perdre un temps précieux. En résumé, les données doivent être

- pertinentes,
- objectives (non soumises aux valeurs et aux préjugés de l'infirmière),
- spécifiques et précises,
- suffisamment développées sans être exhaustives.

Les étapes de l'entrevue

Que l'infirmière recueille des données dans le cadre d'une rencontre précise ou qu'elle les recueille tout en s'occupant des soins de la personne, la collecte comprend quatre parties: la préparation, l'orientation, l'exploitation et la conclusion. Il faut comprendre que cette division est artificielle et vise simplement une meilleure compréhension. L'entretien doit se dérouler naturellement.

La préparation Comme la collecte des données est un acte professionnel qui consiste à colliger de façon systématique des renseignements nécessaires à notre travail, elle doit être prévue et quelque peu préparée, surtout au moment de la première collecte. Avant de faire face à la personne, il est bon de se renseigner et de lire son dossier. Cette préparation permettra d'éviter certaines questions inutiles et aussi de créer un climat propice. Par exemple, si l'infirmière lit qu'une personne souffre de problèmes sérieux, elle se préparera à lui apporter le support psychologique approprié.

L'orientation   C'est le moment où les deux personnes en présence font connaissance; l'infirmière se présente, énonce ses fonctions dans l'unité et explique le but de sa visite. Les premières minutes de l'entretien sont particulièrement importantes parce qu'elles déterminent le climat des relations futures avec la personne soignée. Histoire de briser la glace, l'infirmière peut prendre quelques minutes pour converser de façon détendue avec la personne et lui manifester son intérêt. Il est important que cette entrevue se déroule comme une conversation normale et ne ressemble pas à une enquête policière.

Afin de lui donner un caractère naturel, l'entretien peut se dérouler en même temps que l'infirmière prodigue des soins. De cette façon, la personne se sent moins scrutée à la loupe, elle est moins intimidée, moins sur ses gardes et peut alors collaborer plus facilement.

Toutefois, si l'infirmière dispose d'un peu de temps, elle peut s'asseoir quelques minutes et recueillir des renseignements au cours d'un échange chaleureux avec la personne. Cette attitude peut donner à cette dernière l'impression réconfortante que la soignante lui a consacré beaucoup de temps.

L'exploitation   Cette étape, en raison des objectifs visés, devient un peu plus officielle. C'est le moment de la collecte des données proprement dite, le moment où l'infirmière utilise des techniques propres à l'entrevue pour recueillir l'information. Nous reviendrons plus loin sur les habiletés de technique d'entrevue.

La conclusion   Une conclusion s'impose toutes les fois que nous recueillons des données auprès d'une personne. C'est la fin de l'entretien et le moment où l'infirmière remercie la personne de lui avoir fourni l'information qui lui permettra de faire son travail. C'est aussi l'occasion de lui rappeler qu'elle est là pour l'aider.

L'utilisation d'une grille d'observation ou d'un instrument de collecte des données

La collecte des données se fait à partir d'une grille ou d'un instrument d'observation qui aide l'infirmière à repérer les points sur lesquels elle doit recueillir de l'information. Cette grille sert de guide pour l'entrevue et lui confère un caractère plus systématique, plus cohérent et plus spéficique.

Evelyn Adam (1991, p. 26) souligne que l'instrument nécessaire à la collecte des données doit être conçu en fonction du schème de référence dont on s'inspire. Le modèle conceptuel fournit ainsi à l'infirmière la grille d'observation nécessaire à la collecte des données. Le modèle de Virginia Henderson nous en offre une simple et claire qui touche l'ensemble des besoins de la personne soignée. L'influence de ce modèle conceptuel se répercute sur le vocabulaire et l'organisation des données de cet instrument.

L'étudiante ou l'infirmière doit se familiariser avec l'instrument utilisé dans l'unité où elle travaille. Elle doit arriver à le connaître et à s'en servir spontanément. Elle doit l'assimiler si parfaitement qu'en fait elle n'a pas besoin de remplir la grille devant le malade. Elle peut très bien faire ses observations et les consigner plus tard.

Si elle ne peut s'en empêcher, l'étudiante ou l'infirmière peut prendre quelques notes, mais une longue compilation des données dans un questionnaire au moment de l'entrevue peut nuire au naturel de la conversation et empêcher la soignante d'être disponible pour l'observation du comportement verbal et non verbal du malade. Comme l'entretien se poursuit à divers moments, les renseignements à inscrire ne sont pas si nombreux qu'ils ne puissent être mémorisés.

Il est important que l'étudiante ou l'infirmière développe l'habitude de recueillir des données spontanément et de les conserver en mémoire pendant quelques minutes en attendant de pouvoir les consigner sur le formulaire de collecte des données. Rappelons aussi la nécessité d'être réaliste, efficace et **pragmatique** dans la rédaction des données. Il faut colliger des données significatives sans ajouter de détails inutiles.

PRAGMATIQUE
Qui est adapté à l'action avec une économie de moyens.

Il faut souligner que ni l'étudiante ni l'infirmière ne doivent devenir esclaves de l'instrument de collecte des données. Elles doivent se laisser guider par leur jugement et poser des questions pertinentes. Notons que certaines informations se trouvent dans le dossier du malade et que la simple observation peut fournir des réponses à bien des questions.

L'instrument de collecte des données adapté aux différents services

L'instrument de collecte des données doit être adapté au service dans lequel il est utilisé. Certains renseignements sont identiques d'un service à l'autre, mais certains diffèrent selon les besoins. En effet, l'infirmière doit adapter son plan de soins en fonction du service où elle œuvre. C'est ainsi que le formulaire variera selon qu'elle travaille en pédiatrie ou en obstétrique, en soins de longue durée, en psychiatrie ou en chirurgie digestive.

L'instrument de collecte des données et le rôle autonome de l'infirmière

Dans le cadre de la démarche de soins, la collecte des données touche surtout l'aspect autonome des soins. L'aspect médical est traité ailleurs: sur le formulaire d'ordonnances médicales pour le médecin et dans les notes au dossier et les multiples formulaires spéciaux pour l'infirmière. Aussi la collecte des données fait-elle partie du rôle autonome de l'infirmière. Par conséquent, l'instrument utilisé doit être structuré selon le modèle infirmier retenu, dans un vocabulaire qui lui est propre et selon la même logique.

Dans le présent ouvrage, il est rédigé en fonction des besoins de la personne et de sa réaction face à son problème de santé. À court terme, il permet à l'infirmière de planifier les interventions appropriées et ainsi de faire des gestes qui satisferont les besoins de la personne et, à long terme, de faire évoluer la personne vers une plus grande indépendance.

La collecte des données et le diagnostic médical

La collecte des données concerne, il est vrai, l'information conduisant à des interventions autonomes, et l'observation de la satisfaction des besoins pourrait se faire même en l'absence d'un diagnostic médical. Cependant, on peut y relever de précieux indices. Ce n'est pas tant le diagnostic en soi qui retient notre attention ici, mais plutôt comment le problème de santé agit sur la satisfaction des besoins de la personne. Dans le cas d'un ulcère d'estomac, par exemple, comment ce problème se répercute-t-il sur l'alimentation et l'élimination de la personne? Comment la douleur influence-t-elle son anxiété, son sommeil et sa capacité de travailler et d'assumer ses rôles?

Les moyens d'induction de l'information

Procéder à une collecte des données ne consiste pas seulement à remplir un formulaire. Cette première étape de la démarche de soins exige beaucoup plus. Elle nécessite certaines capacités personnelles spécifiques. Les données subjectives sont recueillies au cours de conversations avec le malade, lesquelles supposent des habiletés de communication et de technique d'entrevue, et les données objectives sont obtenues par l'observation et l'examen physique, qui requièrent aussi des compétences particulières.

Les types d'instruments de collecte des données

Il existe différents types d'instruments de collecte des données. Les uns sont dits fermés, c'est-à-dire qu'ils sont composés de questions multiples auxquelles l'infirmière répond seulement par quelques mots ou par un crochet dans la case appropriée. Il existe aussi des instruments ouverts où ne figurent que de grandes cases, sans questions précises, où l'infirmière inscrit ses remarques. Entre ces deux extrêmes se trouve toute une gamme de solutions intermédiaires. Quant à nous, après avoir participé à de nombreuses implantations de la démarche de soins et du diagnostic infirmier dans différents types de centres de soins, nous concluons que, compte tenu des conditions dans lesquelles les infirmières exercent leur profession, les instruments plutôt fermés sont les seuls qui peuvent être utilisés efficacement. De plus, ils s'apparentent aux grilles que l'on trouve dans les systèmes informatisés de collecte des données.

Un instrument fermé peut sembler complexe à cause des nombreux éléments qu'il contient pour définir l'ensemble d'une situation. Il n'est pas nécessaire de remplir le formulaire intégralement. Il faut plutôt s'attarder sur les cases qui touchent les besoins de la situation et compléter l'information au fil des contacts avec le malade.

Les pages suivantes présentent divers types d'instruments. Comme outil d'apprentissage, nous proposons d'abord un instrument fermé parce que l'étudiante doit connaître le contenu informatif de chacun des besoins avant de passer à un type d'instrument plus ouvert. Vient ensuite un instrument ouvert, puis un instrument qui se situe à mi-chemin entre les deux autres. Ce dernier offre un espace pour la mise à jour des données dans la marge de droite.

Explications de quelques termes des instruments de collecte des données

INTRINSÈQUE
Qui est intérieur à la personne, appartient à son essence.

EXTRINSÈQUE
Qui est extérieur à la personne, n'appartient pas à son essence.

Dans l'instrument fermé qui suit, à la fin de chacun des besoins, se trouve une rubrique intitulée «données subjectives». Elle est réservée aux paroles de la personne soignée. La rubrique «ressources» concerne les forces **intrinsèques** de la personne (intelligence, détermination, niveau d'éducation, force physique, par exemple, dans un bras ou dans les jambes, habitudes de vie, etc.) et ses forces **extrinsèques** (famille, amis, milieu de travail, ressources communautaires disponibles dans son environnement).

La rubrique «autres» sert à inscrire toute information qui n'apparaîtrait pas ailleurs, par exemple, une trachéotomie, le type de canule et les soins qui s'y rattachent, une habitude de se donner des lavements, le somnambulisme, le bégaiement, etc. Cette rubrique donne un peu de souplesse à l'instrument et permet d'ajouter des données imprévisibles.

Tableau 5.1   Collecte des données

MÉDECINE ET CHIRURGIE
(instrument d'apprentissage)

Initiales du client _____ Ch. _____ Sexe: F _____ M _____ Âge _____ Raison de l'hospitalisation _____ _____ Lieu d'habitation actuel: domicile _____ établissement de soins _____ sans domicile _____ autres _____

BESOINS

Respirer

Amplitude respiratoire: profonde _____ superficielle _____ fréquence _____/min. Toux:type _____ fréquence des quintes _____ fois/jour. Sécrétions: abondantes OUI _____ NON _____ description _____ Expectorations OUI _____ NON _____ Sensation d'étouffement _____ Essoufflement _____ Dyspnée _____ Tirage: muscles impliqués _____ Bruits respiratoires: lobe sup. dr. _____ lobe sup. gche _____ lobe inf. dr. _____ lobe inf. gche _____ Fractures de côtes _____ Hyperventilation? ____ O$_2$ ____ Tabagisme: nomb. de cig./pipes ____/jour; a cessé de fumer depuis ____ Autres drogues: type _____ quantité _____ Données subjectives _____ Ressources _____ Autres _____

Boire et manger

Bon appétit: OUI _____ NON _____ Refuse de s'alimenter _____ Besoin de stimulation pour manger _____ Difficulté à mâcher _____ à déglutir: les liquides _____ les solides _____ à manger seul _____ à s'hydrater seul _____ Besoin d'aide: couper les aliments _____ faire manger _____ faire boire _____ Douleurs stomacales: caractères _____ fréquence _____ Gaz stomacaux _____ nausées _____ vomissements _____ Alimentation bien équilibrée _____ régime spécial _____ Bon état de la muqueuse buccale OUI _____ NON _____ de la langue OUI _____ NON _____ des gencives OUI _____ NON _____ de la dentition OUI _____ NON _____ Prothèses dentaires: sup. _____ inf. _____ bien ajustée(s) OUI _____ NON _____ Masse actuelle _____ kg; perte _____ gain _____ depuis 6 mois _____ kg. Taille _____ Boissons alcooliques: type _____ nomb. de verres/jour _____ Café: nomb. de tasses/jour _____ Données subjectives _____ Ressources _____ Autres _____

Tableau 5.1 *(suite)*

Éliminer

Élimination intestinale: fréquence _____ selles dures _____ diarrhée _____ hémorrhoïdes _____ fissures _____ Douleurs anales _____ abdominales:caractères _____ sang dans les selles _____ prurit anal _____ gaz et ballonnement _____ tendance aux fécalomes _____ incontinence _____ stomie: type _____ genre d'appareil _____ autonome pour ses soins _____ Bruits intestinaux: OUI _____ NON _____ Autres _____

Élimination urinaire: fréquence/jour _____ dysurie _____ hématurie _____ pollakiurie _____ nycturie _____ urine concentrée _____ malodorante _____ rétention/globe vésical _____ doit forcer pour uriner _____ miction impérieuse _____ incontinence: le jour _____ la nuit _____ incontinence à l'effort _____ difficulté à se retenir _____ va aux toilettes seul _____ avec aide _____ Cathétérisme _____ fois/jour; sonde à demeure _____ condom d'incontinence _____ culotte d'incontinence: taille P _____ M _____ G _____ Autres _____

Diaphorèse/transpiration: abondante _____ odeur nauséabonde _____

Sécrétions reliées à l'appareil sexuel
Écoulement vaginal _____ lochies _____ peu abondant _____ abondant _____ couleur _____ odeur _____ régularité des règles: OUI _____ NON _____ absence de règles _____ date de la dernière menstruation _____ grossesse _____ douleurs prémenstruelles: abdominales _____ peu intenses _____ intenses _____ douleur/tension mammaire _____ peu intense _____ intense _____ Écoulement des seins _____ type _____ peu abondant _____ abondant _____ Écoulement urétral _____ type _____ peu abondant _____ abondant _____ inquiétudes _____ Données subjectives concernant l'élimination _____ _____ Ressources _____ Autres _____

Se mouvoir

Mode d'arrivée: à pied _____ fauteuil roulant _____ civière _____ Se déplace seul _____ avec aide _____ S'assoit dans le fauteuil _____ seul _____ avec aide _____ Se remonte dans son lit: seul _____ avec aide _____ Se retourne: seul _____ avec aide _____ faiblesse _____ fatigue _____ incoordination _____ douleurs _____ tremblements _____ contractures _____ œdème _____ varices _____ signe d'Homans: jambe gche _____ jambe dr. _____ coloration des extrémités _____ amplitude limitée du mouvement _____ membre(s) paralysé(s) _____ force: main gche: bonne _____ faible _____ main dr.: bonne _____ faible _____ jambe gche: bonne _____ faible _____ jambe dr.: bonne _____ faible _____ étourdissements _____ activités sans buts _____ sédentarisme _____ T.A. ___/__ pouls: fréquence _____ /min, régulier: OUI _____ NON _____ caractéristiques _____ Utilise: canne _____ béquilles _____ fauteuil roulant _____ déambulateur _____ transfert seul _____ avec aide _____ Données subjectives _____ Ressources _____ Autres _____

Dormir et se reposer

Nombre d'heures habituelles de sommeil _____ h; difficulté à s'endormir _____ s'éveille très tôt _____ sommeil agité _____ cauchemars _____ nervosité _____ lever au cours de la nuit _____ Causes: douleurs _____ prurit _____ inconfort _____ préoccupations _____ peurs _____ inquiétudes _____ demande de médication pour dormir _____ Sieste: AM _____ PM _____ Habitudes: collation au coucher _____ veilleuse _____ fenêtre ouverte _____ Données subjectives _____ Ressources _____ Autres _____

Tableau 5.1 *(suite)*

Se vêtir et se dévêtir

Capable de se vêtir/dévêtir seul: OUI _____ NON _____ Capable de choisir ses vêtements: OUI _____ NON _____ de les garder propres: OUI _____ NON _____ Facteurs d'empêchement: douleurs _____ raideur des articulations _____ confusion _____ amputation _____ déficit visuel _____ faiblesse _____ état dépressif _____ cherche à se dévêtir _____ Entretien des vêtements: par la personne _____ la famille _____ le centre _____ Données subjectives _____ Ressources _____ Autres _____

Maintenir la température du corps dans les limites de la normale

Température: buccale _____ rectale _____ axillaire _____ Température de la peau _____ froideur des extrémités _____ frissons: fréquence _____ Données subjectives _____ Ressources _____ Autres _____

Être propre et soigné, et protéger ses téguments

Capable de se laver: à la douche _____ à la baignoire _____ au lit _____ seul _____ avec aide _____ Besoin d'aide pour le soin: des cheveux _____ ongles _____ dents _____ prothèses dentaires _____ État de la peau: rougeur(s) _____ prurit _____ ulcération(s) _____ ecchymose(s) _____ nombre _____ étendue _____ site(s) _____ lacérations _____ site _____ Causes des lésions: immobilité _____ incontinence _____ déshydratation _____ violence présumée _____ pilosité particulière _____ État des seins _____ auto-examen _____ fréquence _____ État des organes génitaux externes _____ auto-examen des testicules _____ fréquence _____ Données subjectives _____ Ressources _____ Autres _____

Éviter les dangers

Allergie _____ État de conscience: inconscient _____ bien orienté _____ désorienté: face au temps _____ aux personnes _____ aux lieux _____ confus _____ Anxiété _____ peu marquée _____ marquée _____ hyperactivité _____ agressivité verbale _____ agitation _____ risque de violence envers les autres _____ risque de chute _____ Douleurs: intensité peu marquée _____ marquée _____ type: aiguë _____ chronique _____ constante _____ intermittente _____ localisation _____ moyen de soulagement _____ Contentions _____ Côtés de lit _____ Utilisation de médicaments à domicile (nom et posologie) _____ Inquiétudes face à son état ou à son hospitalisation _____ Données subjectives _____ Ressources _____ Autres _____

Communiquer avec ses semblables

Langue parlée _____ non-maîtrise de la langue du milieu _____ gêné de s'exprimer _____ Aphasie _____ dysarthrie _____ rythme ralenti _____ S'exprime par signes _____ par des indications sur un tableau _____ capable de comprendre ce qui est dit: OUI _____ NON _____ Limites visuelles: o. dr. _____ o. gche _____ cécité o. dr. _____ o. gche _____ larmoiement: o. gche _____ o. dr. _____ présence de pus: o. dr. _____ o. gche _____ pupilles: symétriques _____ o. dr. _____ o. gche _____ Mal entendant or. dr. _____ or. gche _____ acouphènes _____ intermittents _____ constants _____ forme _____ lésions du conduit auditif _____ du pavillon de l'oreille _____ Port de: lunettes _____ lentilles _____ prothèse: oculaire _____ auditive _____ gche _____ dr. _____ Difficultés intellectuelles de concentration _____ de mémoire _____ Capacité de lire: OUI _____ NON _____ Plaintes somatiques fréquentes _____ Difficultés sur le plan sexuel _____ Préoccupations _____ préfère ne pas en parler _____ Données subjectives _____ Ressources _____ Autres _____ Réseau de soutien: Personnes qui peuvent apporter de l'aide _____

Tableau 5.1 *(suite)*

Agir selon ses croyances et ses valeurs

Prescriptions ou interdits religieux à respecter _____ Bien adapté au milieu de soins: OUI _____ NON _____ Acceptation de la maladie _____ du traitement: OUI _____ NON _____ de la culture et des valeurs du milieu hospitalier _____ Importance des valeurs religieuses _____ Objets de culte désirés _____ Désire rencontrer un ministre du culte NON _____ OUI _____ Données subjectives _____ Ressources _____ Autres _____

S'occuper en vue de se réaliser

Profession _____ sans emploi: depuis _____ arrêt de travail _____ Invalidité _____ temporaire _____ permanente _____ Désir d'être autonome _____ Capacité d'initiative _____ de décision _____ facteurs d'influence: manque de confiance en soi _____ modification du schéma corporel _____ douleur _____ état dépressif _____ Capable de se donner des objectifs _____ Données subjectives _____ Ressources _____ Autres _____

Se récréer

Aime rire et s'amuser _____ souvent triste _____ Capacité de poursuivre des activités de loisir _____ loisir préféré: lecture _____ cartes _____ échecs _____ musique _____ sports _____ marche _____ autres _____ Diminution des centres d'intérêt _____ Facteurs d'influence: douleur _____ anxiété _____ faiblesse _____ dépression _____ solitude _____ Données subjectives _____ Ressources _____ Autres _____

Apprendre

Capacité de faire des appprentisages: bonne _____ limitée _____ Motivation à apprendre: bonne _____ limitée _____ Facteurs d'influence: anxiété _____ douleur _____ somnolence _____ limites sensorielles _____ confusion _____ manque d'intérêt _____ autre _____ Quel est son besoin de connaissance? _____ Données subjectives _____ Ressources _____ Autres _____

Tableau 5.2   Collecte des données

MÉDECINE ET CHIRURGIE (instrument ouvert)
Initiales du client _____ Ch. _____ Sexe: F _____ M _____ Âge _____

Raison de l'hospitalisation:	
Respirer	
Boire et manger	
Éliminer	
Se mouvoir et maintenir une bonne posture	
Dormir et se reposer	
Se vêtir et se dévêtir	
Maintenir la température du corps dans les limites de la normale	
Être propre et soigné, et protéger ses téguments	
Éviter les dangers	
Communiquer avec ses semblables	
Agir selon ses croyances et ses valeurs	
S'occuper en vue de se réaliser	
Se récréer	
Apprendre	

Tableau 5.3 Collecte des données

MÉDECINE ET CHIRURGIE

Initiales du client _____ Ch. _____ Sexe: F _____ M _____ Âge _____

BESOINS	MISE À JOUR DATE:

Respirer

Amplitude _____ fréquence _____ /min. Difficultés _____
Coloration de la peau _____ Besoin d'aide _____ Autres _____

Boire et manger

Qualité de l'alimentation _____ Régime _____ Appétit _____
Mastication/déglutition _____ Besoin d'aide _____
Difficultés buccales _____ Difficultés stomacales _____
Masse _____ Autres _____

Éliminer

Élimination intestinale: fréquence _____ caractéristiques des selles _____
problèmes sur le plan anal_____ douleurs/ballonnements _____
incontinence _____ stomie: type _____ appareil/soins _____ niveau d'autonomie pour les soins _____ Autres _____

Élimination urinaire: fréquence _____ caractères des mictions _____
douleurs _____ problèmes urinaires _____ incontinence: jour _____
nuit _____ commodité d'élimination _____ va aux toilettes seul _____ besoin
d'aide _____ Cathétérismes _____ fois/jour; sonde à changer le _____ sac
coll. à changer le _____ condom d'incontinence à changer le _____ stomie
_____ appareil/soins _____ culotte d'incontinence taille P_____ M_____ G_____
Autres _____

Diaphorèse/transpiration: abondante _____ odeur nauséabonde _____

Sécrétions reliées à l'appareil sexuel: écoulement vaginal/urétral/lochies:
caractères _____ douleurs _____
Autres _____

Se mouvoir

Mode de déplacement _____ besoin d'aide _____ problèmes reliés à la
mobilité _____ problèmes circulatoires _____
d'équilibre _____ T.A. ____ / ____ pouls: fréquence _____ /min, caractéristiques _____
Moyen d'aide utilisé _____
Autres _____

Dormir et se reposer

Qualité du sommeil _____ problèmes _____ inquiétudes _____
demandes fréquentes de somnifères _____ Sieste: AM_____ PM _____ Habitudes _____
Autres _____

Tableau 5.3 *(suite)*

BESOINS	MISE À JOUR DATE:
### Se vêtir et se dévêtir Autonome: OUI _____ NON _____ difficultés _____ besoin d'aide _____ cherche à se dévêtir _____ Autres _____ ### Maintenir la température du corps dans les limites de la normale Difficultés _____ Besoin d'aide _____ ### Être propre et soigné, et protéger ses téguments Soins: autonome _____ besoin d'aide _____ État de la peau/des téguments _____ Autres _____ ### Éviter les dangers Allergies _____ État de conscience _____ État affectif _____ Risques _____ Moyens de sécurité _____ Douleurs _____ caractères _____ localisation _____ Inquiétudes _____ _____ Autres _____ ### Communiquer avec ses semblables Difficultés d'expression verbale_____ de compréhension_____ Limites des sens_____ Lésions externes œil/oreille_____ Appareil_____ Pupilles: symétriques_____ o. dr. _____ o. gche _____ Capacités intellectuelles_____ Plaintes fréquentes_____ Difficultés sur le plan sexuel_____ Préoccupations_____ Autres_____ ### Agir selon ses croyances et ses valeurs Prescription ou interdits religieux à respecter _____ Besoin d'aide _____ Autres _____ ### S'occuper en vue de se réaliser Désir d'être autonome _____ Capacité de décision/initiative _____ Difficultés _____ Autres _____ ### Se récréer Capacité de poursuivre des activités de loisir _____ type préféré de loisir: lecture _____ cartes _____ échecs _____ musique _____ sports _____ marche _____ Autres _____ ### Apprendre Capacité de faire des apprentissages _____ besoin de connaissance _____	

L'importance de l'instrument de collecte initiale et de mise à jour

Tous reconnaissent que, dès l'arrivée du malade, une collecte des données s'impose. Elle permet de mieux connaître la personne soignée et oriente la démarche de soins. Si l'infirmière dispose de peu de temps ou si l'état du malade l'exige, la collecte peut s'étaler sur quelques rencontres. Cependant, le formulaire utilisé pour la collecte initiale doit être suffisamment élaboré: il doit fournir bon nombre d'informations sur les besoins de la personne, ses habitudes de vie, ses difficultés actuelles et passées. Il trace en quelque sorte le portrait du malade et sert de point de comparaison pour évaluer l'état de la personne au cours de l'hospitalisation. C'est pourquoi le formulaire de collecte initiale doit être conservé au dossier: c'est un peu comme la base de données de la personne.

Même si les hospitalisations sont d'assez courte durée, il est nécessaire de recueillir des données au fur et à mesure que se manifestent des changements dans l'état du malade. Aussi faut–il utiliser un instrument concis, qui permet la mise à jour. La partie réservée à la mise à jour peut être plus ou moins ouverte ou fermée, mais elle ne doit toucher que les éléments où des changements s'opèrent. En mettant en parallèle la mise à jour et la collecte précédente, on peut établir une comparaison rapide et intéressante qui permet de suivre l'évolution de la personne.

L'observation: découverte de l'autre par le moyen des sens

L'observation nécessaire à la collecte des données peut se définir comme l'action de considérer le malade et ce qui l'entoure avec une attention suivie. Elle repose sur la capacité intellectuelle de l'être humain de saisir le monde extérieur par le moyen des sens. L'observation, dans le contexte de la démarche de soins, suppose une qualité particulière d'attention et de concentration sur la personne observée. Il s'agit d'une attention dirigée qui projette la pensée vers l'objet d'observation; nous parlons ici d'observation systématique. Cette attention tient de l'éveil à la fois de l'intelligence et des sens qui non seulement se laissent imprégner par leurs perceptions, mais placent la personne qui observe en état d'alerte, en attente de ce qui va se passer.

Le processus d'observation

Le processus d'observation est complexe. Il repose d'abord sur la sensation, c'est-à-dire la stimulation des récepteurs des organes des sens. Ces stimuli sont ensuite analysés et interprétés au niveau du cerveau. L'ensemble de ces phénomènes constitue la perception. Cette interprétation est fortement influencée par nos expériences antérieures, par nos valeurs et nos sentiments.

La capacité d'observation de l'infirmière détermine en somme son aptitude à voir la personne, à l'écouter, à percevoir certains phénomènes par le toucher ou l'odorat pour en arriver à formuler une hypothèse sur son état, une hypothèse de diagnostic infirmier. Nos perceptions nous fournissent d'abord une image globale de la situation; le fait de fixer notre attention de façon consciente et délibéré sur cette situation nous amène ensuite à préciser les détails de cette première impression. C'est l'observation systématique nécessaire à la collecte des données.

Les facteurs qui influencent l'observation

Au cours de son observation, l'infirmière doit se méfier de certains facteurs susceptibles de fausser les conclusions: certains sont liés à l'observatrice elle-même alors que d'autres sont inhérents aux situations observées.

Les facteurs liés à l'infirmière

L'inattention et les préoccupations personnelles de l'infirmière en exercice entravent l'observation et la collecte des données. Ainsi, l'infirmière qui se laisse envahir par ses inquiétudes personnelles au sujet de son organisation domestique ou qui pense à la planification de sa journée pendant qu'elle échange des propos avec la personne soignée ne peut exercer toute la finesse d'observation qu'exige la collecte des données.

Les habitudes d'observation stéréotypées sont aussi particulièrement dangereuses. Elles amènent par exemple la soignante à considérer de la même façon toutes les personnes souffrant d'un même mal. Cette attitude conduit à des soins impersonnels ou, pis encore, à des diagnostics infirmiers erronés.

Les valeurs et les croyances de l'infirmière, ses préjugés sur certaines personnes, certaines religions, certaines races ou certaines orientations sexuelles peuvent aussi nuire à son observation.

Il arrive également que ses expériences personnelles brouillent la communication. En effet, elle peut s'en inspirer et être portée à juger la situation à partir de ses propres standards et non pas à partir de ceux de la personne soignée. Ainsi, une infirmière, mère d'un jeune enfant, dont l'accouchement s'est bien déroulé peut, si elle n'y prend garde, mal comprendre les plaintes et le découragement de certaines mères en travail.

Les facteurs liés à la situation et à l'environnement

Certaines difficultés peuvent être liées à la façon dont la situation se présente. La persistance de certaines impressions, notamment les premières, peut contribuer à fausser notre jugement. Ainsi, si une personne nous a donné l'impression de se plaindre facilement, il se peut que nous éprouvions toujours de la difficulté à la croire souffrante.

La répétition des stimuli est aussi un facteur d'influence. Elle joue de deux façons. Elle peut augmenter notre sensibilité à certains stimuli et mobiliser notre attention. Ainsi, un enfant qui pleure à plusieurs reprises, puis se plaint de douleurs abdominales, finit par attirer l'attention de l'infirmière. Mais cette répétition peut aussi produire l'effet contraire, finir par émousser notre sens de l'observation et même ne plus susciter de réaction du tout. À ces facteurs s'ajoutent aussi ceux qui sont liés à l'environnement: le bruit, la qualité de l'éclairage ou le manque d'intimité.

Les facteurs qui influencent l'observation et la collecte des données se résument ainsi:

- l'inattention de l'infirmière;
- les préoccupations personnelles;
- les habitudes d'observation stéréotypées;
- les valeurs, les croyances et les préjugés de l'infirmière;

- les expériences personnelles similaires;
- la persistance des perceptions;
- la répétition des stimuli;
- les facteurs environnementaux (bruit, chaleur, manque d'intimité, etc.).

L'observation et l'examen physique

L'examen physique est un des moyens d'observation utilisés par l'infirmière. C'est un moment privilégié de contact avec la personne, qui exige des connaissances et du savoir-faire, mais aussi un savoir-être qui permet de procéder avec délicatesse pour ne pas susciter l'inconfort ou la douleur et respecter la dignité de la personne.

L'examen physique suppose l'inspection, la palpation et l'auscultation, mais l'infirmière n'est pas appelée à le faire partout. Les règles varient selon les milieux. Les détails de l'examen physique ne sont pas abordés dans cet ouvrage.

L'observation des messages silencieux

L'observation permet aussi d'être à l'affût du comportement non verbal de la personne. Le corps s'exprime par mille et un détails qu'il faut apprendre à décoder. Le langage non verbal comprend l'expression faciale, le regard, l'intonation de la voix, les larmes et les sanglots, la posture, les gestes, la distance que la personne garde entre elle et l'infirmière et, de façon plus globale, sa façon d'agir. Ces messages silencieux sont très révélateurs de ce qu'elle vit intérieurement.

De plus, si observer ce que dit la personne peut sembler évident, observer ce qu'elle ne dit pas et noter les lacunes significatives dans ce qu'elle énonce l'est beaucoup moins. Le rougissement, la crispation, l'excitabilité deviennent alors des sources d'information. Le décodage du langage non verbal nécessite une grande attention et beaucoup de perspicacité. Il ne va pas sans difficulté.

Les difficultés du langage non verbal

Le langage non verbal est à la fois direct et profond. Pour qui sait observer, il révèle beaucoup plus que les paroles, mais il présente de nombreuses difficultés. D'abord, il n'est pas aussi précis que le langage verbal. De plus, sa signification peut varier selon les individus et les cultures. La fugacité des manifestations non verbales et le fait que plusieurs s'expriment en même temps pour se compléter, ou parfois même pour se contredire, confèrent à ces messages un caractère souvent ambigu. Une personne qui sourit avec un regard triste, par exemple. On observe assez fréquemment des contradictions semblables. La fragilité de nos perceptions et toutes les difficultés déjà énumérées militent en faveur d'un approfondissement et d'une vérification de ce que nous croyons comprendre des messages silencieux de la personne.

Le regard et la mimique

Jean-Jacques Rousseau écrivait: «On parle au cœur par les yeux mieux que par les oreilles... il faut suppléer à la froide entreprise de la parole.» Si l'on dit que la communication est un partage, communiquer avec quelqu'un, c'est d'abord partager un regard. Annick Oger–Stefanink (1987, p. 72) avance même qu'accepter l'autre, c'est d'abord accepter son regard.

Le regard est un miroir qui reflète la confiance en soi, la peur ou la volonté d'autorité, l'agressivité, l'anxiété, la franchise, la gêne, l'indifférence, la tristesse, la joie, etc. Il est important pour l'infirmière de s'arrêter à chercher à comprendre ce qu'elle lit dans le regard du malade. Un regard triste et éteint, par exemple, peut être l'indice de la solitude, d'un sentiment d'impuissance ou d'une douleur physique chronique.

L'ensemble de l'expression faciale est aussi révélateur de nos états intérieurs. Les traits tombants sont souvent l'indice de la tristesse et de la dépression; les sourcils froncés marquent la réflexion, la tension ou la colère alors que la crispation de la figure et la mâchoire serrée traduisent généralement la douleur intense. Il faut non seulement observer ces manifestations, mais aussi vérifier nos perceptions afin de les préciser.

Les gestes et la posture

Les gestes ont été les premiers moyens de communication entre les humains. Ils accompagnent nos paroles ou les remplacent au besoin. À cet égard, nous avons développé un code dont la signification varie selon les cultures.

De plus, le corps tout entier, par sa tension et sa position, exprime ce que nous ressentons. La rigidité de la colonne vertébrale, la position des épaules (droites ou voutées), l'allure générale de notre démarche reflètent notre état affectif, notre tension ou notre relaxation (Oger–Stefanink, 1987, p. 66). L'observation des gestes et de la posture est un axe important de la compréhension de la personne. Freud écrivait, avec raison, que celui qui a des yeux pour voir et des oreilles pour entendre peut arriver à se convaincre que nul mortel ne peut garder un secret; si les lèvres sont silencieuses, il bavarde du bout des doigts. Ainsi, le thorax affaissé chez une personne peut indiquer un manque de confiance en elle, de la fatigue ou un état dépressif. Le corps raidi, chez une autre, peut traduire un malaise ou un caractère intransigeant. Quant à la personne qui bouge, qui gesticule (s'agite, se tord les mains, se ronge les ongles, roule une mèche de cheveux), elle peut exprimer son anxiété.

Le silence et les larmes

Le silence peut être un mode puissant de communication non verbale. Devant certaines émotions, quand le cœur déborde, les mots sont inutiles. Le silence, par la connivence qui s'établit entre les interlocuteurs, les révèle souvent l'un à l'autre plus que les paroles.

Cette rupture momentanée de la communication verbale peut aussi refléter parfois un besoin de réflexion, un besoin d'introspection, de distanciation par rapport aux paroles.

Au cours d'une entrevue, il peut arriver que la personne devienne tout à coup silencieuse. Mais peu importent les raisons de ce silence, qu'il s'agisse d'une surcharge émotive, d'un besoin de réflexion ou de la difficulté de trouver les mots pour s'exprimer, il faut le respecter. Ce temps d'arrêt permet à la personne d'entrer en contact avec ses émotions. Il faut lui laisser vivre ce moment bénéfique. Après quelques secondes d'accalmie, l'infirmière doit reprendre la conversation afin d'éviter d'embarrasser la personne et de la forcer à expliquer la raison de ce silence.

Le silence peut aussi être empreint d'émotions négatives, d'hostilité, de rancune, de colère. Il faut alors tenter rapidement de comprendre ce qu'il cache, en disant, par exemple: «Vous semblez fâché. Voulez-vous m'expliquer ce qui se passe?» En apprenant les raisons de ce silence, vous pourrez agir de façon appropriée.

Il est souvent difficile de savoir quelle attitude adopter devant les larmes. Quand la peur, l'anxiété, le chagrin ou le dépit submergent la personne, les larmes sont des soupapes qui libèrent les émotions trop fortes. Elles doivent toujours être considérées comme une sonnerie d'alarme, sinon comme un appel au secours.

Devant la diversité et le sérieux des situations pénibles qui provoquent des larmes (un diagnostic grave, la perte d'un être cher, la naissance d'un enfant anormal, l'annonce d'une intervention qui fait peur, etc.), l'infirmière se demande souvent quelle est la meilleure attitude. Il n'y a malheureusement pas d'attitude miracle, mais il ne faut surtout pas jouer à l'autruche et faire semblant de ne rien voir. Il faut avoir le courage d'écouter, la volonté d'aider et de comprendre.

À toutes fins utiles, comme pour le silence, l'infirmière doit d'abord respecter ces larmes, puis signifier avec doigté à la personne qu'elle voit son chagrin et lui demander si elle veut se confier. La soignante doit aussi lui demander si elle peut faire quelque chose pour l'aider. Rappelons que, dans le domaine des soins infirmiers, la communication et la relation d'aide vont souvent de pair.

La communication: fenêtre ouverte sur l'autre

La collecte des données se fait à l'intérieur d'un processus d'échange avec la personne soignée, et son efficacité, particulièrement pour la collecte des données subjectives, repose sur les habiletés de communication verbale de l'infirmière. Cette collecte faite dans le cadre de la démarche de soins représente un acte professionnel. C'est pourquoi on qualifie ces échanges d'entrevue et l'on réunit les habiletés qui lui sont propres sous le vocable un peu prétentieux de technique d'entrevue.

La communication qui s'établit entre l'infirmière et la personne soignée au moment de l'entrevue est de type fonctionnel, c'est-à-dire qu'elle se situe surtout à un niveau utilitaire. C'est la forme de communication qui préside à nos échanges journaliers dans le monde professionnel et extra-professionnel. Si habituelle que soit cette forme de communication, elle n'en requiert pas moins des habiletés particulières et la création d'un climat favorable.

La communication: définition

Il existe autant de définitions de la communication que d'auteurs qui en ont traité, mais la plupart d'entre eux la présentent comme un processus factuel et banal qui n'a rien à voir avec le type d'échange dont nous avons besoin en soins infirmiers pour faire une collecte des données. Il faut donc en proposer une qui soit riche de sens et mieux adaptée à cette réalité. La communication peut alors se définir comme un processus d'échange, de partage d'informations et de sentiments, qui se déroule dans un climat d'ouverture entre deux personnes qui s'expriment dans un langage verbal et non verbal.

Cette définition est exigeante pour l'infirmière, mais il faut rappeler que l'entrevue de collecte des données doit se situer dans une relation humaine et chaleureuse. L'infirmière a toujours l'obligation professionnelle de manifester accessibilité, attention et considération pour la personne. Si le malade ne peut pas toujours, en raison de son état physique ou psychologique, apporter les mêmes qualités à la relation, c'est à la soignante qu'il incombe de créer un climat d'échange aussi positif que possible.

Le climat de la communication

La communication se compare à un jardin qui, pour fleurir, a besoin de chaleur et de nutriments. Afin d'éclore et de s'épanouir, la communication a besoin de la chaleur humaine de l'infirmière, de son sourire, de sa disponibilité et de son intérêt pour la personne soignée.

Le principal moyen de créer un climat favorable à la communication est de manifester son acceptation de la personne, de la reconnaître comme un être humain valable et de la considérer comme compétente dans sa situation. Un autre moyen est d'éliminer nos comportements défensifs et de viser avec doigté à réduire ceux du malade.

Le langage verbal

Communiquer ne signifie pas seulement parler; nous avons d'ailleurs vu toute l'importance du silence et de la communication non verbale. Toutefois, l'utilisation des mots demeure la façon la plus complète de nous comprendre.

On pourrait penser que cette communication précise est sans ambiguïtés. Hélas non! D'abord, le sens des mots varie à l'infini selon les personnes. Ainsi, si vous demandez à un malade s'il a bien mangé, vous risquez une certaine imprécision, car bien manger ne signifie pas la même chose pour tout le monde. Les termes prennent aussi un sens différent selon le milieu familial ou culturel. C'est ainsi que, dans une même langue, les mêmes mots peuvent avoir des sens différents.

Il y a plus encore. Certaines ambiguïtés sont liées à l'utilisation de termes généraux tels que «toujours», «jamais», «tout le temps», «tout le monde», ou de pronoms tels que «on» ou «nous», ou encore de stéréotypes tels que «les Méditerranéens parlent beaucoup», «les Nordiques sont des gens froids», etc. Ces clichés s'apparentent parfois dangereusement aux préjugés!

Dans une collecte des données, il faut se méfier des imprécisions et viser la clarté. Si le malade s'exprime de manière vague, il faut poser des questions précises ou approfondir l'information. Il faut tenter de découvrir ce que cachent des propos comme: «Vous savez, les diabétiques ne vivent jamais vieux» ou «On ne vient jamais me voir» ou encore «Lorsque j'appelle, c'est toujours long».

Les caractéristiques de la communication fonctionnelle

La communication fonctionnelle présente des caractéristiques particulières. La simplicité et la clarté sont ses attributs essentiels. L'infirmière doit s'efforcer d'utiliser un langage à la portée de la personne et éviter le jargon médical. La concision est une autre caractéristique importante. Il faut privilégier les phrases courtes et bannir les phrases ampoulées et les détails inutiles qui nuisent à la compréhension. Il faut toujours chercher à s'exprimer de façon précise et solliciter la même précision de la part de la personne.

Même si l'infirmière vise des objectifs précis lors de l'entrevue, la conversation propre à une communication fonctionnelle est empreinte de souplesse et d'adaptabilité aux préoccupations et aux besoins de la personne. La soignante doit lui permettre de s'exprimer et de se situer en complémentarité et en **congruence** avec ce qu'elle dit. Les échanges doivent être empreints de politesse et de respect pour l'âge, la valeur et la dignité de la personne. Somme toute, l'attention manifestée à l'égard de la personne traduit la considération de l'infirmière.

CONGRUENCE
État de ce qui convient à une situation, qui se situe dans la même logique.

Synthèse des caractéristiques de la communication fonctionnelle

- Simplicité et clarté: utilisation de termes faciles à comprendre.
- Concision: recours à des phrases courtes, sans détails inutiles.
- Précision: exactitude des termes utilisés et de l'information recueillie.
- Congruence et adaptabilité: adéquation aux besoins, aux préoccupations et aux intérêts de la personne.
- Politesse: respect de l'âge, des volontés et de la valeur de la personne.
- Considération: attention envers la personne.

Quelques principes généraux sur la communication

Les chercheurs de l'école de Palo Alto écrivaient que la communication est partout et que tout est communication. Cela vaut aussi pour la communication entre l'infirmière et la personne soignée. Tout est communication. La voix du malade, l'expression de sa figure, ce qu'il dit, tout est révélateur de ce qu'il est et de ce qu'il vit. Il en est de même de l'infirmière: sa façon de regarder le malade et de s'exprimer traduit son intérêt ou sa hâte d'en finir. De ce principe en découle un autre: on ne peut pas ne pas communiquer. Même lorsque nous nous taisons, nous transmettons des messages et le malade qui s'exprime peu ou refuse de parler est très éloquent.

Rappelons aussi que les premières minutes d'une entrevue sont cruciales. C'est à ce moment que la personne soignée reçoit l'impression qui influencera toutes ses perceptions de l'infirmière et même du milieu de soins. C'est pourquoi, en plus d'aider la personne à s'adapter à son nouveau milieu, il est si important de lui réserver un accueil favorable. À partir de ces considérations, on peut aisément déduire que la communication est **irréversible**. Mal engagée, elle est difficile à rétablir.

N'oublions pas que la communication se fait à différents niveaux. Elle est constituée d'une composante cognitive et informative faite de phrases et de mots auxquels on attribue un sens. Cette composante tient de la logique,

IRRÉVERSIBLE
Qui ne peut être renversé, repris différemment.

de la congruence et du raisonnement. La communication comporte aussi une partie affective liée à la signification profonde et émotive du message, aux sentiments qu'il fait naître. La façon dont ce message est transmis, l'intonation de la voix, l'expression faciale en sont des manifestations évidentes.

Pour pouvoir réellement communiquer avec une personne, il faut se placer sur le même plan qu'elle. Ainsi, si un malade parle de sa peur d'une intervention chirurgicale, il se situe sur le plan affectif. Si l'infirmière lui répond par la logique, arguant qu'il n'a pas raison d'avoir peur, car c'est une opération bénigne, elle se place sur le plan cognitif. Elle n'est pas sur la même longueur d'onde que cette personne et, en réalité, elle ne partage pas réellement ce que la personne vit. Ce n'est donc pas une communication véritable.

Nous transmettons plus de messages par notre comportement non verbal que par les mots que nous exprimons. Voilà un autre principe important. Ainsi, dans les messages que nous communiquons par la parole, le regard, l'intonation de la voix, les gestes, l'interlocuteur retient plus le langage du corps que celui des mots, surtout lorsqu'il y a contradiction entre le verbal et le non verbal. Ainsi, si l'infirmière affirme sa disponibilité sur un ton ennuyé, le malade sera plus sensible au ton qu'à la disponibilité.

Les principes relatifs à la communication peuvent se résumer ainsi:

- La communication est partout, tout est communication.
- On ne peut pas ne pas communiquer.
- Les premières minutes d'une relation sont cruciales.
- La communication est irréversible.
- Pour communiquer avec une personne, il faut être sur le même plan, affectif ou cognitif.
- Nous transmettons plus de messages par notre comportement non verbal que par les paroles que nous prononçons.
- Dans le cas d'une contradiction entre le verbal et le non verbal, l'interlocuteur retient surtout le message non verbal.

Les barrières à la communication

La communication est un processus complexe que plusieurs barrières peuvent entraver. Certaines limites proviennent des différences avec la personne soignée, soit le degré d'éducation, la culture ou le langage. Ces éléments peuvent créer une barrière entre le malade et la soignante. Ainsi, l'infirmière, en raison de sa formation, peut être perçue par la personne soignée comme supérieure et inaccessible. À cet égard, le jargon médical est particulièrement rebutant.

Une culture et une langue différentes représentent aussi des inconvénients majeurs pour le malade, et l'infirmière doit tout faire pour réussir à entrer en contact avec la personne, pour la comprendre et comprendre sa culture. La différence d'âge est une autre barrière qui peut créer des difficultés. Une infirmière qui prend soin d'une personne d'une autre génération doit faire un effort supplémentaire pour s'adapter et communiquer.

Les valeurs, les croyances et les préjugés tant de la personne soignée que de l'infirmière peuvent aussi créer des barrières. Elles sont souvent liées à l'âge et à l'éducation. Chaque fois que nous affrontons des différences de culture, de religion, d'âge ou d'orientation sexuelle, il faut nous méfier de leur influence insidieuse sur la communication et nous poser des questions sur nos réactions.

Les habiletés de communication

Les habiletés ou comportements propices à la communication se divisent en deux grandes catégories: les habiletés de réceptivité et les habiletés de partage. Afin de procéder à une collecte des données véritablement efficace, l'infirmière doit utiliser ces habiletés convenablement. Certaines d'entre elles sont évidentes et s'appliquent tout naturellement, mais d'autres doivent être développées.

Les habiletés de réceptivité

Les habiletés de réceptivité sont celles qui montrent à la personne que nous sommes à l'écoute. Elles comprennent les comportements non verbaux qui manifestent notre attention et notre intérêt. Ce sont notre façon de garder le contact visuel, notre posture tournée vers la personne, le fait de nous mettre à sa portée, notre expression faciale ouverte, l'intonation de notre voix, notre manière de nous approcher d'elle afin d'être à l'intérieur de son champ affectif ou de la toucher afin de la rejoindre véritablement. Tous ces comportements contribuent à la qualité de la présence de l'infirmière.

Le contact visuel La communication s'établit d'abord par le regard. La politesse élémentaire exige de regarder la personne à qui l'on parle. Poser les yeux ailleurs, sur la fenêtre ou sur sa montre, est non seulement impoli, mais dénote un manque d'intérêt envers l'interlocuteur. Il ne faut pas non plus embarrasser la personne par un regard trop insistant. Chez certaines personnes de culture différente, l'insistance du contact visuel peut être perçue comme une volonté de domination.

L'expression faciale Une figure ouverte et souriante donne toujours une impression de disponibilité et de générosité. Prendre la peine de sourire, c'est comme offrir à l'autre un peu de son temps et de son énergie intérieure. L'expression de la figure, ou mimique, doit aussi montrer à la personne que nous sommes en harmonie avec ce qu'elle nous communique. La tristesse d'un propos ou d'une situation n'interdit pas nécessairement le sourire, mais il faut prendre garde de ne pas être en dissonance avec la personne soignée.

L'intonation de la voix Il existe un lien important entre l'intonation de la voix d'une personne et son émotivité. La douceur de la voix exprime une certaine délicatesse et sa modulation traduit l'énergie ou la joie de vivre de cette personne. L'infirmière, par le ton de sa voix, peut exercer un pouvoir rassurant, qui calme l'agressivité ou la peur.

La posture Notre posture traduit notre ennui ou notre disponibilité. Une posture détendue qui nous place bien en contact avec la personne et nous met à sa portée est un gage de succès en communication. Se tourner vers l'autre, se pencher, s'asseoir au besoin pour se placer à son niveau sont des gestes de disponibilité et d'ouverture essentiels à une attitude d'écoute. Souvent, sans nous en rendre compte, notre posture a une influence négative sur nos échanges. Ainsi, une position debout face à un enfant, à une personne alitée ou assise dans un fauteuil roulant crée une distance qui peut nuire à la communication.

La distance ou proxémique   La proxémique nous renseigne sur la façon dont une personne aménage ses distances avec les autres. La distance que nous conservons dans nos relations sociales est différente de celle que nous établissons dans nos contacts plus intimes. La distance caractéristique des relations infirmière–personne soignée n'a rien de catégorique, mais elle diffère de la distance intime et de la distance sociale. L'infirmière vit une relation privilégiée; elle touche le corps du malade et s'efforce souvent, dans des moments particuliers, de rejoindre l'âme. Aussi doit-elle apprendre, d'une part, à s'approcher de la personne pour mieux communiquer avec elle et, d'autre part, à respecter sa volonté de conserver un certain espace social. Elle doit lire son comportement non verbal afin de s'adapter à la personne et à la situation vécue. Selon le caractère plus ou moins réservé de celle-ci, sa gêne ou son insécurité causée par la proximité de quelqu'un, l'infirmière doit savoir adopter la distance convenable, un compromis entre une distance trop grande, barrière à la communication, et une distance trop restreinte, qui peut être menaçante.

Le toucher   Toucher la personne à qui l'on parle est aussi une forme de langage et une façon de lui manifester notre volonté de l'écouter et de recevoir son message, de partager son expérience. Quand le cœur déborde d'émotions, le toucher remplace avantageusement la parole.

Nous pouvons toucher la main, le bras ou l'épaule de la personne pour lui montrer que, pour un moment, nous sommes là pour elle et que nous partageons ce qu'elle vit. Toucher le front d'une personne souffrante ou la joue d'une personne anxieuse ou agitée sont des moyens efficaces pour lui communiquer notre compréhension et la rassurer.

Le toucher, comme la proximité, n'est pas toujours bien accepté par tous les malades. Il insécurise certaines personnes qui n'aiment pas le contact des autres et il faut respecter cette réserve. Si nous croyons que la personne est réticente, le meilleur moyen est de lui demander doucement la permission de la toucher, car c'est souvent la surprise qui la fait réagir.

L'écoute et les attitudes de réceptivité

Les attitudes de réceptivité sont en somme des attitudes d'écoute. Goethe écrivait: «Parler est un besoin, écouter est un art.» Cet art est le secret d'une communication efficace. Écouter, c'est se rendre disponible à l'autre, accepter de recevoir l'expérience de l'autre. C'est s'appliquer à entendre, à comprendre, à exister pour l'autre pendant un moment.

L'écoute est un processus dynamique qui consiste à donner un sens à ce que nous percevons par les oreilles et les yeux. Elle exige un effort volontaire qui suppose bien sûr l'acuité des sens, mais aussi la motivation et l'attention de l'«aidante».

Elle doit lui permettre à la fois d'entendre les mots exprimés et de comprendre les sentiments sous-jacents. Sans cette double écoute, la collecte des données ne peut atteindre la qualité d'un acte professionnel. Janet Helms (1985, p. 328) avance même que la capacité d'une infirmière de s'occuper d'un malade dépend, dans une large mesure, de son habileté à reconnaître les indices des difficultés qu'elle perçoit par l'observation et l'écoute.

Le processus d'écoute a été décrit par de nombreux auteurs. G. M. Bulechek et J. C. McCloskey (1985, p. 330) le décrivent en six points qui nous inspirent ce qui suit:

- Déterminer le but de l'écoute. Identifier ou décider de l'intentionnalité qui doit sous-tendre l'écoute.
- Manifester une sensibilité aux émotions qui émergent de la situation. Prendre conscience de ses émotions et de celles de la personne soignée, et identifier leur signification.
- Se montrer attentive à la personne et lui manifester son intérêt. Concentrer son attention sur la personne soignée et sur son expérience, et garder une volonté constante d'éviter les préjugés, les intérêts personnels et autres «distracteurs». L'intérêt et l'attention de l'infirmière donnent le ton à l'interaction avec la personne.
- Manifester sa réceptivité. Au cours de l'écoute, l'intentionnalité, l'attention et le décodage des émotions déterminent ce que l'infirmière retient au moment où elle cherche à donner un sens à la communication. Par sa capacité de réceptivité verbale, elle choisit et filtre, consciemment ou inconsciemment, ce qui pénètre dans le champ de sa perception. Elle est influencée par sa propre culture, ses valeurs, son éducation et sa motivation.
- Interpréter le message et tirer des conclusions. Donner un sens à ce qui est exprimé par la personne, «lire entre les lignes», comprendre les messages non exprimés. Les paroles sont des indices qui renferment des significations plus profondes. L'infirmière doit porter attention au ton de la voix, au rythme des paroles et à l'expression du regard de la personne pour déceler ce qu'elle cache, les mots qu'elle évite, le sens des silences qui ponctuent sa conversation.
- Répondre au message, livrer des commentaires. Réagir au message reçu et communiquer cette réponse à la personne.
- Manifester sa compréhension et son acceptation du message. La réaction au message doit communiquer notre compréhension et notre acceptation de la personne et du message qu'elle livre.

Les aspects bénéfiques de l'écoute

L'écoute bien conduite influence la capacité de la personne de s'exprimer et la clarté du message transmis. Elle produit un effet sécurisant et réducteur des tensions. De plus, l'attention portée à la personne soignée produit un effet positif pour l'estime de soi et l'identité. Au-delà d'une habileté de communication et de collecte des données, l'écoute est aussi une intervention infirmière et L. Robinson (1983) parle même d'écoute thérapeutique.

Les habiletés de partage

Les habiletés de partage sont celles qui permettent à l'infirmière et au malade de participer réciproquement au message qui les unit, de le clarifier et de l'approfondir au besoin. Ce sont les encouragements à parler, l'utilisation de filons verbaux, la synthèse, la convergence et la mise au point, les questions et les reformulations.

Les encouragements à parler   Ce sont des gestes ou des mots simples qui engagent la personne à poursuivre, par exemple des hochements de tête, des signes d'acquiescement, des paroles telles que Ah oui!, Eh bien!

L'utilisation de filons verbaux   C'est le fait de relever un mot ou une phrase dans la conversation pour reprendre un sujet à peine effleuré. Pour être efficace dans son écoute, l'infirmière doit établir des liens entre certains thèmes abordés par le malade et s'interroger sur leur signification. L'association spontanée des idées enrichit l'observation. Lorsque quelqu'un parle, ses paroles suscitent chez la personne qui écoute des associations d'idées qui donnent un sens plus profond aux propos.

Un malade peut mentionner, par exemple, que sa mère était souvent absente, puis, plus loin dans sa conversation, faire une digression sur la solitude et le manque d'amour. Une association naturelle serait de penser à une difficulté familiale. Mais attention! Ce n'est qu'une interprétation qui pourrait être une distorsion du message de la personne. L'association d'idées ou les filons verbaux peuvent être intéressants pour l'observation, mais ils comportent toujours un risque de subjectivité et d'erreurs.

La synthèse Elle consiste à faire le résumé de ce que vient de dire la personne afin de mieux nous situer. Cette habileté est particulièrement utile lorsque l'information est abondante. L'infirmière peut dire, par exemple: «En somme, vous venez de me dire que vous ne vous sentez pas bien depuis 15 jours, que vous mangez peu et que vous vomissez depuis 3 jours.»

La convergence et la mise au point Ce sont des habiletés qui permettent de ramener la conversation sur le sujet de l'entrevue ou sur les points importants que nous désirons approfondir. Elles sont particulièrement utiles avec la personne discursive qui s'exprime abondamment et nous perd dans une foule de détails. L'infirmière peut lui dire, par exemple: «C'est intéressant, mais si vous le voulez bien, revenons à vos difficultés respiratoires» ou encore «Si je ne me trompe, nous en étions à parler de votre élimination.»

Les questions Le dictionnaire *Petit Robert* nous dit que les questions sont des demandes que l'on adresse à une personne en vue d'apprendre quelque chose. Au cours de la collecte des données, l'infirmière a plusieurs demandes à formuler afin de mieux comprendre ce que vit le malade. Ces questions peuvent prendre plusieurs formes. Elles se divisent en deux catégories principales: les questions fermées et les questions ouvertes.

Les questions fermées

Ce sont celles auxquelles on répond par oui ou non ou par quelques mots. Exemples: Question: «Avez-vous bien dormi?» Réponse: «Non.» Question: «Depuis quand ne dormez-vous pas?» Réponse: «Depuis deux jours.»

La question fermée est utile pour recueillir des renseignements précis. Elle est aussi indiquée dans les situations où l'émotivité (anxiété, peur, agressivité) est grande. Dans ce cas, la personne bouleversée n'a peut-être pas envie de se raconter. Cette forme de question concise permet d'aller droit au but.

Cependant, il faut éviter de poser trop de questions fermées, car la collecte des données prend alors l'allure d'une enquête où la personne ne relate que des faits, des événements. De telles questions lui permettent peut-être d'exprimer certaines plaintes, mais pas de livrer ses opinions ou ses impressions. Ce type de collecte des données ne mène généralement pas très loin.

Les questions ouvertes

Les questions ouvertes permettent à la personne de s'exprimer plus largement, de parler de ses peurs, de ses difficultés, de sa douleur. Elles sont moins directives et peuvent prendre différentes formes.

- La question narrative: «Racontez-moi comment cela se passe chez vous.» ou «Parlez-moi de...»
- La question évaluative: «Que pensez-vous de...?»
- La question descriptive: «Décrivez-moi votre douleur.»
- La question explicative: «Expliquez-moi comment je pourrais mieux vous aider.»
- La question de clarification ou de validation: «Il me semble que vous n'avez pas l'air bien; êtes-vous souffrant?» «Vous m'avez dit que vous vomissiez depuis trois jours; est-ce que je me trompe?»

La reformulation ou réponse-reflet

La reformulation est une habileté fort utile pour la collecte des données. Elle consiste en diverses formes de répétition des propos de la personne soignée afin de les refléter comme dans un miroir. La reformulation constitue une excellente façon de réagir aux propos de la personne. Elle lui montre que nous l'écoutons et lui permet de confirmer ou d'infirmer ce que nous avançons. La reformulation devient en quelque sorte une question très largement ouverte.

Il existe plusieurs types de réponses-reflets dont

- la réitération: c'est la répétition de la dernière phrase ou de la dernière partie de la phrase. C'est une bonne façon de réagir aux propos de la personne. Elle lui montre que nous l'écoutons et nous donne le temps d'organiser notre pensée pour d'autres interventions plus pertinentes. Il ne faut cependant pas en abuser, car la personne pourrait se lasser;
- le reflet simple: c'est la répétition dans nos propres termes des propos de la personne. Nous pouvons ainsi refléter des faits, des opinions, etc., énoncés par le malade. C'est une excellente façon de manifester notre écoute et notre compréhension du message;
- le reflet des sentiments: c'est une présentation des sentiments que nous croyons déceler dans les paroles et le langage non verbal de la personne. Cette forme de réponse-reflet exige un niveau un peu plus profond d'observation et nous oblige à la double écoute dont nous avons parlé plus tôt, c'est-à-dire chercher à saisir le contenu informatif et le contenu affectif du message. Nous pouvons dire, par exemple: «Il me semble qu'il y a de la tristesse dans ce que vous dites»;
- le reflet-élucidation: c'est la présentation des sentiments plus profonds que nous croyons deviner dans la façon de parler, d'agir et d'être de la personne. Le reflet-élucidation demande beaucoup de doigté et, pour diminuer les risques d'erreurs, il se compose d'un reflet de sentiment doublé d'un élément de validation. Nous pouvons dire, par exemple: «Est-ce que je me trompe si je dis que vous regrettez votre ancien emploi?»

Les réponses-reflets permettent de faire ce que l'on appelle «de l'écoute active», ce qui est une façon efficace d'être à l'écoute de l'autre. Le reflet des sentiments et le reflet-élucidation sont aussi des outils précieux pour la relation d'aide.

La collecte des données et la relation d'aide

Une entrevue de collecte des données peut parfois susciter un besoin d'apporter à la personne un réconfort et une compréhension qui dépasse les simples habiletés de la communication fonctionnelle, un besoin d'établir une relation d'aide. Il est très difficile d'aborder l'entrevue et la communication sans parler de cette relation particulière.

Ce besoin se fait sentir lorsque la personne vit un état de souffrance physique ou psychologique intense qui requiert des attitudes particulières d'acceptation, de respect, d'empathie et d'aide à la résolution de problèmes.

Cette relation consiste à manifester à la personne compréhension et soutien afin de l'aider à faire face à ses problèmes, à les voir plus clairement, à les situer dans une juste perspective pour arriver à les comprendre et à les résoudre. La relation d'aide tend aussi à amener la personne à se percevoir comme une participante active dans sa situation, à trouver un sens à son problème et à puiser en elle-même une motivation qui l'aide à vivre.

Relation d'aide

Relation significative entre un «aidé», c'est-à-dire une personne qui vit un problème, une souffrance physique ou psychologique et qui éprouve de la difficulté à les porter seule, à trouver les moyens de les accepter, de s'y adapter ou de s'en sortir, et une «aidante» (en l'occurrence une infirmière) qui, pour un moment, l'aide à les porter, à puiser en elle les ressources nécessaires pour y faire face. Cet échange à la fois verbal et non verbal permet de créer le climat dont la personne a besoin pour retrouver son courage, se reprendre en main et évoluer[1].

La relation d'aide exige certaines aptitudes particulières de la part de l'infirmière. Qu'il suffise de dire qu'elle demande surtout une grande compréhension. Les détails de cette relation et les moyens de l'exploiter dépassent malheureusement le cadre de cet ouvrage. Ajoutons seulement que les outils de prédilection pour l'établir sont les réponses-reflets et l'écoute active. Les attitudes préconisées pour la communication demeurent essentielles.

Voici une synthèse des comportements qui favorisent la collecte des données:

- Puiser l'information à toutes les sources disponibles (dossier, pairs, etc.) afin d'éviter les questions inutiles.
- Choisir le moment propice. Éviter les moments où la personne se repose ou ceux où elle est très souffrante.
- Se présenter et préciser son rôle.
- Briser la glace en quelques minutes d'échange informel.
- Mettre la personne à l'aise, voir à son confort, lui offrir une boisson, etc.
- Garder le contact visuel (sauf avec des personnes de certaines cultures).
- Au besoin, lui demander comment elle désire que l'on s'adresse à elle (Madame, Mademoiselle ou son prénom). Préfère-t-elle être vouvoyée?

---

1. Conférence prononcée par Margot Phaneuf dans le cadre du congrès de Médecine et chirurgie de Coïmbra, Portugal, mars 1995.

- S'adresser à la personne en l'appelant par son nom.
- Expliquer clairement le but de la collecte des données et l'obligation à la confidentialité afin de mettre la personne en confiance.
- Solliciter l'aide de la personne soignée, en disant, par exemple: «J'apprécierais grandement votre aide pour préparer votre plan de soins.»
- Se mettre à la portée de la personne en utilisant un langage simple et en adoptant une posture qui est à son niveau.
- Éviter d'embarrasser ou d'ennuyer la personne; ne pas la presser de répondre.
- Poser d'abord les questions qui se rapportent à des éléments importants et plus urgents.
- Se mettre à l'écoute de la personne, réagir.
- Être attentive à déceler les sujets plus délicats pour la personne et ne pas insister.
- Utiliser le plus possible des questions ouvertes.
- Encourager l'évaluation faite par la personne afin de recueillir des données subjectives. Exemples: «Que pensez-vous de vos soins?» «Qu'est-ce qui vous dérange dans ce traitement?»
- Conclure par un sommaire des points importants. Demander à la personne si elle a des questions ou si elle désire quelque chose et la remercier de son aide.

B *ibliographie*

ADAM, Evelyn (1991). Être infirmière. Laval, Éditions Études Vivantes.

BATES, B. (1987). *A Guide to Physical Examination and History Taking*. Philadelphia, J. B. Lippincott.

BLONDEAU, Danielle (1986). *De l'éthique à la bioéthique: repères pour les soins infirmiers*. Montréal, Gaëtan Morin.

BRADLEY, J. et EDINBERG, M. A. (1982). *Communication in the Nursing Context*. Norwalk, Conn., Appleton-Century-Crofts.

BULECHEK, G. M. et McCLOSKEY, J. C. (1985). *Nursing Interventions*. Philadelphia, W. B. Saunders Company.

DOENGES, Marilynn E. et MOORHOUSE, Mary Frances (1992). *Application of Nursing Process and Nursing Diagnosis*. New York, F. A. Davis.

GORDON, Marjory (1989). *Diagnostic infirmier. Méthodes et applications*. Paris, Medsi.

GROVE, T. G. (1991). *Dyadic interaction*. Dubuque, J. A. William Brown.

HELMS, Janet (1985). «Active Listening» dans G. M. Bulechek et J. C. McCloskey (1985). *Nursing Interventions*. Philadelphia, W. B. Saunders Company.

IYER, Patricia W., TAPTICH, Barbara J. et BERNOCCHI-LOSEY, Donna (1986). *Nursing Process and Nursing Diagnosis*. Philadelphia, W. B. Saunders Company.

KREPS, G. L. et QUERY, J. L. (1990). *Health Communication and Interpersonal Competence* dans G. M. Phillips et J. T. Woods (s. la dir. de). *Speech Communication*. Carbondale, Southern Illinois University Press.

KREPS L. Gary et THORNTON, Barbara C. (1984). *Health Communication*. New York, Longman.

LANGEVIN HOGUE, Lise (1986). *Communiquer, un art qui s'apprend*. Saint-Hubert, Québec, Les Éditions Un monde différent.

LEPPANEN MONTGOMERY, Carol (1991). *Healing through Communication*. New York, Sage Publications.

LIPKIN B., Gladys et COHEN, Roberta G. (1991). *Effective Approaches to Patient's Behavior*. New York, Springer Publishing Co.

NORTHOUSE, Peter G. et NORTHOUSE, Laurel L. (1985). *Health Communication, a Handbook for Professionals*. Englewood Cliffs, New York, Prentice-Hall.

OGER-STEFANINK, Annick (1987). *La communication c'est comme le chinois, cela s'apprend*. Paris, Rivages.

PAGANO, Michael P. et RAGAN, Sandra L. (1992). *Communication Skills for Professional Nurses*. London, Sage Publications.

PHANEUF, Margot (1985). *La Démarche scientifique*. Montréal, McGraw-Hill.

RIOPELLE, Lise, GRONDIN, Louise et PHANEUF, Margot (1984). *Soins infirmiers, un modèle centré sur les besoins de la personne*, Montréal, McGraw-Hill.

ROBINSON, L. (1983). *Psychiatric Nursing*. Philadelphia, W. B. Saunders Company.

SYLVAIN, Hélène (1994). *Apprendre à mieux diagnostiquer*. Laval, Éditions Études Vivantes.

YURA, Helen et WALSH, Mary B. (1983). *Human Needs and the Nursing Process*. Vol. 3. Norwalk, Conn., Appleton-Century-Crofts.

Les activités de la vie quotidienne, niveau 1 de l'analyse et de l'interprétation

Objectifs terminaux

1° L'étudiante prendra conscience de l'importance de l'étape de l'analyse et de l'interprétation pour arriver à une planification réaliste des soins.

2° Elle utilisera ses connaissances pour procéder à une analyse et à une interprétation de premier niveau qui lui permettront de planifier les activités de la vie quotidienne.

Objectifs intermédiaires

De façon plus spécifique, l'étudiante sera capable:

1° de définir en quoi consiste l'étape d'analyse et d'interprétation;

2° de distinguer les processus mentaux qui président à l'analyse de 1er niveau de ceux qui appartiennent au 2e niveau (chapitre 7);

3° de comprendre l'utilité de chacun de ces niveaux;

4° de procéder au traitement de l'information nécessaire à la planification des activités de la vie quotidienne;

5° d'utiliser adéquatement un instrument (remplir un formulaire) de planification des activités de la vie quotidienne;

6° de procéder à la mise à jour des indications qu'il renferme.

Les activités de la vie quotidienne

L'analyse et l'interprétation constituent la deuxième étape importante de la démarche de soins. Cette étape débouche sur la planification des activités quotidiennes et sur le diagnostic infirmier. C'est le moment de traiter l'information recueillie au cours de l'étape initiale de la démarche de soins. Ce premier niveau d'analyse et d'interprétation a été ajouté dans un souci de présenter la planification des soins de manière réaliste et conforme à ce qui se passe dans les milieux de soins, car la démarche intellectuelle conduisant au diagnostic infirmier ne s'applique pas à tout le processus de planification. Certaines interventions régulières, les interventions de maintien par exemple, ne sont pas nécessairement reliées au diagnostic infirmier et pourtant elles doivent être planifiées.

Analyser signifie scruter, approfondir les renseignements colligés, découvrir leurs rapports afin de les mieux comprendre et de les catégoriser pour arriver à en tirer une conclusion à l'étape de l'interprétation.

Interpréter signifie donner un sens à l'information reçue et en tirer une conclusion. En l'occurrence, cette conclusion est un jugement clinique conduisant soit aux activités courantes de soins, soit au diagnostic infirmier et à la planification de soins particuliers.

Aussi cette analyse et cette interprétation conduisent-elles l'infirmière à reconnaître d'abord les données qui dénotent un besoin immédiat de surveillance et de soins. Par exemple, la difficulté du malade à respirer amènera l'infirmière à poser un jugement clinique sur la nécessité de planifier une position particulière pour ce malade.

Ce processus l'amène ensuite à s'interroger sur la nature des problèmes de cette personne et sur leurs causes, c'est-à-dire à poser un ou des diagnostics infirmiers et à se demander ce qui peut être fait pour l'aider à satisfaire son besoin de respirer. Cette étape comporte donc deux niveaux d'analyse et d'interprétation que nous allons approfondir.

Deux façons différentes de résoudre les problèmes de la personne

SCHÈME
Façon d'appréhender la réalité, mode de connaissance qui permet d'isoler certains éléments de leur contexte et de les regrouper afin de les identifier.
(Ex.: le discernement d'un problème. Le schème permet aussi de percevoir rapidement la solution du problème.)

Au chapitre 4, nous avons vu que la démarche de soins est un type de stratégie de résolution de problèmes qui, à partir de l'information recueillie à la première étape, conduit à l'identification des difficultés, puis à la planification des soins qui permettra de les surmonter. Dans cette étape d'analyse et d'interprétation, il existe deux types de raisonnements cliniques, c'est-à-dire deux façons nécessaires et complémentaires de s'attaquer aux problèmes.

Dans un premier temps, l'infirmière reconnaît spontanément certaines difficultés auxquelles elle apporte promptement des solutions. Elle perçoit des indices de difficultés, c'est-à-dire certains **schèmes**, certaines zones de problèmes à l'intérieur des données recueillies. À mesure que l'infirmière identifie ces indices, les solutions s'imposent. C'est un peu comme si la collecte des données faisait apparaître des solutions.

Cette façon de faire se rapproche du modèle béhavioriste de prise de décision, dans lequel il s'agit de savoir quelle décision prendre plutôt que de faire des raisonnements élaborés sur les causes et le processus d'action (A. Elstein et G. Bordage, 1979, p. 333).

La reconnaissance de ces schèmes repose sur les connaissances, l'expérience et surtout le bon sens de l'infirmière. Ainsi, si elle est en présence d'une jeune femme droitière qui a subi une fracture du bras droit et des fractures des côtes au thorax antérieur gauche dans un accident, elle conclut tout de suite que cette personne aura besoin d'aide pour manger, se laver, etc. Ses connaissances sur l'immobilisation plâtrée du bras, sur la douleur liée aux fractures de côtes et son jugement lui dictent sa conduite. Au moment où elle prend conscience du problème, une intervention s'impose d'emblée. Pour l'instant, elle n'a pas besoin d'un processus réflexif complexe; elle désire simplement répondre aux besoins immédiats. Au début, cet exercice peut sembler difficile pour l'étudiante, mais le simple bon sens suffit souvent à identifier le problème et la solution.

Dans un second temps, après avoir réglé les difficultés du quotidien, l'infirmière arrive, par l'étape de l'analyse et de l'interprétation, à un processus de raisonnement clinique plus complexe. Ce dernier a pour but d'enrayer le problème ou, à tout le moins, d'en diminuer les effets, c'est-à-dire aider la personne à évoluer vers un mieux-être et à devenir de plus en plus autonome. Pour y parvenir, l'infirmière doit compléter le processus de démarche de soins déjà amorcé. Voyons maintenant comment s'appliquent ces deux niveaux complémentaires d'analyse et d'interprétation.

L'analyse et l'interprétation: premier niveau

Le premier niveau d'analyse et d'interprétation intervient rapidement à la suite de la collecte des données. Il consiste à réviser l'information et à départager celle qui suppose une difficulté ou une manifestation de dépendance (analyse) dont on juge qu'il faut s'occuper dès les premiers moments (interprétation). Certaines infirmières d'expérience reconnaissent spontanément les indices de problèmes (schèmes), soit par intuition, soit parce qu'elles intègrent rapidement l'information à leurs structures mentales de résolution de problèmes: la solution s'impose avec la perception. C'est l'une des différences que relève P. Benner (1995, p. 9) pour distinguer la novice de l'experte dans le processus diagnostic. L'étudiante peut y arriver avec un peu de réflexion. La reconnaissance rapide des difficultés constitue l'essence même du premier niveau d'analyse et d'interprétation.

Lorsqu'une personne arrive dans une unité de soins, l'infirmière doit prendre des décisions et en faire part très tôt à l'équipe soignante: Quelle protection faut-il donner à la personne en cas de désorientation? Comment faut-il l'aider à boire et à manger? Que faut-il faire lorsqu'elle veut aller aux toilettes? Dans quelle langue faut-il lui parler? etc.

Cette étape d'analyse et d'interprétation portant sur les soins quotidiens se fait bien sûr à l'arrivée du malade, mais elle se poursuit tout au long de l'hospitalisation au fur et à mesure que l'état de la personne se modifie et que de nouvelles données sont recueillies.

Le mode de fonctionnement de ce premier niveau d'analyse

Ce premier niveau d'analyse et d'interprétation se fonde sur l'utilisation de schèmes. Un schème est une représentation mentale de quelques aspects de la réalité, réunis et isolés des autres, par exemple l'aspect d'une personne qui respire mal et la représentation de ce qu'il faut faire dans ce cas.

Le schème est une façon d'appréhender la réalité, qui est à la fois un mode de connaissance et une manière d'arriver rapidement à des solutions.

Certains auteurs relient l'utilisation du schème à l'intuition. H. Dreyfus et S. E. Dreyfus (1985, p. 23-31) le placent parmi les éléments clés du jugement clinique. Cette façon de faire spontanée est surtout utilisée pour résoudre des problèmes simples, traités dans l'immédiat. Elle ne s'applique pas à des problèmes complexes dont la solution comprend plusieurs étapes. Il faut admettre que ce type de solution est uniquement palliatif et qu'il ne vise pas en soi une progression de l'état de la personne vers le bien-être ou vers l'autonomie. Il est propre au milieu hospitalier où il est utilisé en complémentarité avec le diagnostic infirmier et la planification plus spécifique qui en découle.

Au premier niveau d'analyse, le cheminement de la pensée se déroule ainsi:

- Révision des données recueillies (ou perception spontanée de certains éléments problèmes).
- Processus intellectuel d'isolement des données qui dénotent une difficulté.
- Jugement de la nécessité de s'occuper maintenant de cette difficulté et d'en informer l'équipe.
- Conclusion tirée de ces manifestations sous forme de solution à apporter (position à donner, précaution à prendre, etc.).
- Rédaction des indications à communiquer sur un formulaire approprié (activités de la vie quotidienne).

L'instrument utilisé pour consigner les indications résultant du premier niveau d'analyse et d'interprétation

Comme la mémoire est une faculté qui oublie et que tous les membres d'une équipe soignante doivent être informés de ce qu'il faut faire auprès d'une personne soignée, il est important que les indications résultant de ce premier niveau d'analyse et d'interprétation figurent dans un type de planification, sur un formulaire réservé à cet effet.

Selon les établissements, ce formulaire s'intitule «Planification des activités de la vie quotidienne», «Profil du client» ou «Profil de dépendance». Il fournit des renseignements divers liés aux différentes fonctions: les fonctions autonomes, les fonctions de collaboration et les fonctions d'interdépendance. On y trouve, par exemple, des détails permettant de répondre aux besoins particuliers de la personne, l'administration de l'oxygène, le régime, la présence d'un soluté ou d'une sonde vésicale de même que la mention de la physiothérapie (kinésithérapie), de l'**ergothérapie**, etc.

ERGOTHÉRAPIE
Thérapeutique par l'activité manuelle spécialement utilisée comme moyen de réadaptation.

Le formulaire des activités de la vie quotidienne est un aide-mémoire intégrant tous les aspects des soins liés aux fonctions autonomes, aux fonctions de collaboration et aux fonctions interdépendantes de l'infirmière. Ces trois types de rôles et de fonctions sont largement reconnus au Québec, en France et ailleurs. Aux États-Unis, Emmy Miller (1989, p. 23) soutient qu'il est important de les reconnaître et de les départager.

Le formulaire de planification des activités quotidiennes doit être rempli peu de temps après l'arrivée du malade dans le service hospitalier et être continuellement mis à jour selon l'évolution de son état.

Les activités quotidiennes et la coordination de l'équipe de soins

La planification des activités quotidiennes est un aide–mémoire pour l'équipe et permet aux infirmières de prendre conscience de la lourdeur des soins de base d'une personne. En faisant ressortir certaines indications (au moyen d'un astérique, par exemple), il devient plus facile d'organiser le travail parce qu'on peut alors déterminer qui de l'infirmière, de l'auxiliaire (aide-soignante) ou de tout autre préposé (agent) doit faire les gestes indiqués.

Cette planification est aussi un instrument qui permet de prévoir et d'organiser le travail de la journée. Ainsi, le matin, en jetant un regard rapide sur le formulaire des «Activités de la vie quotidienne», l'infirmière sait ce qu'elle doit faire dans l'immédiat. Cet aspect est particulièrement utile pour la soignante nouvellement arrivée dans une unité de soins, pour celle qui remplace une compagne ou lors du transfert d'un malade dans une autre unité de soins. Par conséquent, il est important de maintenir ce formulaire à jour.

Les avantages de cette étape et de l'utilisation du formulaire des activités de la vie quotidienne

Ce premier niveau d'analyse et d'interprétation est essentiel au travail dans une unité de soins. Il permet de répondre rapidement aux principaux besoins de la personne en attendant une meilleure connaissance de la situation et une planification plus complète et à plus long terme.

Les soins donnés au malade ne dépendent pas tous du diagnostic infirmier: ce serait beaucoup trop lourd et trop complexe. Aussi, ce processus spontané, basé sur les connaissances, l'expérience et le bon sens de l'infirmière est–il très pratique pour régler des difficultés simples. Il permet de répondre aux besoins du malade, de résoudre les difficultés quotidiennes sans multiplier les diagnostics infirmiers et de réserver la démarche de soins complète pour les problèmes plus complexes.

Prenons l'exemple d'un malade inconscient ou quadriplégique. Presque tous ses besoins sont perturbés et il est fortement dépendant. Il faudrait alors poser un grand nombre de diagnostics infirmiers, ce qui est impensable compte tenu du temps qu'exige la rédaction et l'application d'une telle démarche.

Dans les milieux de soins, il est beaucoup plus réaliste et plus acceptable de faire une solide planification des activités de la vie quotidienne et de réserver la suite de la démarche de soins et le diagnostic infirmier pour des points particuliers de dépendance qui demandent une intervention spéciale, tels que, dans le cas qui nous occupe, des rougeurs au siège ou aux omoplates, ou un mode de respiration inefficace qu'il faut soit prévenir, soit traiter. Certaines personnes seront peut–être en désaccord, mais rappelons–nous que le mieux est souvent l'ennemi du bien. Le diagnostic infirmier n'est pas un but en soi. L'important est de satisfaire tous les besoins de la personne et non pas de poser une foule de diagnostics infirmiers dont le nombre paralyse l'action.

Ce premier niveau d'analyse et de planification des activités de la vie quotidienne permet de développer un mode de fonctionnement pragmatique et efficace particulièrement utile pour les courts séjours où la limite de temps restreint nécessairement le nombre de diagnostics infirmiers possibles à poser, mais où la qualité des soins demeure pourtant une priorité.

Voici un résumé des avantages du formulaire des activités de la vie quotidienne:

- il permet de répondre rapidement aux besoins de la personne;
- il permet de résoudre les difficultés simples;
- il permet d'éviter de multiplier les diagnostics infirmiers;
- il permet de réserver la démarche complète de soins pour les problèmes complexes où il faut viser une progression vers un mieux-être et vers une plus grande autonomie;
- il sert d'aide-mémoire à l'équipe de soins;
- il facilite la coordination au sein de l'équipe de soins;
- il intègre certains aspects des diverses fonctions de l'infirmière;
- il permet de développer un mode de fonctionnement pragmatique et efficace.

L'utilisation des données faite au cours des deux niveaux de fonctionnement de la deuxième étape de la démarche de soins se résume ainsi:

Activités de la vie quotidienne

Processus spontané de résolution de problèmes et indication de ce qu'il faut faire dans l'immédiat pour répondre aux besoins de la personne et résoudre des difficultés simples sans but précis d'évolution vers l'autonomie ou le mieux-être.

Diagnostic infirmier et plan de soins

Processus de traitement de l'information et de résolution de problèmes plus complexes par lequel l'infirmière vise une évolution vers une meilleure adaptation à la situation, un mieux-être et une plus grande autonomie.

Les types d'instruments utilisés

Dans les pages suivantes, vous trouverez des exemples d'instruments de planification des activités de la vie quotidienne. Le premier (tableau 6.1) est un instrument de type fermé, c'est-à-dire un formulaire comprenant un certain nombre de rubriques où l'infirmière doit cocher les cases appropriées ou répondre en quelques mots. Le deuxième (tableau 6.2) est un instrument ouvert où l'infirmière doit inscrire ses indications en détail.

Il existe par ailleurs une grande variété d'autres types de formulaires. Choisir un instrument plutôt qu'un autre n'est pas toujours chose simple, car il doit répondre aux attentes des infirmières en milieu de soins. Les unes affirment que le fait d'écrire favorise la réflexion, alors que les autres disent qu'il vaut mieux privilégier l'efficacité et le pragmatisme. Nous pensons que, tout en étant efficaces, les instruments fermés permettent d'épargner temps et efforts. Rappelons que plus le processus est fastidieux, plus les risques d'abandon ou de négligence sont grands.

Il faut aussi souligner que, à plus ou moins brève échéance, de nombreux établissements de soins seront informatisés et que la planification des activités de la vie quotidienne se fera probablement sur écran avec des choix assez semblables à ceux des instruments fermés. Alors, pourquoi ne pas nous adapter tout de suite? D'autant qu'ils sont beaucoup plus faciles à utiliser!

Tableau 6.1 Activités de la vie quotidienne (instrument fermé)

MÉDECINE ET CHIRURGIE   NOM: CH:

1. Respirer	Exercices respiratoires ____ Humidité au chevet ____ ____ Surveiller coloration de la peau ____ dyspnée ____ Autres ____
2. Boire et manger	Autonome ____ Régime ____ Collations spéciales ____ ____ Faire manger ____ Faire boire ____ Couper les aliments ____ Bilan des ingesta ____ Surveiller aux repas ____ Ustensiles spéciaux ____ Rééducation pour manger ____ Masse ____ Autres ____
3. Éliminer	Autonome ____ Bassin de lit ____ Chaise ____ d'aisance ____ Urinal ____ Culotte d'incontinence ____ ____ grandeur ____ Bilan des **excreta** ____ Surveillance des urines ____ des selles ____ des écoulements vaginaux ____ Autres ____
4. Se mouvoir et maintenir une bonne posture	Autonome ____ Lever avec de l'aide ____ Faire marcher ____ Asseoir dans le fauteuil ____ Repos au lit ____ Position ____ Changer de position ____ Exercices physiques ____ Canne ____ Béquilles ____ Fauteuil roulant ____ Surveiller lors du lever ____ Autres ____
5. Dormir et se reposer	Habitudes à maintenir ____ Surveiller la ____ nuit ____ Autres ____
6. Se vêtir et se dévêtir	Autonome ____ Besoin d'aide ____ Autres ____
7. Maintenir la température du corps dans les limites de la normale	Prendre la température: buccale ____ rectale ____ axillaire ____ Mettre une couverture supplémentaire ____ ____ Mettre des petits bas au coucher ____ Ventilateur au chevet ____ Surveiller hyperthermie ____ Autres ____
8. Être propre et soigné, et protéger ses téguments	Autonome ____ Bain partiel ____ Bain complet ____ Au lit ____ Au lavabo ____ Laver les cheveux: ____ jour ____ Hygiène buccale: autonome ____ Soins buccaux ____ Entretien des prothèses dentaires ____ auditives ____ barbe ____ ongles ____ Massage ____ ____ Surveiller rougeur: site(s) ____ lésion(s): site(s): ____ Autres ____
9. Éviter les dangers	Allergies ____ **Technique d'isolement** ____ Contentions: type ____ permanentes ____ nuit ____ Côtés de lit ____ permanents ____ nuit ____ Surveiller: chutes ____ fugues ____ Autres ____
10. Communiquer avec ses semblables	Langue parlée ____ Communique verbalement ____ ____ par gestes ____ à l'aide d'un tableau ____ **Dysarthrie** ____ Vue: o. dr.: bonne ____ limitée ____ o. gche: bonne ____ limitée ____ Mettre ____ entretenir ____ lunettes ____ lentilles cornéennes ____ Audition: or. dr.: bonne ____ limitée ____ or.gche: bonne ____ limitée ____ Mettre ____ entretenir ____ appareil auditif ____ gche ____ dr. ____ Surveiller agressivité ____ Autres ____

Tableau 6.1 *(suite)*

11. Agir selon ses croyances et ses valeurs	Religion _____ Prescriptions ou interdits religieux à respecter _____ Demande particulière _____ Autres _____	Expliquer _____ Faire un plan d'enseignement sur _____
12. S'occuper en vue de se réaliser	Activités à poursuivre _____ Atelier _____ Sorties autorisées _____ Autres _____	**Traitements et soins spéciaux** I.V. Soluté _____ transfusions _____ tension veineuse centrale _____ **Alimentation centrale** Tube gastrique _____ placé le _____ Sonde vésicale _____ placée le _____ sac collecteur _____ à changer le _____ Tube rectal _____ Physiothérapie _____ Ergothérapie _____ Monitorage _____ cardiaque _____ O$_2$ _____ **Spirométrie** Pansement: type _____ à refaire _____ Autres _____
13. Se récréer	Activités de groupes _____ Activités _____ à éviter _____ Autres _____	**Surveillances particulières** Signes vitaux: respiration _____ pulsation _____ température _____ T. A. _____ couché _____ assis _____ debout _____ _____ Signes neurologiques _____ Autres _____
14. Apprendre		

EXCRETA (BILAN DES)
Évaluation de la quantité de liquides excrétés par l'organisme.

TECHNIQUE D'ISOLEMENT
Façon de procéder dans certains cas de contagion ou de vulnérabilité particulière, qui consiste en certaines précautions: lavage des mains, revêtement d'une blouse spéciale, port de masque et de gants, etc.

DYSARTHRIE
Difficulté à articuler les mots.

ALIMENTATION CENTRALE (AUSSI HYPERALIMENTATION PARENTÉRALE OU ALIMENTATION PARENTÉRALE TOTALE)
Soluté enrichi administré par le moyen d'un cathéter implanté dans une veine centrale (sous-clavière ou veine cave supérieure) ou la circulation est rapide. Cette technique est utilisée lorsqu'on ne peut assurer autrement les besoins nutritifs de l'organisme.

SPIROMÉTRIE (EXERCICES DE)
Exercices respiratoires faits à l'aide d'un spiromètre qui permet de mesurer la capacité pulmonaire. Ils sont aussi utilisés pour augmenter cette capacité.

Tableau 6.2 Activités de la vie quotidienne (instrument ouvert)

MÉDECINE ET CHIRURGIE	NOM:	CH:	
1. Respirer		**9. Éviter les dangers**	
2. Boire et manger		**10. Communiquer avec ses semblables**	
3. Éliminer		**11. Agir selon ses croyances et ses valeurs**	
4. Se mouvoir et maintenir une bonne posture		**12. S'occuper en vue de se réaliser**	
5. Dormir et se reposer		**13. Se récréer**	
6. Se vêtir et se dévêtir		**14. Apprendre**	
7. Maintenir la température du corps dans les limites de la normale		**Traitements et soins spéciaux**	
8. Être propre et soigné, et protéger ses téguments		**Surveillances particulières**	

Mise en situation pour l'utilisation d'un instrument fermé

L'utilisation d'un formulaire de planification des activités de la vie quotidienne est relativement simple. Considérons le cas suivant, par exemple.

M. Lemieux, âgé de 78 ans, est hospitalisé à la suite d'un accident cérébro-vasculaire. Il est paralysé du côté droit et parle avec beaucoup de difficulté: il dit quelques mots presque inintelligibles et peut à peine garder la bouche fermée. La respiration est de 16/min et la pulsation, de 78/min; sa température est normale et sa pression artérielle est de 170/100. Sa respiration est superficielle; il mange et boit très peu. Comme il est droitier et pas encore habitué à se servir de sa main gauche, il ne peut pas faire grand-chose et il a besoin d'aide. Il ne peut ni se remonter ni se tourner dans son lit; il est parfois un peu confus et somnolent, mais, lorsqu'il est éveillé, vous observez qu'il s'agite et vous pensez qu'il est anxieux. Le médecin a prescrit un régime léger. M. Lemieux est incontinent. Il porte des lunettes et son audition est limitée à droite. Vous lisez au dossier qu'il est de langue française et de religion catholique. Au cours d'une visite, sa fille vous apprend qu'il est allergique à la pénicilline et qu'il aime dormir avec une lampe allumée.

Exploitation de la situation

Pour remplir le formulaire de planification des activités quotidiennes (voir le tableau 6.3), il faut réviser les données recueillies au sujet de ce malade (l'instrument de collecte des données se trouve au chapitre 5), se demander ce qu'elles signifient pour la satisfaction des besoins et inscrire les indications nécessaires pour les soins au quotidien.

INGESTA (BILAN DES)
Évaluation de la quantité de liquides ingérés par l'organisme.

- Besoin de respirer: les données ne révèlent aucune difficulté particulière, mais, comme il est âgé et alité, il serait important de mentionner de surveiller son état respiratoire.
- Besoin de boire et de manger: comme il est paralysé du côté droit et pas encore habitué à utiliser sa main gauche, il faut mentionner de le faire boire et manger au moins au début. Il boit peu; aussi faudra–t–il faire un bilan des **ingesta.** De plus, sa paralysie peut être cause d'étouffement lors des repas; il faut donc indiquer de faire attention.
- Besoin d'éliminer: pour le moment, il est incontinent et porte des culottes de taille grande, mais il faudra travailler à sa rééducation le plus rapidement possible. Aussi est–il important de lui offrir souvent l'urinal et le bassin, et de l'aider.
- Besoin de se mouvoir et de maintenir une bonne posture: pour le moment, comme il est alité, il serait recommandé de le tourner aux deux heures pour éviter les complications respiratoires et les lésions de la peau.
- Besoin de dormir et de se reposer: rien de très spécial, sinon qu'il aime dormir avec une lampe allumée.
- Besoin de se vêtir et de se dévêtir: comme il est paralysé du côté droit, il ne peut se soulever et il a besoin d'aide.
- Besoin de maintenir la température du corps dans les limites de la normale: il ne peut tenir la bouche fermée, il faut donc prendre la température axillaire (ou rectale).
- Besoin d'être propre et soigné, et de protéger ses téguments: sa paralysie le rend incapable de se laver, il faut donc lui donner un bain au lit, raser sa barbe et entretenir ses ongles. Il faut aussi lui donner les soins de la bouche. Comme sa main paralysée est crispée, il faut l'ouvrir doucement pour la nettoyer. De plus, comme il est alité, qu'il bouge peu et qu'il est âgé, il est important de surveiller le siège et de le masser lors des changements de culottes.

Tableau 6.3 Activités de la vie quotidienne

MÉDECINE ET CHIRURGIE	NOM: M. LEMIEUX	CH: 302
1. Respirer	Exercices respiratoires ___ Surveiller coloration de la peau ___ Humidité au chevet ___ dyspnée ___ Autres *surveiller l'état respiratoire*	**5. Dormir et se reposer**	Habitudes à maintenir *lumière au chevet* ___ Surveiller la nuit ___ Autres ___
2. Boire et manger	Autonome ___ Régime *léger* ___ Collations spéciales ___ Faire manger √ Faire boire √ Couper les aliments √ Bilan des ingesta ___ Surveiller aux repas ___ Ustensiles spéciaux ___ Rééducation pour manger ___ Masse ___ Autres *faire attention aux étouffements possibles*	**6. Se vêtir et dévêtir**	Autonome ___ Besoin d'aide *Aider à mettre et* *à ôter les vêtements* Autres ___
3. Éliminer	Autonome ___ Bassin de lit ___ Chaise ___ d'aisance ___ Urinal ___ Culotte d'incontinence √ √ taille G Bilan des excreta ___ Surveillance des urines ___ des selles ___ des écoulements vaginaux ___ Autres *offrir le bassin de lit et l'urinal fréquemment*	**7. Maintenir la température du corps dans les limites de la normale**	Prendre la température: buccale ___ rectale ___ axillaire *bras gche* Mettre une couverture ___ supplémentaire ___ Mettre des petits bas au coucher ___ Ventilateur au chevet ___ Surveiller hyperthermie ___ Autres *ne peut* *tenir le thermomètre dans sa bouche*
4. Se mouvoir et maintenir une bonne posture	Autonome ___ Lever avec de l'aide ___ Faire marcher √ Asseoir dans le fauteuil ___ Repos au lit ___ Position *demi-assise* Changer de position *aux 4 h* Exercices physiques ___ Canne ___ Béquilles ___ Fauteuil roulant ___ Surveiller lors du lever ___ Autres ___	**8. Être propre et soigné, et protéger ses téguments**	Autonome ___ Bain partiel ___ Au lit ___ lavabo ___ Bain complet √ Au lit √ Jour(s): ___ d ___ l ___ m ___ m ___ v ___ s ___ Laver les cheveux: jour ___ √ j ___ Hygiène buccale: autonome ___ Soins buccaux ___ Entretien des prothèses dentaires ___ auditives ___ barbe √ ongles √ Massage ___ Surveiller rougeur: site(s) ___ *siège* lésion(s): ___ site(s) ___ Autres *ouvrir la main droite très* *doucement*

Tableau 6.3 (suite)

9. Éviter les dangers	Allergies _pénicilline_ Technique d'isolement ____ Contentions: type ____ permanentes ____ nuit ____ Côtés de lit ✓ permanents ✓ nuit ____ Surveiller: chutes ____ fugues ____ Autres ____
10. Communiquer avec ses semblables	Langue parlée _français_ Communique verbalement ____ par gestes ____ à l'aide d'un tableau ____ Dysarthrie ✓ Vue: o. dr.: bonne ____ limitée ____ o. gche: bonne ____ limitée ✓ Mettre ✓ lunettes ____ lentilles cornéennes ____ Audition: or. dr.: bonne ____ limitée ____ Mettre ____ or. gche: bonne ____ limitée ____ gche ____ entretenir ____ appareil auditif ____ dr. ____ Surveiller agressivité ____ Autres _laisser prononcer quelques mots, se placer à gche, bien articuler_
11. Agir selon ses croyances et ses valeurs	Religion _catholique_ Prescriptions ou interdits religieux à respecter ____ Demande particulière ____ Autres ____
12. S'occuper en vue de se réaliser	Activités à poursuivre ____ Atelier ____ Sorties autorisées ____ Autres ____
13. Se récréer	Activités de groupes ____ Activités à éviter ____ Autres ____
14. Apprendre	Expliquer _la nécessité d'exprimer ses besoins_ Faire un plan d'enseignement sur ____
Traitements et soins spéciaux	I.V. Soluté ____ transfusions ____ tension veineuse ____ centrale ____ Alimentation centrale ____ Tube gastrique ____ placé le ____ Sonde ____ vésicale ____ placée le ____ sac collec- teur ____ à changer le ____ Tube rectal ____ Physiothérapie ✓ Ergothérapie ____ Monitorage cardiaque ____ O_2 ____ Spirométrie ____ Pansement: type ____ à refaire ____ Autres ____
Surveillances particulières	Signes vitaux: respiration ____ pulsation ____ température ____ T. A. ✓ cou- ché ____ assis ____ debout ____ Signes neurologiques _surveiller l'évolution de la force du côté droit_ Autres ____

- Besoin d'éviter les dangers: ce malade ne peut pas beaucoup se tourner pour le moment, mais, comme il est parfois un peu confus, il vaut mieux tenir les côtés du lit levés en permanence pour prévenir toute chute éventuelle. En outre, vous savez qu'il est allergique à la pénicilline.
- Besoin de communiquer avec ses semblables: il parle le français, mais il ne prononce que quelques mots difficiles à comprendre; il faut donc lui donner la chance de s'exprimer sans créer de stress. De plus, il faut lui mettre ses lunettes et les nettoyer. Comme il est un peu sourd de l'oreille droite, il faut se placer à gauche, mais lui parler en face et bien articuler.
- Besoin d'agir selon ses croyances et ses valeurs: il est catholique; c'est tout ce que l'on sait pour le moment.
- Besoin de s'occuper en vue de se réaliser: rien de spécial.
- Besoin de se récréer: pour le moment, il est somnolent et ne souffre pas du manque de loisirs.
- Besoin d'apprendre: lui expliquer la nécessité d'exprimer ses besoins malgré ses difficultés.
- Traitements et soins spéciaux: ce malade commence la physiothérapie.
- Surveillances particulières: sa pression artérielle élevée doit être surveillée de même que l'évolution de la force de son côté droit.

Retour sur le traitement de l'information pour les activités de la vie quotidienne

Comme le démontre le cas précédent, le traitement de l'information se fait par sélection, par raisonnement et par des indications appropriées sur le formulaire des activités de la vie quotidienne, c'est-à-dire par une identification et une résolution spontanée du problème. Ce premier niveau de traitement de l'information permet de répondre aux besoins les plus immédiats et les plus courants. Sa mise à jour régulière, au fur et à mesure de l'évolution de l'état de la personne, assure une base pour des soins de qualité.

Rappelons que ce premier traitement est insuffisant, car il ne permet pas à l'infirmière de planifier des interventions à long terme visant une évolution ou une plus grande autonomie. Il doit être complété par un traitement de deuxième niveau conduisant au diagnostic infirmier et à une démarche de soins complète (avec des objectifs, des interventions et une évaluation). Dans l'exemple cité, on pourrait penser aux possibles lésions du siège (risque élevé d'atteinte à l'intégrité de la peau R/A l'immobilité, à l'incontinence), à l'anxiété du malade (R/A difficulté à se faire comprendre) et à ses difficultés de communication, et inscrire les interventions nécessaires dans un plan de soins beaucoup plus élaboré.

Les formulaires utilisés pour inscrire les activités de la vie quotidienne peuvent varier à l'infini. Celui qui précède est bien connu. Il permet d'avoir une vue d'ensemble de ce qu'il faut faire auprès d'une personne. Il ne faut cependant pas oublier de mettre les activités à jour périodiquement, selon l'évolution de l'état de la personne. Il est de tradition, dans certains centres, d'écrire au crayon pour pouvoir effacer et réutiliser le même formulaire. Cette façon de faire n'offre aucune protection légale ni à l'infirmière ni au malade. Il est donc important de choisir un instrument qui permet de faire des mises à jour sans effacer.

Le formulaire qui suit (tableau 6.4) contient la même information que le précédent, mais il offre en plus deux colonnes pour les mises à jour.

Tableau 6.4 Activités de la vie quotidienne

MÉDECINE ET CHIRURGIE NOM: CH:	Mise à jour Date:	Mise à jour Date:
Respirer Exercices respiratoires _____ Humidité au chevet _____ Surveiller coloration de la peau _____ dyspnée _____ Ventilateur _____ Autres _____		
Boire et manger Autonome _____ Régime _____ Collations spéciales _____ Faire manger _____ Faire boire _____ Couper les aliments _____ Bilan des ingesta _____ Surveiller aux repas _____ Ustensiles spéciaux _____ Rééducation pour manger _____ Masse _____ Autres _____		
Éliminer Autonome _____ Bassin de lit _____ Chaise d'aisance _____ Urinal _____ Culotte _____ d'incontinence _____ taille _____ Bilan des excreta _____ Surveillance des urines _____ des selles _____ des écoulements vaginaux _____ Autres _____		
Se mouvoir et maintenir une bonne posture Autonome _____ Lever avec de l'aide _____ Faire marcher _____ Asseoir dans le fauteuil _____ Repos au lit _____ Position _____ Changer de position _____ Exercices physiques _____ Canne _____ Béquilles _____ Fauteuil roulant _____ Surveiller lors du lever _____ Autres _____		
Dormir et se reposer Habitudes à maintenir _____ Surveiller la nuit _____ Autres _____		
Se vêtir et se dévêtir Autonome _____ Besoin d'aide _____ Autres _____		
Maintenir la température du corps dans les limites de la normale Prendre la température: buccale _____ rectale _____ axillaire _____ Mettre une couverture supplémentaire _____ Mettre des petits bas au coucher _____ Ventilateur au chevet _____ Surveiller hyperthermie _____ Autres _____		
Être propre et soigné, et protéger ses téguments Autonome _____ Bain partiel _____ Bain complet _____ Au lit _____ Au lavabo _____ Laver les cheveux: _____ jour _____ Hygiène buccale: autonome _____ Soins buccaux _____ Entretien des prothèses dentaires _____ auditives _____ barbe _____ ongles _____ Massage _____ Surveiller rougeur: site(s) _____ lésion(s): site(s) _____ Autres _____		

Tableau 6.4 (suite)

	Mise à jour: date:	Mise à jour: date:

Éviter les dangers

Allergies _____ Technique d'isolement: type _____ Contentions: type _____ permanentes _____
nuit _____ Côtés de lit _____ permanents _____ nuit _____ Surveiller: chutes _____ fugues _____ Autres _____

Communiquer avec ses semblables

Langue parlée _____ Communique verbalement _____ par gestes _____ à l'aide d'un tableau _____
Dysarthrie _____ Vue: o. dr.: bonne _____ limitée _____ o. gche: bonne _____ limitée _____ Mettre _____
entretenir _____ lunettes _____ lentilles cornéennes _____ Audition: or. dr.: bonne _____ limitée _____ or. gche: _____
bonne _____ limitée _____ Mettre _____ entretenir _____ appareil auditif _____ gche _____ dr. _____
Surveiller agressivité _____ Autres _____

Agir selon ses croyances et ses valeurs

Religion _____ Prescriptions ou interdits religieux à respecter _____ Demande particulière _____ Autres _____

S'occuper en vue de se réaliser

Activités à poursuivre _____ Atelier _____ Sorties autorisées _____ Autres _____

Se récréer

Activités de groupes _____ Activités à éviter _____ Autres _____

Apprendre

Expliquer _____ Faire un plan d'enseignement sur _____

Traitements et soins spéciaux

I.V. Soluté _____ transfusions _____ tension veineuse centrale _____ mise le _____ Alimentation centrale _____
soins le _____ Tube gastrique _____ placé le _____ Sonde vésicale _____ à changer le _____ sac collecteur _____
à changer le _____ Tube rectal _____ mis le _____ Physiothérapie _____ Ergothérapie _____ Monitorage _____
cardiaque _____ O_2 _____ masque _____ cathéter _____ moustaches _____ Spirométrie _____ Pansement: _____
type _____ à refaire _____ Autres _____

Surveillances particulières

Signes vitaux: respiration _____ pulsation _____ température _____ T. A. _____ couché _____ assis _____ debout _____
Signes neurologiques _____ Autres _____

Le formulaire présenté au tableau 6.4 permet trois perspectives différentes. Comme les séjours dans les soins actifs sont de plus en plus courts, ce formulaire, placé sur deux pages en portefeuille, peut se révéler utile et suffisant pour quelques jours. En outre, comme les changements sont moins fréquents dans les soins à long terme, il peut servir sur une assez longue période.

Les formulaires doivent varier selon les unités où ils sont utilisés. Ils peuvent se ressembler sur le fond, mais comporter des éléments adaptés à chaque unité de soins.

Bibliographie

BENNER, Patricia (1995). *De novice à expert.* Montréal, ERPI.

CARNEVALI, D. L. et THOMAS, M. D. (1993). *Diagnostic Reasoning and Treatment Decision Making in Nursing.* Philadelphia, Lippincott.

DREYFUS, H. et DREYFUS, S. E. (1985). *Mind over Machine.* New York, MacMillan, The Free Press, cité par P. Benner et C. A. Taner (janvier 1987) dans «How Expert Nurses Use Intuition», *American Journal of Nursing*, p. 23–31.

ELSTEIN, A. et BORDAGE, G. (1979). «Psychology of Clinical Reasoning», *Health Psychology.* San Francisco, Jossey Bass.

MILLER, Emmy (1989). *How to Make Diagnosis Work.* Norwalk, Conn., Appleton & Lange.

SIMON, H. (1979). «Information Processing Models of Cognition». *Annual Review of Psychology.*

Le diagnostic infirmier, niveau 2 de l'analyse et de l'interprétation

Objectifs terminaux

1° L'étudiante comprendra l'importance d'utiliser le diagnostic infirmier à la fois pour la personne soignée, l'établissement de soins et la profession d'infirmière.

2° Elle appliquera ses connaissances au suivi du cheminement du raisonnement clinique qui mène au diagnostic infirmier et utilisera le vocabulaire qui s'y rattache.

Objectifs intermédiaires

De façon plus spécifique, l'étudiante sera capable:

1° de définir en quoi consiste le jugement clinique;

2° d'expliquer ce qu'est le diagnostic infirmier;

3° d'énumérer les avantages de l'utilisation du diagnostic infirmier;

4° d'expliquer comment formuler un diagnostic infirmier;

5° de distinguer les différents types de diagnostics;

6° de définir un problème infirmier;

7° d'établir la différence entre le diagnostic infirmier et le diagnostic médical;

8° de suivre le processus de pensée qui préside au diagnostic infirmier;

9° d'utiliser convenablement le langage diagnostique en se référant à une taxinomie reconnue;

10° de poser le diagnostic différentiel;

11° d'appliquer le diagnostic infirmier à des situations simulées.

Après avoir recueilli les données et organisé les soins les plus urgents, l'infirmière doit se demander ce qui reste à faire pour amener la personne à progresser vers un mieux-être et à évoluer vers une plus grande indépendance dans la satisfaction de ses besoins. Rappelons que l'indépendance est le but ultime du modèle de Virginia Henderson dont s'inspire le présent ouvrage. Toutefois, pour amener la personne soignée à progresser, la soignante affrontera des difficultés beaucoup plus importantes que celles qu'elle aura perçues au premier niveau de l'étape d'analyse et d'interprétation. Elle doit donc mettre sur pied un processus de résolution de problèmes en bonne et due forme, c'est-à-dire compléter la démarche de soins.

Ce deuxième niveau d'analyse et d'interprétation conduit l'infirmière à certaines hypothèses qu'elle doit ensuite préciser et confirmer afin de poser les diagnostics infirmiers appropriés. Certains auteurs, dont M. E. Doenges et M. F. Moorhouse, nomment cette étape l'«identification du problème».

La complexité de l'étape d'analyse et d'interprétation

L'étape d'analyse et d'interprétation est complexe. Différents facteurs risquent de la fausser, notamment:

- Le grand nombre de données à analyser. La collecte des données suppose un bon nombre de renseignements que l'infirmière doit trier pour retenir les plus pertinents. La tâche n'est pas toujours simple.
- La diversité des sources d'information. Les données proviennent de la personne soignée, de la famille, des pairs, du dossier de soins et des livres de référence. L'infirmière doit réunir toutes ces données et retenir les plus importantes pour les analyser et les interpréter.
- Le caractère essentiellement changeant des données. Comme l'état de la personne se modifie constamment, l'infirmière doit formuler de nouveaux diagnostics au fur et à mesure des changements.
- Le nombre de processus mentaux qui caractérisent cette étape. Il y a d'abord des processus perceptuels liés à l'observation; viennent ensuite des processus intellectuels dont la mémorisation, le raisonnement, l'établissement de liens, la discrimination et le jugement.
- La subjectivité possible de l'infirmière. Celle-ci doit faire un effort constant pour rester objective lorsqu'elle analyse et interprète les données qui sous-tendent un diagnostic infirmier. Elle doit se méfier de ses habitudes perceptuelles, de ses interprétations stéréotypées et de ses préjugés. Elle doit éviter d'interpréter les données à partir de ses propres valeurs ou de ses propres expériences de vie et éviter de tirer des conclusions hâtives qui risqueraient de fausser le processus de jugement clinique.

Toutes ces considérations expliquent la complexité de l'analyse et de l'interprétation.

Le diagnostic infirmier

Historique

PLAN DE SOINS PERSONNALISÉ
Plan de soins que
l'infirmière rédige
expressément pour une
personne en particulier.

TAXINOMIE
Science des lois de la
classification.

Ce deuxième niveau d'analyse et d'interprétation conduit au diagnostic infirmier. Ce concept est au cœur des soins infirmiers. D'utilisation assez récente, son existence remonte en fait au début de la profession. En effet, les infirmières ont toujours cherché à identifier aussi clairement que possible les difficultés des malades dont elles prenaient soin afin de mieux les aider. Bien sûr, elles ne parlaient pas de diagnostic infirmier, mais, en réalité, c'est un peu ce qu'elles faisaient sans le savoir. Puisqu'il n'existait pas de vocabulaire reconnu comme celui que nous utilisons maintenant, elles identifiaient les problèmes en fonction des besoins à satisfaire, des buts à atteindre ou des gestes à faire. L'évolution des soins infirmiers a entraîné de nouveaux questionnements et la recherche d'une identité professionnelle mieux définie. Les infirmières désiraient identifier clairement leur contribution particulière aux soins du malade, et le diagnostic infirmier devenait le meilleur moyen d'y parvenir.

Les premières mentions de diagnostics infirmiers remontent aux années 1950. M. E. Doenges et M. F. Moorhouse (1992, p. 35) écrivent qu'à cette époque les diagnostics infirmiers étaient surtout considérés dans le contexte des diagnostics médicaux. R. L. McManus fut l'une des premières personnes à utiliser ce terme et à soutenir que le diagnostic infirmier relevait d'un rôle professionnel, mais c'est à Selma Fry que revient le mérite d'en avoir orienté l'utilisation vers un **plan de soins personnalisé**. Kathy V. Gettrust et Paula D. Brabec (1992, p. 1) racontent qu'en 1955 l'American Nurses Association (ANA) rejeta l'approche de Selma Fry. La position de l'ANA fut ensuite dénoncée et modifiée (1966), mais les infirmières avaient encore du mal à concevoir cette approche.

Au début des années 1970, un regain de ferveur ramena les diagnostics infirmiers au cœur des préoccupations et, en 1973, non seulement l'ANA donna-t-elle son accord, mais elle décréta que la démarche de soins et le diagnostic infirmier étaient des éléments de compétence professionnelle. La même année, un groupe d'une centaine d'infirmières américaines et canadiennes représentant tous les secteurs de soins se réunit à St. Louis, aux États-Unis, dans le cadre de la première conférence sur le diagnostic infirmier. Un certain nombre de diagnostics furent alors identifiés et validés. Depuis, ce nombre n'a cessé de croître et le concept s'est précisé au fil des nombreux écrits. En 1980, l'ANA définit même les soins infirmiers comme «le diagnostic et le traitement de la réponse humaine à un problème de santé actuel ou potentiel».

La **taxinomie** proposée par la NANDA (ANADI: Association nord-américaine du diagnostic infirmier) a été traduite dans de nombreuses langues et elle est actuellement reconnue un peu partout dans le monde comme langage universel[1]. On l'utilise maintenant dans de nombreux pays où la démarche de soins s'est implantée depuis quelques années. Cette

---

1. Cette universalité est toutefois moins bien acceptée dans certains pays d'Europe où l'on conteste l'hégémonie américaine, alléguant que cette terminologie ne respecte pas leur façon de voir et d'exprimer les problèmes du malade (Conférence sur le diagnostic infirmier, Bruxelles, 1995).

taxinomie se révèle utile dans toutes les sphères d'activité des infirmières, que ce soit en milieu clinique, en éducation, en gestion ou en recherche. Toutefois, même si elle est largement répandue, il ne faut pas croire qu'elle soit unique. Plusieurs auteurs américains et canadiens ont aussi développé des terminologies, par exemple le système Omaha et celui de Virginia Saba ou de Lunney, aux États-Unis, ou encore celui de Jones, Lise Riopelle, Louise Grondin et Margot Phaneuf, au Canada.

Définition

Le diagnostic infirmier est l'aboutissement de la deuxième étape de la démarche de soins. Il consiste en un énoncé simple et précis qui décrit la réponse d'une personne ou d'un groupe à une expérience du cycle de la vie ou à un problème éventuel ou présent concernant la santé physique ou psychologique, ou une difficulté d'adaptation sociale (Phaneuf et Grondin, 1994, p. 4).

Le diagnostic infirmier, à la différence du diagnostic médical, est un jugement clinique qui ne porte pas directement sur la maladie. Il amène plutôt l'infirmière à s'intéresser à la façon dont la personne vit sa maladie. Ressent-elle de l'anxiété ou de la peur? Éprouve-t-elle de la difficulté à libérer ses voies respiratoires, à manifester de l'estime de soi ou à s'alimenter? Voilà des considérations qui touchent le diagnostic infirmier. L'énoncé suivant met en lumière la définition officielle acceptée lors de la conférence sur le diagnostic infirmier tenue en mars 1990.

> ### Diagnostic infirmier
> Énoncé d'un jugement clinique sur les réactions aux problèmes de santé présents et potentiels, aux processus de vie d'une personne, d'une famille ou d'une collectivité. Les diagnostics infirmiers servent de base pour choisir les interventions de soins visant l'atteinte des résultats dont l'infirmière est responsable.

Le diagnostic infirmier et le jugement clinique

On dit que le diagnostic infirmier est un jugement clinique que porte l'infirmière sur la réaction d'une personne face à son problème de santé. On peut alors se demander ce que signifie l'expression «jugement clinique» puisque ce jugement est le fondement du raisonnement de l'infirmière qui pose un diagnostic infirmier. La définition suivante est tirée d'un ouvrage intitulé *Diagnostic infirmier et Rôle autonome de l'infirmière* (Phaneuf et Grondin, 1994, p. 5).

> ### Jugement clinique
> Le jugement clinique est l'acte intellectuel d'émettre une appréciation, une opinion, de tirer une conclusion à partir d'un ensemble de signes et de symptômes se rapportant à l'état de santé d'une personne.

Les avantages du diagnostic infirmier

Certaines personnes s'interrogent sur l'utilité du diagnostic infirmier: à leurs yeux, il s'agit d'un processus complexe, qui exige du temps et une formation particulière. Pourtant, le diagnostic infirmier comporte de nombreux avantages pour le malade, pour l'organisme où évolue l'infirmière et pour la profession elle-même. En effet, il permet:

- d'identifer les difficultés de la personne afin de mieux l'aider;
- de centrer les soins sur les aspects infirmiers plutôt que sur les aspects médicaux;
- d'offrir au malade des soins de meilleure qualité, des soins personnalisés et plus humains;
- d'adopter un vocabulaire commun, accepté et compris partout, facilitant ainsi la communication entre les membres des équipes de soins;
- de faciliter la coordination du travail de l'équipe en visant un but précis;
- d'accorder une importance plus grande à la prévention;
- de fournir des éléments d'information pour évaluer la charge de travail;
- d'établir une base pour l'évaluation de la qualité des soins;
- de donner au travail de l'infirmière un caractère plus rigoureux, plus scientifique;
- d'accentuer l'importance du rôle de l'infirmière au sein de l'équipe multidisciplinaire et dans la société en général;
- de mieux refléter le caractère professionnel du rôle de l'infirmière;
- de développer le savoir infirmier.

Identifier les difficultés de la personne afin de mieux l'aider

Le diagnostic infirmier repose sur la collecte des données. Si l'information est incomplète ou imprécise, le diagnostic infirmier risque d'être douteux. Comme la collecte des données faisait l'objet du chapitre 5, il pourrait être utile d'y revenir.

Centrer les soins sur les aspects infirmiers plutôt que sur les aspects médicaux

Le diagnostic infirmier oriente l'infirmière vers des interventions autonomes qui ne nécessitent pas d'ordonnance médicale.

Offrir au malade des soins de meilleure qualité, des soins personnalisés et plus humains

L'analyse rigoureuse de l'information pertinente permet de planifier des soins qui répondent beaucoup mieux aux besoins et aux attentes de la personne. Comme les diagnostics infirmiers considèrent non seulement la pathologie et l'organe malade, mais aussi l'ensemble de la personne, ils peuvent être étudiés dans une perspective holiste puisqu'ils tiennent compte de toutes les dimensions des difficultés vécues. Le diagnostic infirmier permet en somme une prise en charge plus globale des soins, une approche plus personnalisée, partant, plus humaine. Ces avantages contribuent à la qualité des soins.

Emmy Miller (1989, p. 9) écrit pour sa part que le plus grand bénéfice clinique du diagnostic infirmier est de procurer une connaissance claire du problème qu'affronte la personne et des principales interventions infirmières à appliquer. Pour Thérèse Psiuk (juin 1995, p. 19), le diagnostic infirmier peut favoriser des changements au sein de la pratique infirmière. Elle ajoute que l'évolution vers une conception humaniste des soins, c'est-à-dire une conception qui place l'être humain et les valeurs humaines au centre des soins, nous permet de considérer le malade comme une personne et non comme un objet de soins. Elle écrit aussi: «La personne unique, capable de penser, de percevoir, de vivre des émotions, de faire des choix et d'agir devient alors le sens du diagnostic infirmier.»

Adopter un vocabulaire commun, accepté et compris partout, facilitant la communication entre les membres des équipes de soins

Plusieurs membres de l'équipe multidisciplinaire viennent en contact avec le malade et chacun vise des objectifs différents. Toutefois, les soins infirmiers constituent la véritable plaque tournante de toutes ces interventions puisque les infirmières sont continuellement en contact avec les personnes soignées; elles observent l'évolution de l'état du malade, elles coordonnent les actions des autres membres de l'équipe et agissent en collaboration avec eux en plus d'assumer leur rôle autonome. Le diagnostic infirmier favorise la concertation entre les diverses personnes qui travaillent auprès du malade.

Il faut d'abord que tous comprennent le plan de soins. En adoptant un vocabulaire commun, la communication sera plus facile et tout le monde pourra collaborer. Au sein de l'équipe soignante, le diagnostic infirmier représente le moyen de communication par excellence qui permet de faire converger toutes les actions.

Faciliter la coordination du travail de l'équipe de soins en visant un but précis

Le diagnostic infirmier identifie clairement la cible des soins. Il circonscrit le problème et permet de fixer des objectifs qui orienteront le choix des actions et assureront une plus grande cohérence.

Accorder une importance plus grande à la prévention

Le diagnostic infirmier peut orienter l'infirmière vers la prévention. Même si cette dimension faisait déjà partie des préoccupations des infirmières, le fait d'analyser les facteurs de risque, de poser le problème potentiel en termes clairs et de l'inscrire dans une démarche précise renforce l'aspect préventif du diagnostic infirmier.

Fournir des éléments d'information pour évaluer la charge de travail

Chaque diagnostic infirmier comprend un ensemble d'objectifs et d'interventions qui sont représentatifs de la charge de travail et des ressources que supposent les soins du malade.

Établir une base pour l'évaluation de la qualité des soins

Le plan de soins qui découle du diagnostic infirmier propose des interventions étroitement liées au problème de la personne. Un plan de soins appliqué avec rigueur est un gage de la qualité des soins et peut servir de base pour évaluer cette qualité. En effet, l'évolution de la situation, les observations des infirmières, l'évaluation de la démarche de soins et de la satisfaction de la personne permettent en quelque sorte d'exercer un contrôle de la qualité. Le diagnostic infirmier peut même mener à la remise en question de certaines pratiques ou de certaines façons d'organiser le travail.

Donner au travail de l'infirmière un caractère plus rigoureux, plus scientifique

Sans une planification précise, le travail de l'infirmière demeure aléatoire et manque forcément de rigueur. Le diagnostic infirmier, l'un des concepts fondamentaux de la démarche de soins, permet d'identifier le problème et d'établir un plan de soins précis. La planification devient alors le produit d'une véritable stratégie de résolution de problèmes à caractère scientifique. Dans cette optique, Monique Formarier (1994, p. 111) écrit que les soins infirmiers invitent à entrer dans une démarche intellectuelle. Ils déploient des concepts, des outils de pensée qui permettent de donner un sens aux actes, aux pratiques, aux techniques, aux relations qui constituent leur accomplissement.

Accentuer l'importance du rôle de l'infirmière au sein de l'équipe multidisciplinaire et dans la société en général

Pendant très longtemps, le travail de l'infirmière fut peu reconnu par les autres professionnels. On le reléguait au rang des tâches secondaires, on le considérait comme un rôle servile ou on l'associait au travail d'une technicienne. Cependant, depuis quelques années, les infirmières reçoivent une formation plus étendue et leurs fonctions se modifient. Avec l'avènement de la démarche de soins et du diagnostic infirmier, elles sont devenues des personnes capables d'identifier précisément les problèmes où elles peuvent intervenir de façon autonome auprès des malades. Elles sont maintenant perçues d'un œil différent au sein de l'équipe multidisciplinaire. Les autres professionnels peuvent les consulter, discuter et collaborer avec elles.

L'importance du rôle de l'infirmière se reflète d'une autre façon. En effet, comme le diagnostic infirmier révèle la nature exacte du problème et les interventions, il devient une référence légale précieuse.

Mieux refléter le caractère professionnel du rôle de l'infirmière

Un travail est considéré comme étant de nature professionnelle lorsque la personne qui l'exerce jouit d'une certaine autonomie dans l'exécution de ses fonctions. Quand l'infirmière exerce un rôle de collaboration, elle est une aide précieuse pour le médecin, mais demeure une simple exécutante, alors que le diagnostic infirmier lui permet de mieux assumer ses fonctions autonomes et de répondre aux exigences de sa profession.

Dans un entretien accordé à la revue *La Recherche en soins infirmiers* (mars 1994, p. 5–11) Mmes M. Billier–Reckel, C. Dumont et O. Fima affirment que le diagnostic infirmier permet de développer chez la soignante sa compétence, sa capacité de jugement et de prise de décision, d'augmenter son autonomie professionnelle et la reconnaissance de la profession.

Développer le savoir infirmier

L'«opérationnalisation» du diagnostic infirmier exige l'élaboration d'objectifs et d'interventions appropriés. Si l'on considère que certaines interventions s'attaquent autant au problème qu'à la cause, cela suppose la multiplication des connaissances. Or, on observe que plus l'usage du diagnostic infirmier se répand, plus on identifie de causes possibles et de contextes différents. Il faut donc planifier de nouvelles interventions et explorer divers champs de connaissances pour les découvrir et les développer.

La composition et la formulation du diagnostic infirmier

Diagnostiquer consiste à identifier une difficulté à partir de signes observables. C'est une conclusion tirée à la suite d'une observation réfléchie. Le diagnostic infirmier exprime effectivement un problème, mais il va plus loin: il exprime aussi la cause de ce problème.

Dans le présent ouvrage, le traitement de l'information liée au diagnostic infirmier comprend deux volets: le problème et sa cause. D'un point de vue classique, ce concept se situe dans une approche étiologique, c'est-à-dire qu'il vise à identifier la cause du problème pour tenter de l'éliminer ou, du moins, d'amoindrir ses effets. Cette orientation repose sur la logique qui veut que l'élimination de la cause entraîne une amélioration de la situation, peut-être même la disparition du problème. Toutefois, il existe d'autres approches et il en sera question plus loin.

ÉTIOLOGIE
Agent causal.

Pour certaines écoles de pensée, la formulation du diagnostic infirmier comprend le problème, sa cause et les manifestations du problème. C'est le PES (problème, **étiologie**, signes et symptômes) qui amène l'énoncé du diagnostic du type suivant: «Mode de respiration inefficace R/A (relié à) la douleur, manifesté par: sécrétions grisâtres abondantes, expectorations fréquentes, toux par quintes 5–6 fois/jour, dyspnée assez marquée, respiration bruyante et peu profonde, et expression de fatigue et de douleur à la respiration». Comme on peut le constater, l'énoncé de ce diagnostic est long et peu pratique.

PLAN DE SOINS STANDARD OU
PLAN DE SOINS TYPE
Plan de soins préparé à l'avance que l'infirmière peut utiliser comme modèle soit pour rédiger son propre plan de soins ou pour en glisser une copie au dossier de la personne. Ce plan de soins peut servir à tous les malades qui souffrent d'un même problème de santé (plan de soins générique) ou qui présentent les mêmes diagnostics infirmiers. Il existe aussi des plans de soins standard modifiés que l'on peut personnaliser et des plans de soins standard abrégés pour les contacts très courts avec le malade.

Beaucoup d'infirmières se demandent pourquoi mentionner les manifestations de dépendance dans la formulation du diagnostic. Certaines jugent cette tâche fastidieuse et la perçoivent même comme un manque de confiance dans leur habileté à reconnaitre les manifestations du problème. Elles allèguent que si elles posent un diagnostic infirmier, c'est que les manifestations sont réellement présentes et qu'il est inutile d'en faire état dans l'énoncé puisque, avant de pouvoir poser un diagnostic juste, il faut vérifier les manifestations du problème.

Pourtant, il peut être intéressant d'indiquer ces manifestations sur le formulaire d'un **plan de soins standard** modifié. Elles constituent une mini–collecte de données où l'on peut cocher ou souligner les manifestations observées chez la personne, mais elles ne font pas partie de l'énoncé du diagnostic infirmier. Des plans standard sont présentés au chapitre 8 sur la planification des soins.

Pour nous, le diagnostic en deux parties est à la fois pragmatique, simple et fonctionnel. C'est un choix que nous avons déjà présenté dans d'autres ouvrages écrits en collaboration. Hélène Sylvain (1994, p. 72) semble partager notre avis lorsqu'elle écrit: «Il est maintenant reconnu que le diagnostic infirmier se compose habituellement de deux parties principales: le problème et la cause ou étiologie».

Particule qui sert de lien entre le problème et la cause

Le problème décrit dans le diagnostic infirmier est associé à une cause par la particule «relié à». Selon certains auteurs, il est important d'éviter les termes «dû à» ou «causé par» qui établissent un lien de cause à effet trop étroit (Iyer *et al.* 1986, p. 98; Doenges et Moorhouse 1992, p. 49). Il faut se rappeler que le diagnostic infirmier doit fournir une description aussi précise que possible de l'état de la personne, mais qu'il ne peut avoir la précision du diagnostic médical ni être validé par des tests de laboratoire et des examens radiologiques.

Le diagnostic infirmier repose en somme sur les connaissances, la sensibilité, la capacité d'observation et de raisonnement de la soignante. C'est pourquoi son étiologie ne peut être aussi formelle que celle du diagnostic médical. Pour simplifier la rédaction du diagnostic infirmier, on peut exprimer la particule «relié à» par les lettres «R/A». On a alors: problème relié à (R/A) cause.

LES OUTILS DE L'INFIRMIÈRE ET DU MÉDECIN POUR POSER UN DIAGNOSTIC

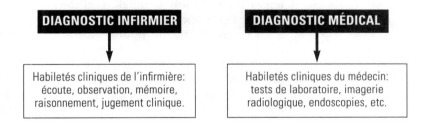

L'utilisation d'un langage approprié

Le diagnostic infirmier doit être écrit de façon concise et précise; il est fortement suggéré de formuler le problème selon une taxinomie reconnue, en l'occurrence, celle de l'ANADI. Cette mesure permet aux infirmières d'utiliser un langage international que tout le monde comprend, qu'il s'agisse d'un même centre, d'une province ou d'un pays. Au début, les infirmières exprimaient leurs diagnostics dans leurs propres mots, mais la multiplication des termes et des significations aboutissait à la confusion. La nécessité d'une nomenclature approuvée et reconnue devenait pressante. Dans la révision de 1995, plus de 120 diagnostics ont été identifiés.

Quant à la cause, elle est plutôt formulée dans les propres mots de l'infirmière, de manière à traduire la situation observée. Ces causes peuvent être extrêmement nombreuses et un diagnostic peut même en impliquer plusieurs, par exemple la constipation R/A une alimentation pauvre en fibres, à une déficience de l'hydratation et à la sédentarité. Il serait à peu près impossible de les répertorier toutes et de les classifier dans un ensemble taxinomique. L'infirmière est donc libre de les exprimer à sa guise.

Il existe cependant des exceptions à l'association «problème–cause» du diagnostic infirmier. Il s'agit notamment du diagnostic «Manque de connaissances», pour lequel, dans la plupart des cas, le besoin de renseignements remplace la cause. Il s'exprime ainsi: «Manque de connaissances de son régime alimentaire» ou «Manque de connaissances sur les moyens de soulagement de la dyspnée». M. E. Doenges, M. C. Townsend et M. F. Moorhouse (1995, p. 19) soulignent aussi cette nécessité et ajoutent que le diagnostic «Manque de connaissances» illustre un exemple où de plus amples clarifications et des validations sont nécessaires. On peut aussi exprimer ce diagnostic dans une formulation semblable aux autres, c'est-à-dire avec la particule R/A, par exemple, «Manque de connaissances R/A l'allaitement maternel», où, bien entendu, l'allaitement n'est pas une cause, mais un sujet d'enseignement. D'autres exceptions dans l'énoncé du diagnostic infirmier se présentent avec le diagnostic potentiel et le problème infirmier que nous verrons un peu plus loin.

L'aspect holiste de la taxinomie des diagnostics infirmiers

Le problème décrit dans la première partie du diagnostic infirmier peut être relié aux différentes dimensions de l'être humain. Il peut se révéler de nature physique comme le dégagement inefficace des voies respiratoires; de nature psychologique comme l'anxiété, la peur ou le chagrin (deuil); de nature sociale comme la perturbation des interactions sociales ou les stratégies d'adaptation familiale inefficaces; ou, encore, de nature spirituelle comme la détresse spirituelle.

Il en est de même pour les causes où peuvent intervenir des facteurs physiques tels que la fatigue, un déficit sensoriel, les difficultés respiratoires, l'immobilité; des facteurs psychologiques tels qu'une crise existentielle, une atteinte à l'estime de soi, la non-acceptation de la maladie ou de la vieillesse; des facteurs sociaux tels que des habitudes culturelles différentes, des conflits de valeurs; des facteurs spirituels tels que la perception d'une menace à son système de valeurs ou la difficulté à suivre sa pratique religieuse.

Certains facteurs environnementaux comme le bruit, l'humidité de la maison, l'éloignement des ressources, etc., peuvent aussi devenir des causes de problèmes. En touchant toutes les dimensions de la personne de même que son environnement, la taxinomie du diagnostic infirmier présente des aspects holistes certains. Précisons cependant qu'un problème peut toucher une dimension de la personne et être causé par des éléments d'une autre nature. L'exemple qui suit illustre cette situation et le tableau 7.1 présente des causes de diverses natures.

PROBLÈME	**CAUSES**
Perturbation des interactions sociales (nature sociale)	Douleurs chroniques (nature physique)
	Anxiété (nature psychologique)

Tableau 7.1

EXEMPLES DE CAUSES OU ÉTIOLOGIES DE DIVERSES NATURES	
De nature physique • Altération de la mobilité • Déficit auditif, visuel • Diarrhée • Douleur • Dysarthrie • Effets secondaires de la médication • Faiblesse, fatigue • Modification du schéma corporel	**De nature socioculturelle** • Appartenance à une culture différente • Changement de rôle • Comportement antisocial • Conflits de valeurs • Détérioration du réseau de soutien • Difficultés relationnelles dans le couple • Isolement social
De nature émotive • Anxiété • Atteinte à la perception de soi • Crainte des moyens d'intervention • Crise maturationnelle • Non-acceptation de la maladie • Échecs répétés des projets de vie • Solitude	**De nature spirituelle** • Inadaptation aux valeurs du milieu • Incapacité de pratiquer sa religion • Interdits religieux • Refus de la souffrance, de la mort • Perte de croyance dans les valeurs supérieures
De nature cognitive • Difficulté de concentration • Non-motivation à apprendre • Troubles de la mémoire • Troubles de la pensée	**De nature environnementale** • Présence de bruits, de lumières, d'odeurs dérangeantes • Limites des ressources du milieu

Les sources dont la soignante dispose pour formuler des hypothèses de diagnostic infirmier

Pour poser une hypothèse de diagnostic infirmier, la soignante dispose de trois sources principales: la collecte des données, qui énumère les besoins que la personne soignée ne peut satisfaire; l'identification du problème de santé ou le diagnostic médical; et le contexte de la situation (l'âge de la personne, sa situation socioculturelle, le lieu de son domicile, etc.).

Hypothèse tirée du diagnostic médical

On pourrait très bien élaborer un diagnostic infirmier sans connaître précisément le problème médical. Il suffit de se fonder sur la collecte des données et sur le contexte dans lequel se situe le problème, mais la connaissance du diagnostic médical est un atout important.

Les connaissances et l'expérience de l'infirmière lui permettent de comprendre la dynamique et les caractéristiques de la pathologie dont souffre la personne et de construire des hypothèses de diagnostics infirmiers qui lui donnent la possibilité de s'attaquer directement aux difficultés de la personne et de gagner du temps.

Mise en situation

Hypothèses liées au problème de santé

Une personne souffrant d'angine de poitrine est hospitalisée. Par sa formation et son expérience, la soignante sait que cette personne risque d'être souffrante et anxieuse, qu'elle peut avoir peur de l'avenir ou d'une complication. Voilà des hypothèses de diagnostics infirmiers que l'infirmière peut vérifier par la collecte des données. Cependant, quelle que soit la source des hypothèses, celles-ci doivent être validées.

Mises en situation

Hypothèses liées au contexte

Une étudiante de 16 ans vit seule, loin de sa famille. L'infirmière peut tout de suite penser que cette dernière peut éprouver de l'anxiété, vivre une perturbation des interactions sociales avec sa famille, faire l'expérience de stratégies d'adaptation individuelle inefficaces, etc.

Une dame de 78 ans vit seule dans un endroit retiré. Déjà, sans en connaître davantage, l'infirmière peut imaginer que cette dame souffre d'isolement social, qu'elle est à risque d'accidents, qu'elle éprouve de la difficulté à entretenir son domicile, etc.

Un homme de 58 ans a toujours travaillé dans une usine textile où le taux de pollution est très élevé. L'infirmière peut raisonnablement penser que cet homme risque de connaître des difficultés respiratoires. Toutefois, comme dans les cas précédents, elle doit vérifier ses hypothèses auprès de la personne, par l'observation et le questionnement.

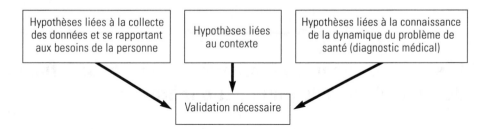

SOURCES DONT L'INFIRMIÈRE DISPOSE POUR FORMULER DES HYPOTHÈSES

L'utilisation du diagnostic médical et du contexte, en plus de la collecte de données concernant les besoins, pour formuler des hypothèses de diagnostic infirmier présente plusieurs avantages. D'une part, le diagnostic médical permet de tenir compte du problème de santé de la personne: après tout, c'est la raison de l'hospitalisation ou de la consultation qui crée les besoins et les attentes du malade.

D'autre part, le contexte permet d'élargir le diagnostic infirmier au milieu et à l'environnement. En jumelant les deux, on tient compte de toutes les dimensions de la situation de la personne.

Les hypothèses liées au diagnostic médical et au contexte favorisent un processus diagnostique assez rapide et relativement sûr. Il faut cependant insister sur le terme «relativement», puisque tous les malades souffrant d'un même problème de santé ou vivant dans un même contexte n'éprouvent pas les mêmes difficultés et n'ont pas tous les mêmes diagnostics infirmiers. Il se peut en effet qu'une personne ne présente pas les manifestations liées à ces hypothèses, mais plutôt d'autres signes et symptômes. C'est pourquoi la validation est si importante.

Il est évident que les hypothèses liées au problème de santé et au contexte sont plus difficiles à formuler pour une étudiante qui manque encore de connaissances et d'expérience. Toutefois, les ouvrages de référence demeurent des sources d'information appréciables. L'étudiante peut toujours les consulter et émettre quelques hypothèses. De plus, elle peut formuler les hypothèses sur les besoins de la personne à partir de la collecte des données concernant les besoins de la personne.

Mise en situation

Hypothèses liées à la collecte des données

La collecte des données demeure la principale source des hypothèses sur les besoins de la personne soignée.

Victime d'un accident il y a quelques années, une femme de 60 ans est hospitalisée pour l'ablation de la vésicule biliaire. En faisant sa collecte des données, l'infirmière remarque que la personne boite et qu'elle se déplace difficilement avec une canne. Elle note aussi qu'elle est obèse et qu'elle fume beaucoup. La soignante peut déjà penser que, après l'intervention prévue pour le lendemain, cette personne éprouvera de la difficulté à se lever et qu'elle présentera peut-être des problèmes respiratoires.

L'identification du problème et l'intégration de l'information

L'infirmière puise l'information à diverses sources. Elle récolte ainsi un ensemble de données concernant la personne. Certains renseignements proviennent de la collecte des données, d'autres du contexte et d'autres encore de la dynamique de la maladie (diagnostic médical). Ces renseignements ne sont pas tous d'égale valeur. Quelques-uns sont inutiles, mais d'autres révèlent des problèmes et orientent l'infirmière vers des points précis ou des ensembles importants qui peuvent créer des difficultés. Prenons une situation simple.

Mise en situation

Une personne se présente avec une plaie sérieusement infectée à la jambe. L'infirmière sait déjà que cette personne peut être souffrante et avoir du mal à se déplacer (hypothèses liées au problème de santé). Elle fait sa collecte des données et constate que cette personne est effectivement souffrante et qu'elle ne peut marcher. Elle poursuit son observation et remarque que la personne éprouve du mal à respirer et qu'elle tousse (orientation vers une hypothèse concernant les besoins).

Poursuivons le raisonnement. La collecte de données a permis de confirmer les deux hypothèses liées au problème de santé et d'en émettre une troisième sur le besoin de respirer. L'infirmière peut alors indiquer qu'il faut installer la personne en position demi-assise pour l'aider à respirer et la garder au lit ou au fauteuil. Ces renseignements l'amèneront ensuite à planifier des soins appropriés pour satisfaire les besoins de se mouvoir et de respirer.

Le processus de diagnostic commence très tôt, dès les premiers contacts avec la personne soignée. Il se poursuit avec d'autres collectes de données qui viendront approfondir les premières impressions de l'infirmière, puis les confirmer pour arriver au diagnostic infirmier. Ce processus est analysé en détail un peu plus loin.

L'identification de la cause ou étiologie

Après avoir identifié le problème assez clairement, il faut en chercher la ou les causes afin de compléter l'énoncé du diagnostic infirmier. N'oublions pas que, dans sa forme classique, le diagnostic infirmier comprend un problème et une cause ou étiologie. Il faut considérer les causes dans l'optique du modèle conceptuel utilisé. Rappelons que les sources de difficultés dans la satisfaction des besoins peuvent être de nature physique, émotive, cognitive, socioculturelle et spirituelle. Par conséquent, les causes d'un problème mentionné dans le diagnostic infirmier sont forcément de même nature puisqu'elles sont liées à l'incapacité de satisfaire un besoin. Pour trouver la cause d'un problème, l'infirmière doit se servir des données recueillies.

Mise en situation

Une infirmière identifie un problème de déficit alimentaire chez un adolescent. Elle apprend que ce dernier mange à l'école le midi et qu'il absorbe des aliments à haute teneur énergétique, peu nutritifs. Elle apprend aussi que, dans sa famille, les habitudes alimentaires sont à peu près semblables. Ces observations lui indiquent à la fois le problème et la cause. Son diagnostic pourrait s'énoncer ainsi: «Déficit nutritionnel R/A des habitudes alimentaires déficientes».

Il arrive parfois que la cause ne saute pas aux yeux. Il faut alors poursuivre la collecte des données. Prenons l'exemple d'un malade psychiatrique présentant un manque de confiance en lui et une image très négative de lui-même. L'infirmière serait tenté de poser un diagnostic de «perturbation chronique de l'estime de soi», mais elle ne voit pas très bien à quoi le relier. Il lui faut alors recueillir d'autres données.

L'exemple suivant illustre la façon de traiter l'information pour départager les éléments liés au problème et ceux qui relèvent de l'étiologie.

Mise en situation

M. Côté est hospitalisé à la suite d'un traumatisme, mais il est maintenant presque rétabli. C'est un homme qui vit seul. Vous avez observé qu'il mange tout ce qu'on lui sert et qu'il grignote très souvent entre les repas. Sa fille vous confie qu'il prend ses repas de façon irrégulière. Le dossier de ce monsieur vous apprend qu'il est à la retraite depuis un an. Lorsque vous le questionnez, il avoue ne pas faire d'exercice: il regarde la télévision et il lit. Il vous décrit son régime: alimen-

tation riche en viande (2 grosses portions par jour), en féculents et en sucre (6 portions par jour). De plus, il déclare consommer des croustilles (1 ou 2 sacs) et environ 6 boissons gazeuses par jour. Il a 10 kg en trop. Il avoue que la vie est bien difficile depuis la mort de sa femme et qu'il se sent seul. Il ne sait pas cuisiner et trouve cela bien ennuyeux. La plupart du temps il mange devant la télévision pour passer le temps.

Maintenant analysons cette situation et essayons de déterminer les données qui nous orientent vers le problème et sa cause ou étiologie. Pour identifier le problème, posons-nous la question «Qu'est-ce qui se passe, quel est le problème?» et pour identifier la cause, demandons-nous «Pourquoi cela se passe-t-il?»

Tableau 7.2 Données indicatives

DU PROBLÈME	DES CAUSES
Données objectives (ce que l'infirmière voit) • Mange tout, grignote souvent. • Excès de masse de 10 kg **Données subjectives (propos de la personne et de ses proches)** • Prend ses repas de façon irrégulière, à n'importe quelle heure; régime: viande (2 grosses portions/jour), féculents et sucre (6 portions /jour), croustilles et 6 boissons gazeuses/jour. Il ne sait pas cuisiner et trouve la vie bien ennuyeuse. La plupart du temps, il mange devant la télévision.	**Données subjectives (propos de la personne et de ses proches)** • Vit seul. • Retraite depuis un an • Pas d'exercice, passe-temps: télévision et lecture, vie difficile depuis la mort de sa femme • Se sent bien seul, ne sait pas cuisiner et trouve la vie bien ennuyeuse. • Mange devant la télévision pour passer le temps.

Les données nous indiquent que ce monsieur mange trop pour les besoins de son organisme. Nous pouvons donc émettre l'hypothèse suivante: «excès nutritionnel». Demandons–nous maintenant pourquoi il mange trop. Les données nous révèlent que c'est parce qu'il est seul, qu'il est inactif et qu'il s'ennuie. La solitude et la sédentarité semblent donc être les causes du problème. Une autre collecte des données pourra confirmer cette hypothèse et peut–être ajouter un nouvel élément en révélant que ce monsieur ne connaît pas la valeur des aliments ni les besoins de l'organisme. On poserait alors le diagnostic infirmier suivant:

Excès nutritionnel R/A la solitude, à la sédentarité et à la méconnaissance de la valeur des aliments et des besoins de l'organisme.

Les volumes de référence citent de multiples exemples de problèmes et des causes qui y sont associées. Le tableau 7.3 en présente quelques–uns tirés du *Mémento de l'infirmière* (Grondin et Phaneuf, 1995).

Tableau 7.3 Exemples de problèmes et de leurs causes

SPHINCTER
Muscle annulaire qui resserre un orifice naturel. (Ex.: anus)

PROBLÈMES	R/A	CAUSES OU ÉTIOLOGIES
• Mode de respiration inefficace • Incapacité partielle d'avaler • Incontinence fécale • Perturbation des habitudes de sommeil • Atteinte à l'intégrité des tissus • Chagrin • Détresse spirituelle • Manque de loisirs		anxiété douleur perte de contrôle du **sphincter** anal difficulté à gérer le stress immobilité perte d'un être cher incapacité de vivre selon ses valeurs isolement social

Quelques formulations étiologiques à éviter

Lorsqu'on pose un diagnostic infirmier, il faut éviter de formuler la cause du problème en portant un jugement de valeur, par exemple:

«Risque élevé d'atteinte à l'intégrité de la peau R/A la malpropreté.» Il faut utiliser des termes plus nuancés qui manifestent le respect de la personne et qui ne risquent pas de l'offenser. Rappelons-nous qu'au Québec du moins le malade peut consulter son dossier en tout temps.

Il faut aussi éviter d'avoir l'air de critiquer l'intervention d'un autre professionnel ou de s'exprimer dans des termes qui pourraient avoir des répercussions légales. Ainsi, les diagnostics «Douleur R/A une épisiotomie mal **suturée**» ou encore «Intolérance à l'effort R/A des exigences trop grandes de la part du personnel» pourraient être litigieux.

SUTURÉ
Refermé au moyen de sutures (points).

L'utilisation de modificateurs

À l'énoncé du diagnostic infirmier peuvent s'ajouter des modificateurs qui viennent préciser le problème ou la cause. Les diagnostics «Perturbation **chronique** de l'estime de soi R/A...» ou «Anxiété marquée R/A...» en sont des exemples. Les termes «aigu», «chronique», «grave», «marqué», «extrême», etc., sont des modificateurs couramment utilisés. On peut aussi se servir de certaines échelles de mesure et indiquer, par exemple pour l'anxiété, «Anxiété (niveau 4) R/A ...» ou pour la dépendance «Incapacité partielle de se laver (niveau 2) R/A...». Cette méthode est toutefois un peu plus complexe.

Comme il est important que le diagnostic infirmier soit précis, on peut ajouter des termes pour indiquer le site du problème, par exemple, «Douleur (région lombaire) R/A l'immobilité» ou encore le type de lésion, par exemple «Atteinte à l'intégrité de la peau (rougeurs à la région coccygienne) R/A...» On pourrait aussi mentionner une fissure, des contusions, des lacérations, des ecchymoses, etc. Il en est de même pour les diagnostics infirmiers plus abstraits, par exemple, «Perturbation de l'estime de soi R/A la modification du schéma corporel (stomie)».

Ces éléments de précision permettent une meilleure compréhension du problème et du traitement à appliquer.

CHRONIQUE
Maladie qui évolue lentement et se prolonge. Elle est souvent sans traitement curatif.

Les types de diagnostics infirmiers

Le concept de diagnostic infirmier est très large et englobe plusieurs réalités que l'on peut classer de différentes façons. Si l'on considère le diagnostic infirmier selon sa virtualité, on peut dire qu'il en existe trois types: le diagnostic actuel, le diagnostic potentiel et le diagnostic possible.

En revanche, si l'on considère le diagnostic infirmier en fonction des interventions qu'il entraîne, on distingue le diagnostic infirmier (problème et cause), le problème infirmier (sans cause identifiée) qui est vu un peu plus loin dans ce chapitre et le problème en collaboration (complications d'une pathologie ou d'un traitement pour lesquels on identifie des facteurs de risque) qui fait l'objet du chapitre 11 du présent ouvrage.

Toutefois, si l'on considère les réalités touchées, on trouve le diagnostic infirmier (qui traite la réaction de la personne face à son problème de santé) et le problème en collaboration (qui traite la complication d'un problème de santé ou son traitement). À ces diagnostics il faut ajouter le diagnostic de syndrome (qui regroupe synthétiquement plusieurs diagnostics infirmiers) et le diagnostic de mieux-être (qui traduit une transition, un désir d'améliorer le bien-être et la santé). Ces classifications peuvent sembler un peu complexes, mais elles sont faciles à apprivoiser.

Le diagnostic actuel

Le diagnostic infirmier présente différents types de situations. Il y a celles où le problème est actuel et où les manifestations sont observables. On dit alors qu'il s'agit d'un diagnostic qui décrit un problème actuel ou, plus simplement, d'un diagnostic actuel. L'énoncé d'un tel diagnostic n'exige aucune mention particulière. Ainsi, on pourra dire: «Mode de respiration inefficace relié à la douleur» pour une personne qui vient de subir une intervention chirurgicale abdominale et qui éprouve de la difficulté à respirer.

Le diagnostic potentiel

Il y d'autres situations où le problème n'est pas présent, mais où toutes les conditions sont réunies pour le voir apparaître. Dans ce cas, il faut intervenir avant l'apparition du problème. On dit alors que le diagnostic décrit un problème potentiel et l'infirmière le pose dans un but préventif. Ainsi, une personne âgée qui est alitée, qui mange peu et qui boit peu risque fort de développer une escarre. Citons aussi l'exemple que nous fournissent Katrine Fortinash et Patricia Holoday-Worret (1995, p. 7) d'une personne qui reçoit des antidépresseurs tricycliques, qui boit peu et qui ne mange pas beaucoup de fibres. Comme il est reconnu que la constipation est un effet secondaire d'une médication antidépressive, l'infirmière peut choisir le diagnostic potentiel «Risque élevé de constipation R/A des effets secondaires de la médication antidépressive tricyclique, à une hydratation insuffisante et à un régime pauvre en fibres».

TYPES DE DIAGNOSTICS INFIRMIERS

Actuel ou présent	Potentiel	Possible

Le diagnostic d'un problème potentiel devient un instrument puissant de prévention. Les infirmières se sont toujours préoccupées de prévenir les maladies et leurs complications, mais, avec le diagnostic infirmier, elles peuvent mieux orienter leur intervention et mieux l'articuler. Le plan de soins où figure un diagnostic potentiel devient un aide-mémoire pour toute l'équipe et permet de planifier les interventions de prévention.

Tableau 7.4 Exemple comparé

DIAGNOSTIC ACTUEL	DIAGNOSTIC POTENTIEL
Observations: manifestations de dépendance chez une personne ayant souffert d'un traumatisme thoracique et qui doit se lever après avoir été alitée pendant plusieurs jours.	**Facteurs de risque présents:** pâleur, fatigue, présence de sécrétions, dyspnée et augmentation de la pulsation au lever.
Diagnostic infirmier	**Diagnostic infirmier**
«Intolérance à l'effort R/A la limite de la mobilité et à la présence de sécrétions» Facteurs de risque présents: alitement depuis plusieurs jours, traumatisme de la cage thoracique, ne peut pas facilement tousser, tabagisme.	«Haut risque d'intolérance à l'effort R/A l'alitement prolongé, à la difficulté à tousser, au tabagisme»

Dans l'exemple de gauche, les manifestations sont là et indiquent que le problème est bien présent: le diagnostic est donc actuel. Dans l'exemple de droite, la difficulté n'est pas encore apparue, mais les conditions sont favorables à son développement: le diagnostic est donc potentiel.

Il n'est pas toujours simple de déterminer s'il faut poser un diagnostic actuel ou potentiel, car il est souvent difficile de départager les facteurs de risque et les manifestations de dépendance. Ainsi, lorsque l'observation révèle à la fois la présence de facteurs de risque tels que l'alitement, une douleur à la respiration (fractures de côtes), le tabagisme, une hydratation peu abondante et certains signes et symptômes tels que l'expectoration de sécrétions épaisses et grisâtres, la situation n'est pas claire. On décèle à la fois des facteurs de risque et déjà quelques manifestations de dépendance. Cependant, si les facteurs de risque sont plus nombreux, il serait plus indiqué d'utiliser le diagnostic potentiel. Il revient toutefois à l'infirmière de décider si elle désire agir de façon préventive, par exemple sur le «Risque d'infection» plutôt que sur le diagnostic actuel de «Dégagement inefficace des voies respiratoires».

Le diagnostic infirmier potentiel exige une bonne compréhension des facteurs de risque et la capacité de discriminer les facteurs de risque et les manifestations (signes et symptômes). Sa formulation nécessite aussi quelques explications.

La formulation du diagnostic potentiel

La formulation du diagnostic infirmier potentiel diffère de celle du diagnostic actuel. Il ne présente pas de cause formellement identifiée puisqu'il s'agit d'un problème hypothétique. Il faut donc refléter cette situation en utilisant les termes «risque élevé ou haut risque de...». Le reste de l'énoncé se traduit sensiblement de la même façon que celui des autres diagnostics infirmiers: on peut utiliser la particule R/A pour associer le problème aux facteurs de risque. Voici des exemples de diagnostics potentiels: «Risque élevé de déficit de volume liquidien R/A la diarrhée, à l'hydratation inadéquate (nausées)» ou encore «Risque élevé d'atteinte à l'intégrité de la peau R/A l'immobilité et à l'incontinence», etc. Les termes «haut risque» ou «risque élevé» indique que le problème n'est pas encore présent, mais qu'il faut agir pour éviter son apparition.

Il faut faire une mise en garde à propos du diagnostic potentiel. En fait, tous les diagnostics infirmiers pourraient éventuellement devenir des diagnostics potentiels. Il faut reconnaître que, dans les situations de soins, bien des complications sont possibles, mais elles ne sont pas toutes probables. Aussi est-il important de ne pas abuser du diagnostic potentiel et de le réserver seulement pour les situations où il existe des facteurs de risque sérieux. Pour éviter toute confusion, Cécile Boisvert (1990) suggère de toujours utiliser les termes «risque élevé de...» ou «haut risque de...» dans ce type de diagnostic.

Certains auteurs estiment aussi qu'il faut donner une formulation un peu différente au diagnostic infirmier potentiel. Katrine Fortinash et Patricia Holoday-Worret (1995, p. 7) suggèrent de mentionner le terme «facteurs de risque» dans l'énoncé du diagnostic. Ainsi, pour une constipation potentielle, elles proposent la formule suivante: «Risque de constipation; facteurs de risque: effets de la médication antidépressive, refus de boire de l'eau, des jus, etc., régime pauvre en fibres». Ce diagnostic infirmier est précis et intéressant, mais il suppose un libellé un peu différent de celui des autres diagnostics. Nous optons plutôt pour la formulation «risque élevé de... R/A ...» qui s'apparente davantage à l'énoncé habituel, mais c'est ici une question de choix.

Le diagnostic possible

Il existe un autre type de diagnostic, appelé «diagnostic possible». Il arrive que l'infirmière pressente l'existence d'un problème sans en être certaine. Elle peut alors formuler son diagnostic en utilisant le terme «possible», par exemple, «Perturbation possible de la dynamique familiale» ou «Perturbation possible de l'estime de soi».

MATURATIONNEL
Qui a rapport à la maturation, à l'évolution à travers les époques de la vie d'une personne.

VALIDATION
Processus de contrôle qui sert à confirmer un diagnostic infirmier.

Tout comme le problème peut être hypothétique, la cause peut être incertaine. Prenons le diagnostic suivant: «Anxiété R/A une crise **maturationnelle** possible», posé chez une femme de 50 ans qui est nerveuse, qui dort mal et qui dit ne plus se comprendre. Le problème semble actuel et l'infirmière peut penser qu'il s'agit d'une difficulté liée à la ménopause, mais ce n'est que par une **validation** avec la personne qu'elle pourra en être certaine.

Le terme «possible» s'emploie surtout pour un diagnostic en attente de validation (qu'il s'agisse de l'incertitude du problème ou de la cause). Lynda Carpenito (1995, p. 21) écrit que les diagnostics possibles sont des énoncés décrivant un problème que l'on soupçonne, mais qu'on ne peut encore valider faute de données suffisantes. Elle ajoute qu'il serait dommage d'enseigner aux infirmières de ne pas laisser de place au doute. En science, la démarche expérimentale n'est pas un signe de faiblesse ou d'indécision. Pour en arriver à une conclusion fiable et scientifique, il faut réserver son jugement jusqu'à ce qu'on ait recueilli toute l'information nécessaire.

Le diagnostic possible fait en quelque sorte partie du processus d'élaboration du diagnostic infirmier. Dès les premiers contacts avec la personne soignée, l'infirmière perçoit certaines difficultés possibles; en réalité, elle formule une hypothèse qu'elle devra confirmer. Tant qu'elle n'est pas validée, l'hypothèse doit être considérée comme un diagnostic possible, sans être «opérationnalisée».

Une hypothèse peut être confirmée auprès du malade, de sa famille, d'une infirmière d'expérience, de l'équipe de soins ou d'ouvrages de référence. Toutefois, il est important de l'indiquer sur le plan de soins. Quand elle l'aura confirmée, l'infirmière pourra fixer des objectifs et planifier des interventions. Pour éviter toute confusion, l'infirmière peut indiquer qu'il s'agit d'un diagnostic possible ou ajouter un (H) [hypothèse] après l'énoncé, par exemple, «Perturbation de l'estime de soi R/A une difficulté à assumer son rôle de mère (H).» Ainsi, au besoin, un autre membre de l'équipe pourra poursuivre la démarche amorcée, valider le diagnostic et compléter le plan de soins.

Il est possible d'établir un plan de soins en validant seulement le problème. On s'attaque alors uniquement au problème, car il serait difficile d'élaborer des interventions pour une difficulté soupçonnée mais non confirmée. Le tableau 7.5 présente des formulations pour les différents types de diagnostics infirmiers.

Tableau 7.5 Exemples de formulations

DIAGNOSTICS ACTUELS	DIAGNOSTICS POTENTIELS	DIAGNOSTICS POSSIBLES
• Déficit nutritionnel R/A la solitude • Constipation R/A l'inactivité • Intolérance à l'activité R/A la présence de sécrétions bronchiques • Fatigue R/A une difficulté à gérer le stress • Incapacité partielle de se vêtir R/A une douleur articulaire	• Risque élevé d'atteinte à l'intégrité de la peau R/A un alitement prolongé • Risque élevé d'accident R/A des limites visuelles • Risque élevé d'auto-mutilation R/A des troubles de la pensée	• Perturbation chronique possible de l'estime de soi R/A une dynamique familiale dysfonctionnelle • Perturbation possible de l'identité personnelle R/A une crise maturationnelle • Perturbation possible de la sexualité R/A l'anxiété

Les diagnostics infirmiers de syndrome

Il arrive parfois que certaines personnes vivent des réalités si complexes qu'il faudrait plusieurs diagnostics infirmiers pour les décrire. Afin de simplifier le traitement diagnostique de ces états complexes, le comité de l'ANADI a étudié le concept de syndrome, en 1980, et il en a retenu quelques-uns: «Syndrome d'immobilité», «Syndrome de déracinement (inadaptation à un changement de milieu)», «Syndrome d'interprétation erronée de l'environnement» et «Syndrome de traumatisme de viol».

Le dictionnaire *Larousse* définit le terme «syndrome» ainsi: «un ensemble de signes et symptômes qui caractérise une affection». Dans un diagnostic infirmier, ce terme prend un sens plus large, regroupant des diagnostics infirmiers actuels et potentiels. Les syndromes s'expriment dans une seule partie [sans cause ni facteurs de risque] (Carpenito, 1995, p. 25).

Diagnostic infirmier de syndrome

Jugement clinique sur un état physique et psychologique complexe de la personne dont l'énoncé englobe plusieurs diagnostics infirmiers actuels et potentiels.

Mise en situation

M. Lacombe est âgé de 56 ans et souffre de sclérose en plaques depuis plusieurs années. Il est continuellement alité et ne bouge pas beaucoup dans son lit. Vous observez que son pied gauche a tendance à tomber en extension et, malgré tous vos soins, des rougeurs apparaissent sur les protubérances osseuses. Il mange peu, boit peu et sa respiration est embarrassée. Il est replié sur lui-même et triste; il parle peu. Il est conscient de son état.

Le traitement diagnostique de cette situation clinique complexe exigerait plusieurs diagnostics infirmiers dont:

- une altération de la mobilité physique;
- un risque élevé de dégagement inefficace des voies respiratoires;
- un risque élevé d'atteinte à l'intégrité des tissus;
- un risque élevé de constipation;
- un sentiment d'impuissance.

Dans ce cas, pour simplifier l'énoncé du diagnostic, l'expression «syndrome d'immobilité» s'avère fort utile.

Les diagnostics infirmiers de recherche de mieux-être

La recherche de mieux–être est un autre type de diagnostic infirmier.

> **Diagnostic infirmier de recherche de mieux–être**
>
> Jugement clinique porté sur une personne, une famille ou une collectivité en transition pour passer d'un certain niveau de bien-être physique, psychologique et social à un niveau de bien-être supérieur (définition adaptée de celle de l'ANADI, citée par Carpenito, 1995, p. 22).

En d'autres termes, les diagnostics de recherche de mieux–être sont des diagnostics de santé qui traduisent un état ou un fonctionnement actuel efficace et le désir d'un niveau supérieur de santé et de bien–être, tant du point de vue physique et psychologique que du point de vue social. Ils sont formulés dans une seule partie, sans cause ni facteurs de risque. Lynda Carpenito suggère de les exprimer en fonction du «Potentiel d'amélioration», par exemple «Bien–être spirituel: actualisation potentielle».

Le diagnostic infirmier: utilisation d'un langage reconnu et aboutissement d'un processus de réflexion

Il ne suffit pas de savoir comment s'élabore le diagnostic infirmier ou d'en connaître les différents types pour le poser. Il faut surmonter deux types de difficultés: l'utilisation d'un langage reconnu pour le formuler et le processus de réflexion qui y aboutit.

Le langage

L'énoncé du problème se formule dans un langage inspiré de la taxinomie de l'ANADI. Certains termes peuvent sembler difficiles à comprendre ou à classifier dans une catégorie plutôt que dans une autre et certaines caractéristiques peuvent paraître difficiles à mémoriser, mais l'apprentissage se fait au fil du temps. Au début, un minimum de connaissances et la consultation d'ouvrages de référence peuvent suffire.

Le processus

Le diagnostic infirmier ne se résume pas à l'utilisation d'un langage approprié. Il ne s'agit pas d'accoler automatiquement un diagnostic à une personne. Ce serait une pratique vide de sens qui risquerait de conduire à des soins stéréotypés.

Il est primordial de fonder le diagnostic infirmier sur un processus intellectuel de représentation et de résolution de problèmes. Ce processus est assez complexe, mais il n'est pas difficile à comprendre. Il suppose l'observation, la réflexion, l'analyse, la discrimination, la déduction et l'élaboration d'hypothèses.

Marjory Gordon (1989, p. 112) écrit que diagnostiquer, c'est distinguer et discriminer l'information au moment où elle est recueillie. Le processus diagnostic comprend ainsi une étape basée sur la perception: c'est la collecte des données et l'orientation de la pensée; et une étape où l'information est traitée: c'est celle des différents raisonnements qui conduisent au diagnostic infirmier.

Pour expliquer ce processus, nous nous inspirons de D. L. Carnevali et M. D. Thomas (1993, p. 45) qui proposent les étapes suivantes pour arriver à poser un diagnostic:

- L'entretien de collecte des données.
- L'organisation intellectuelle de l'information par regroupement et fusion en grappes de données qui ont des liens entre elles.
- Le choix des groupes d'information les plus importants et l'orientation de la pensée vers des hypothèses de diagnostics infirmiers.
- La désignation de ces hypothèses (leur donner un nom).
- La recherche de données supplémentaires.
- L'évaluation des hypothèses et le choix (diagnostic différentiel) de celle qui est la plus pertinente.
- La validation de l'hypothèse auprès de sources sûres.
- La formulation du diagnostic selon la taxinomie de l'ANADI.

L'observation et l'entretien de collecte des données

Comme le chapitre 5 porte sur l'observation et la collecte des données, nous nous contenterons de rappeler que le processus diagnostic commence dès les premiers contacts de l'infirmière avec le malade, au moment de la première collecte de l'information.

L'organisation intellectuelle de l'information

L'identification des zones critiques se fait en regroupant et en fusionnant l'information en grappes de données ayant des liens entre elles. Lorsque nous observons une situation, notre intelligence distingue certains phénomènes interreliés et les regroupe afin de les identifier. C'est la façon habituelle de traiter les données et de décoder la réalité qui nous entoure. Il en est de même pour le diagnostic infirmier.

L'information, l'orientation de la pensée et la formulation des hypothèses

Parmi les données recueillies se trouvent des éléments normaux, des éléments anodins et d'autres qui révèlent un problème. L'infirmière doit s'arrêter sur ces derniers et, là encore, choisir ceux qui lui apparaissent les plus importants (ce que Carnevali appelle l'«information pivot»). Ainsi, elle oriente déjà sa pensée vers des grappes de données significatives; il lui reste à les désigner, c'est-à-dire les formuler pour qu'elles deviennent des hypothèses de diagnostics infirmiers.

Mises en situation

Après avoir observé une personne, l'infirmière regroupe les données suivantes: la personne mange très peu aux repas depuis plusieurs jours et refuse ses collations; elle se dit faible et transpire lorsqu'elle se lève; elle se plaint d'être toujours fatiguée. L'infirmière formule ce problème sous la forme de l'hypothèse suivante: «Fatigue R/A un déficit nutritionnel».

L'infirmière remarque que Mme Leblanc va à la selle aux trois ou quatre jours; les selles sont dures et l'expulsion est difficile. Mme Leblanc boit environ 500 mL/jour; elle mange des féculents et peu de légumes, de fruits ou de céréales à teneur élevée en fibres.

L'infirmière formule le problème ainsi: «Constipation R/A un régime pauvre en fibres et à une hydratation inadéquate».

La recherche de données supplémentaires

Les premières données sont souvent imprécises et les hypothèses doivent être approfondies et vérifiées. Aussi l'infirmière doit-elle recueillir de l'information supplémentaire pour circonscrire la zone critique qu'elle croit avoir décelée. Il lui arrive de devoir consulter des ouvrages de référence afin d'obtenir des données supplémentaires et de préciser ses hypothèses.

Mises en situation illustrant la collecte de données supplémentaires dans un ouvrage de référence

Vous vous occupez d'une adolescente de 15 ans, rebelle et frondeuse. Elle est enceinte de trois mois. Vous remarquez qu'elle fume un paquet de cigarettes par jour, qu'elle ne fait pas d'exercice et qu'elle mange des aliments sans valeur nutritive (croustilles, hamburgers, Coca-cola, etc.). Lorsque vous lui expliquez la nécessité de modifier son régime de vie, elle répond de façon agressive que ça la regarde. Vous voyez là un ensemble de données qui peuvent signifier une «Difficulté à se maintenir en bonne santé», mais vous hésitez pour l'étiologie; vous consultez un volume de psychologie qui vous renseigne sur les réactions des adolescents et leurs besoins de s'affirmer en même temps qu'ils éprouvent des difficultés à s'adapter aux responsabilités du monde des adultes. Vous optez alors pour l'étiologie suivante «Stratégies d'adaptation individuelle inefficaces».

L'évaluation des hypothèses et le choix

Après avoir précisé ses perceptions, l'infirmière se trouve souvent devant plusieurs hypothèses de diagnostics. Elle doit alors les analyser et les évaluer pour choisir la plus plausible. Pour ce faire, elle doit souvent consulter des ouvrages de référence et comparer les manifestations observées chez une personne avec celles qui sont décrites dans les volumes. Elle retiendra l'hypothèse qui répond le mieux à la description modèle.

Il est même recommandé de faire une espèce de remue-méninges pour formuler toutes les hypothèses qui viennent à l'esprit et les trier ensuite.

Mise en situation

Mme Dubaye est une personne de 50 ans. Elle a triste mine, s'exprime peu et soupire souvent; elle répond à peine aux questions qui lui sont posées. Elle a perdu son époux il y a deux mois et elle vient d'apprendre qu'elle souffre d'un cancer. Elle se lève peu, affirmant qu'elle éprouve le besoin de se reposer.

Dans ce cas, il y a plusieurs hypothèses possibles, notamment:

- le chagrin (deuil);
- la fatigue;
- le sentiment d'impuissance;
- la perte d'espoir;
- la perturbation des interactions sociales.

C'est l'évaluation et la validation de chacune de ces hypothèses qui permettront de choisir la plus vraisemblable. Devant un diagnostic médical, l'infirmière doit réagir de la même façon. Ainsi, face à une personne qui souffre d'une colite ulcéreuse, elle doit se demander ce que cette personne peut bien vivre en raison de cette pathologie. Elle pourra alors formuler différentes hypothèses telles que:

- l'anxiété;
- la douleur;
- la peur;
- le sentiment d'impuissance, etc.

La validation de l'hypothèse

Pour qu'une hypothèse puisse devenir un diagnostic infirmier, elle doit être validée ou confirmée auprès de sources sûres. Les principales sources de validation sont le malade lui-même, sa famille, l'équipe de soins et les ouvrages de référence. Ces sources de validation sont explicitées un peu plus loin.

La formulation du diagnostic selon la terminologie acceptée

Au départ, il n'est pas nécessaire de formuler l'hypothèse dans les termes exacts de la taxinomie. Toutefois, après l'étape de la validation, il faut la traduire selon la terminologie reconnue, en l'occurrence celle de l'ANADI. Au besoin, on peut consulter un ouvrage de référence.

Le diagnostic infirmier différentiel

Il est important de revenir sur le choix de l'hypothèse la plus plausible, car il constitue un élément majeur du processus de diagnostic différentiel. Or, ce choix n'est pas toujours simple. Certaines hypothèses conduisent à des diagnostics difficiles à différencier parce que les indices observés s'appliquent à plusieurs diagnostics. Il faut reconnaître que les caractéristiques de quelques diagnostics sont très semblables. Il faut souvent consulter un ouvrage de référence pour arriver à les distinguer et à établir le diagnostic différentiel. Ce processus est le même que celui du médecin qui doit parfois faire la discrimination entre deux diagnostics avant de poser le plus pertinent.

Les données recueillies ne révèlent jamais parfaitement un diagnostic. Il faut tenir compte de leur quantité et de leur qualité et ne jamais conclure trop hâtivement à partir de quelques données ni privilégier une hypothèse plutôt qu'une autre (Sylvain, 1994, p. 65).

Ainsi, même si le sentiment d'impuissance et la perte d'espoir semblent très proches de prime abord, ils présentent des différences. Le «Sentiment d'impuissance» se manifeste par la tristesse, les pleurs, les signes d'anxiété accompagnés d'une dépendance, d'une apathie face à ses soins et d'un sentiment d'être écrasé, dépassé par la situation; la «Perte d'espoir» se manifeste par un abattement profond de la personne qui croit ne plus rien avoir à attendre de la vie ou qui se croit incapable d'envisager des solutions à ses problèmes (Grondin et Phaneuf, 1995, p. 306–314). Il est vrai que la personne peut sembler réagir de la même manière dans les deux cas. Pour les distinguer, il faut parfois recueillir de l'information supplémentaire et valider l'hypothèse auprès de sources sûres.

Le tableau 7.6 illustre un exemple de vérification à partir d'un ouvrage de référence sur les diagnostics infirmiers.

Tableau 7.6 Confirmation et validation à partir d'un ouvrage de référence

DONNÉES OBSERVÉES CHEZ LA PERSONNE	HYPOTHÈSES PLAUSIBLES ET IDENTIFICATION DES CARACTÉRISTIQUES À PARTIR DE RÉFÉRENCES
• Femme de 50 ans • A subi une mastectomie. • Se dévalorise, a souvent besoin d'être rassurée sur ses capacités de reprendre une vie normale, de poursuivre son travail. • Se sent inférieure, a peur d'être rejetée par son époux. • Est triste, pleure souvent. • Exprime souvent des idées pessimistes.	• «Perturbation de l'identité personnelle» **Caractéristiques:** expression de problèmes de perception de soi, difficulté à saisir le but de sa vie, son orientation sexuelle, ses rôles, difficulté à assumer des responsabilités • «Perturbation situationnelle de l'estime de soi» **Caractéristiques:** expression d'un sentiment de perte de sa valeur en raison d'un événement malheureux, dévalorisation, incapacité, besoin d'être rassurée, sentiment d'infériorité, tristesse, pessimisme • «Perturbation de l'image corporelle» **Caractéristiques:** modification de la configuration corporelle, changement des habitudes de vie, expression d'un sentiment d'inquiétude face à l'avenir[2]

2. Ces caractéristiques sont tirées de Margot Phaneuf et Louise Grondin (1994), *Diagnostic infirmier et Rôle autonome de l'infirmière*, Paris, Maloine.

Analyse

Au départ, les trois hypothèses semblaient plausibles, mais la vérification dans un volume de référence permet de constater que la «Perturbation de l'estime de soi» est plus conforme à ce que vit la personne et que, par conséquent, c'est l'hypothèse à retenir. La modification de l'image corporelle devrait cependant être considérée comme l'une des causes de ce problème. L'hypothèse retenue devient alors:

«Perturbation de l'estime de soi R/A la non-acceptation de la modification corporelle (**mastectomie**).»

La distinction entre le diagnostic de «Non-observance» et celui de «Gestion inefficace du programme thérapeutique» est d'un autre ordre. La non-observance touche la fidélité à un traitement ou à une médication, alors que la gestion inefficace du plan de traitement touche plutôt un ensemble d'éléments de traitement et non pas un seul.

L'importance de la vérification pour confirmer les caractéristiques du problème est tout aussi grande pour la cause. Même si la discrimination entre plusieurs hypothèses n'est pas toujours simple, il faut reconnaître que cette réflexion apporte plus de précision au processus diagnostique.

Le choix d'un diagnostic infirmier dépend parfois de l'accent que nous voulons mettre sur un problème. Nous devons alors nous demander ce que nous voulons toucher par nos interventions. Par exemple, il nous faut déterminer quelle hypothèse retenir parmi les suivantes:

- dégagement inefficace des voies respiratoires R/A l'altération de la mobilité thoracique;
- douleur R/A séquelles d'un traumatisme thoracique;
- altération de la mobilité (thoracique) R/A la douleur;
- dégagement inefficace des voies respiratoires R/A la présence de sécrétions, à la douleur thoracique.

Lequel de ces diagnostics est le plus adéquat? Posons-nous cette question: À quel problème des soins infirmiers répondraient-ils le plus efficacement pour améliorer la situation? Cette personne est souffrante et la douleur empêche le soulèvement de la cage thoracique, elle nuit à la toux et empêche le dégagement des voies respiratoires, ce qui pourrait entraîner des complications sérieuses. C'est donc là le point crucial de la situation. Il serait alors préférable de conserver le diagnostic «Dégagement inefficace des voies respiratoires R/A la présence de sécrétions et à la douleur thoracique».

La clarification de la situation

Après avoir vérifié les caractéristiques propres à une hypothèse de diagnostic infirmier dans les ouvrages de référence, s'il persiste encore un doute, nous pouvons nous poser la question suivante: le problème décrit-il la difficulté la plus importante de la zone touchée, celle qui présente, pour la personne, le plus grand inconfort, le plus grand risque de complications ou la plus grande perturbation émotive?

Le processus diagnostique comporte plusieurs niveaux d'analyse et de raisonnement. L'encadré suivant présente la synthèse du cheminement de la pensée tout au long de ce processus. Afin de faciliter la compréhension, un exemple illustre chacune des étapes.

MASTECTOMIE
Ablation du sein.

Synthèse du cheminement de la pensée

Le processus intellectuel qui préside au diagnostic infirmier se déroule en deux étapes successives: l'étape de perception où l'infirmière pressent la présence d'un problème et l'étape du traitement de cette information. Cette dernière étape se déroule de la façon suivante:

- À partir de l'ensemble des stimuli perçus.
  - Organisation des données: regroupement de certaines observations qui paraissent liées à un même problème (ex.: toux, essoufflement, tachypnée) qui laissent présager un problème respiratoire.
  - Synthèse (ou conclusion) tirée de ce regroupement qui conduit à une ou plusieurs hypothèses de diagnostics (ex.: dégagement inefficace des voies respiratoires ou mode de respiration inefficace).
- Approfondissement des données (ex.: interrogé à propos de ses difficultés respiratoires, le malade déclare qu'il tousse fréquemment et qu'il a des sécrétions abondantes et épaisses dont il ne parvient pas à se libérer).
- Évaluation des hypothèses en comparant les caractéristiques observées chez la personne avec celles qui sont décrites dans les ouvrages de référence.
- Choix de l'hypothèse la plus plausible (ex.: 1re hypothèse).
  - Validation auprès de sources fiables (malade, famille, équipe de soins). Le malade confirme le diagnostic.
  - Formulation finale du diagnostic infirmier selon la terminologie acceptée (ANADI), soit: «Dégagement inefficace des voies respiratoires R/A…»

Nous voyons ci-dessus le processus de la pensée dans l'élaboration d'un diagnostic infirmier. Le regroupement des données constitue une étape majeure de ce processus. On croit parfois que le diagnostic infirmier repose sur une donnée importante, mais en réalité il est suggéré par la réunion de plusieurs informations. Par exemple, la douleur est mise en évidence par le faciès tendu de la personne, ses plaintes, ses gestes pour toucher et masser la partie douloureuse, la transpiration, l'accélération des signes vitaux, etc. C'est le regroupement de ces signes et de ces symptômes qui permet de reconnaître la zone où se situe un problème.

Toutefois, la collecte des données conduit généralement à quelques diagnostics. Il est primordial de les limiter, car la démarche de soins deviendrait trop lourde et difficilement applicable.

Aussi, après avoir dressé la liste des diagnostics, il faut la réviser et procéder à un premier élagage.

Après avoir posé les diagnostics infirmiers, il faut s'interroger:

- Sont-ils tous nécessaires?
- Faut-il les conserver tous?
- Certaines difficultés ne pourraient-elles pas être résolues par des actions simples, proposées dans les activités de la vie quotidienne?
- Certains problèmes ne constituent-ils pas des causes pour d'autres diagnostics infirmiers?
- Serait-il possible de regrouper certains problèmes ou certaines causes?

Ce questionnement permet d'éliminer les diagnostics superflus qui entraîneraient une démarche longue et fastidieuse. Un plan de soins qui comporte un trop grand nombre de diagnostics infirmiers est presque impossible à appliquer dans le contexte actuel des soins.

Ces interrogations constituent en somme une analyse fonctionnelle des hypothèses retenues afin d'en éprouver la solidité et de les épurer au besoin. Les exemples qui suivent traduisent cette opération.

Mise en situation

M. Heinz est hospitalisé pour des problèmes rénaux. Certains diagnostics infirmiers ont été posés:

- Anxiété R/A une modification importante de ses perspectives de vie.

- Excès de volume liquidien (œdème) R/A un manque de connaissance de la gestion liquidienne nécessaire à son état.

- Déficit nutritionnel R/A des habitudes alimentaires inappropriées.

- Stratégie d'adaptation individuelle inefficace R/A une non-acceptation des changements qu'entraîne sa maladie.

Analyse

Les diagnostics «anxiété» et «stratégies d'adaptation individuelle inefficaces» sont différents, mais ils se rapprochent par certains côtés: la personne peut éprouver de la difficulté à s'adapter en raison de son niveau d'anxiété. De plus, leurs causes sont voisines. Sont-ils tous les deux nécessaires? Avons-nous suffisamment de données pour en juger? Faut-il aller chercher de l'information supplémentaire qui permettra de mieux les discriminer et de porter un jugement?

Mise en situation

Martine est hospitalisée pour un problème intestinal. Les diagnostics suivants sont inscrits sur son plan de soins:

- Constipation R/A un régime pauvre en fibres.
- Déficit nutritionnel R/A un régime pauvre en fibres.

Analyse

Ces deux diagnostics sont-ils vraiment nécessaires? En réglant le déficit en fibres, le problème de constipation ne sera-t-il pas résolu? Le premier diagnostic constitue en réalité la cause du second. Sans le supprimer, il vaudrait mieux le traiter comme étiologie et il deviendrait alors possible d'intervenir à la fois sur le problème et sur la cause. Par conséquent, dans ce cas, il faut retenir le second diagnostic.

Mise en situation

Pierre est un jeune quadriplégique qui fume beaucoup et qui éprouve de la difficulté à accepter son état. L'infirmière a posé les diagnostics suivants:

- Risque élevé de dégagement inefficace des voies respiratoires R/A l'immobilité, au tabagisme.

- Incapacité de manger seul R/A des limites de la mobilité.

- Incapacité de voir à ses soins d'hygiène R/A des limites de la mobilité.

- Incapacité de se rendre aux toilettes seul R/A des limites de la mobilité.

- Anxiété R/A la non-acceptation de sa dépendance.

Analyse

L'incapacité de manger, de se rendre aux toilettes et de voir seul à ses soins d'hygiène pourrait être traitée dans les activités de la vie quotidienne puisque la condition de Pierre, à ces points de vue, a peu de chances de s'améliorer et que, dans ce cas, on ne peut appliquer que des interventions de maintien. Cela permettrait de supprimer trois diagnostics infirmiers non essentiels dans cette situation et de mettre l'accent sur les autres, soit le «Risque élevé de dégagement inefficace des voies respiratoires R/A l'immobilité, au tabagisme» et l'«Anxiété R/A la non–acceptation de sa dépendance».

Mise en situation

M. Smith est hospitalisé à la suite d'un accident et il souffre de traumatismes multiples. Certains diagnostics ont été posés:

- Incapacité partielle de manger seul R/A la douleur.
- Incapacité partielle de se laver R/A la douleur.
- Anxiété R/A la non-acceptation de ses limites.

Analyse

Les deux diagnostics d'incapacité peuvent être réunis dans une seule formulation, « Incapacité partielle de manger, de se laver seul R/A la douleur», mais les objectifs seront différents ainsi que les interventions et l'évaluation. On peut chercher à simplifier, mais il faut conserver la logique du processus. À moins de vouloir mettre un accent particulier sur l'un des deux diagnostics, on peut les réunir. Toutefois, il n'existe pas de règle universelle; tout est lié à la situation et au jugement de l'infirmière. Nous expliquerons d'autres cas de diagnostics réunis un peu plus loin.

Les sources de validation

Le terme «validation» revient souvent dans ce texte. Il est important de le clarifier. Dans le diagnostic infirmier, ce mot touche deux aspects différents de la vérification. Le premier consiste à comparer des signes et des symptômes observés chez la personne avec ceux qui sont définis dans les ouvrages de référence pour confirmer une hypothèse de diagnostic infirmier. Ce procédé permet de vérifier si l'identification du problème et de la cause est exacte. Il permet aussi d'éliminer les hypothèses non conformes et confère au diagnostic infirmier une plus grande précision. Cette première vérification précède le choix de l'hypothèse.

Au début, lorsque l'infirmière n'est pas encore familière avec les diagnostics infirmiers, elle doit nécessairement recourir à des auteurs reconnus pour énoncer des hypothèses et les vérifier. Avec le temps, elle parviendra à reconnaître les caractéristiques des différents diagnostics et il lui suffira alors de réfléchir pour identifier l'hypothèse la plus plausible.

Les volumes utilisés peuvent traiter différents sujets: les diagnostics infirmiers pour mieux en saisir les définitions ou en connaître les caractéristiques; les pathologies, la psychologie, la sociologie afin de mieux comprendre ce que vit la personne et pouvoir ainsi élaborer des hypothèses appropriées.

Le deuxième aspect de la vérification vient après le choix de l'hypothèse et nécessite un processus distinct. L'infirmière peut percevoir une difficulté chez un malade et l'identifier correctement, mais de façon théorique seulement. Pour valider son hypothèse, elle doit la vérifier auprès de la personne malade, de sa famille ou d'un membre de l'équipe de soins. Elle pourra ainsi s'assurer que ses observations et ses interprétations sont conformes à la réalité. C'est ce que l'on entend généralement par «validation». Le dictionnaire *Robert* définit la validation comme «le fait de valider son résultat». Quant au terme «valider», il signifie «entériner, homologuer, ratifier son résultat». C'est bien ce qui se produit à cette étape où une hypothèse retenue et vérifiée est entérinée et rendue valide par des personnes fiables, soit le malade lui–même, sa famille ou l'équipe de soins.

Les sources de validation d'un diagnostic infirmier sont donc:

- la personne soignée;
- sa famille;
- les pairs et l'équipe de soins;
- les ouvrages de référence.

Mises en situation

Vous avez formulé pour une personne l'hypothèse de «Perturbation des habitudes de sommeil R/A la peur de l'intervention chirurgicale à venir». Vous l'avez vérifiée avec un ouvrage de référence et retenue parmi d'autres hypothèses. Vous désirez maintenant la valider auprès du malade. Vous pouvez le faire en lui disant, par exemple: «Je remarque que vous êtes très préoccupé par votre intervention. Est-ce que je me trompe? Croyez-vous que c'est ce qui nuit à votre sommeil?» Si les réponses sont affirmatives, vous pourrez considérer que votre diagnostic infirmier est validé.

Prenons l'exemple d'une enfant pour qui vous avez formulé l'hypothèse de «Constipation R/A stress et à une hydratation insuffisante». Vous pouvez dire à la mère: «Je remarque que Lucie a des selles très dures et difficiles à passer. Est-ce que c'est souvent comme cela? Je trouve qu'elle est nerveuse et qu'elle ne boit pas assez. Qu'est-ce que vous en pensez?» Là encore, si la réponse de la mère confirme vos dires, le diagnostic est validé.

Dans certaines situations, ce sont d'autres membres de l'équipe qui peuvent le mieux valider les hypothèses retenues. Par exemple, vous prenez soin de Sylvie, une jeune malade psychiatrique. Après l'avoir observée, vous formulez l'hypothèse «Haut risque de mutilation R/A l'anxiété et aux troubles de la pensée». Ni la personne ni la famille ne peuvent valider votre hypothèse. Vous vous tournez alors vers une compagne qui s'est déjà occupée de Sylvie et qui affirme avoir remarqué que, lorsque Sylvie devient anxieuse, elle a tendance à se mordre et à se frapper. Cette déclaration peut valider votre hypothèse de diagnostic infirmier.

Lorsqu'on ne peut recourir au malade ou à sa famille pour valider une hypothèse, il faut se tourner vers d'autres personnes.

Par exemple, vous vous occupez d'un traumatisé admis il y a quatre jours pour une fracture. Il est en traction. Il est âgé de 70 ans; sa peau est sèche et fragile, et il boit peu. Vous formulez l'hypothèse suivante: «Haut risque d'atteinte à l'intégrité des tissus R/A une limite de la mobilité et à une hydratation inadéquate». Cette personne ne peut guère vous aider. Vous expliquez alors la situation à votre supérieure immédiate qui connaît bien les diagnostics infirmiers et vous lui demandez son avis sur l'hypothèse que vous avez formulée. C'est une autre forme de validation.

Les livres de référence peuvent aussi servir à valider une hypothèse.

Par exemple, vous prenez soin d'une personne victime d'un accident cérébro-vasculaire. Elle commence à s'alimenter, mais avec de l'aide. Vous remarquez que, lors des repas, elle porte peu d'attention à ce qui se passe; elle s'étouffe souvent et, à ce moment, elle devient angoissée. Vous formulez l'hypothèse «Risque élevé d'aspiration (fausse route) R/A un déficit d'attention et à une baisse des réflexes pharyngés». C'est la première fois que vous vous occupez de ce genre de malade et autour de vous personne ne peut vous aider. Vous consultez donc un livre sur les pathologies. Vous y lisez qu'en effet ces personnes ont tendance à s'étouffer pour les raisons déjà mentionnées et qu'elles sont à risque d'aspiration (introduction d'aliments et de liquides dans les voies respiratoires), condition qui peut être très sérieuse et qui demande une surveillance et une aide particulière au moment des repas. Votre hypothèse est ainsi validée.

Réunion de plusieurs problèmes ou de plusieurs causes dans un même diagnostic

On peut parfois regrouper des problèmes qui présentent la même étiologie. M. E. Doenges, M. C. Townsend et M. F. Moorhouse (1995, p. 19) suggèrent cette possibilité. Elles citent l'exemple des diagnostics suivants: «Perturbation de l'image et de l'estime de soi R/A ...», où dans certaines situations ces deux concepts sont si intimement liés qu'il est opportun de les réunir. Nous avons déjà formulé dans un même énoncé des problèmes liés à la douleur: «Incapacité partielle de manger, de se laver et de voir à ses soins d'hygiène R/A la douleur». Comme la cause est la même, nous pouvons regrouper les problèmes pour éviter les répétitions et, qui sait, peut-être gagner du temps. Ces regroupements ont toujours pour but de rendre le diagnostic infirmier fonctionnel. Il faut toutefois rappeler que chaque diagnostic aura des objectifs différents, des interventions et une évaluation différentes.

PROBLÈMES RÉUNIS

```
                    ┌─────────────────────────┐
                    │  Incapacité partielle   │
                    └─────────────────────────┘
┌──────────────┐    ┌─────────────────────────┐    ┌──────────────────────────────┐
│ de se laver  │    │       de manger         │    │ de voir à ses soins d'hygiène │
└──────────────┘    └─────────────────────────┘    └──────────────────────────────┘
                    ┌─────────────────────────┐
                    │     R/A la douleur      │
                    └─────────────────────────┘
```

Il arrive fréquemment qu'on puisse regrouper plusieurs causes pour un même problème. D'autres auteures dont Patricia Iyer *et al.* (1986, p. 105) partagent cet avis quand elles écrivent: «Excès nutritionnel R/A habitudes alimentaires déficientes et à la solitude»; «Difficulté à se maintenir en santé R/A tabagisme, à un régime riche en gras et en sucre, à un manque d'exercice et de connaissances de sa médication». La formulation de plusieurs causes pour un même diagnostic infirmier est intéressante et permet de traiter la situation de façon plus globale, reflétant bien l'étiologie multifactorielle de la plupart des problèmes humains. Cependant, pour éviter toute confusion, il ne faut pas multiplier les causes. N'oublions pas qu'il faut prévoir une intervention pour chaque cause.

CAUSES RÉUNIES

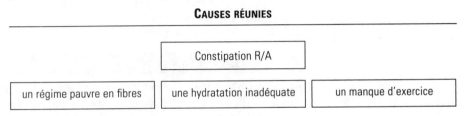

```
                    ┌─────────────────────────┐
                    │    Constipation R/A     │
                    └─────────────────────────┘
┌───────────────────────────┐ ┌──────────────────────────┐ ┌───────────────────────┐
│ un régime pauvre en fibres│ │ une hydratation inadéquate│ │ un manque d'exercice  │
└───────────────────────────┘ └──────────────────────────┘ └───────────────────────┘
```

Un problème peut-il devenir la cause d'un autre problème?

Dans un exemple précédent, nous avons vu qu'un problème, par une espèce de croisement, peut devenir la cause d'un autre diagnostic. En effet, un terme généralement utilisé pour décrire un problème peut être employé pour décrire aussi sa cause, car un problème peut parfois devenir la cause d'un autre problème. Dans l'exemple ci-dessus, un déficit nutritionnel (en fibres) peut être une cause de difficulté d'élimination. La douleur est aussi un diagnostic infirmier souvent traité comme une cause (exemple: «Altération de la mobilité physique R/A la douleur»). Pourquoi faudrait-il chercher un synonyme pour remplacer le mot douleur? Même si, dans la liste de l'ANADI, la douleur fait partie du vocabulaire qui désigne un problème, rien n'empêche de l'utiliser pour désigner une cause.

Certains auteurs prétendent que les termes généralement utilisés pour décrire un problème ne doivent pas servir à indiquer une cause. Nous croyons au contraire qu'il est important de laisser les infirmières exprimer les causes comme elles l'entendent, y compris par certains termes décrivant le problème. Il faut éviter de créer des règles inutiles. L'utilisation des termes d'un problème pour désigner les causes ne pose aucune difficulté: elle permet simplement une expression juste et concise.

Katrine Fortinash et Patricia Holoday-Worret (1995, p. 6) partagent cet avis. Elles écrivent: «Des diagnostics infirmiers peuvent être utilisés de façon appropriée comme étiologies d'autres diagnostics. Les énoncés suivants en sont des exemples:

- Anxiété R/A un sentiment d'impuissance.
- Perturbation des interactions sociales R/A une altération de l'estime de soi.

Cause inconnue ou sur laquelle l'infirmière ne peut agir dans le cadre de ses fonctions autonomes

Nous avons vu que le diagnostic infirmier se situe dans une approche étiologique, c'est-à-dire qu'il exprime la cause en fonction de laquelle s'organisent les interventions. Ainsi, devant la difficulté d'une personne, l'infirmière pose un diagnostic (problème et étiologie) et organise l'action afin d'agir sur la cause en vue de l'éliminer ou d'en diminuer les effets et, partant, d'éliminer ou d'atténuer le problème.

Mais que se passe-t-il lorsque la cause est inconnue ou lorsqu'elle ne relève pas de la compétence de l'infirmière? Dans ce cas, au lieu de chercher en vain une étiologie ou d'indiquer comme cause la pathologie dont souffre la personne et sur laquelle l'infirmière ne peut agir de façon autonome, il vaut mieux ne pas indiquer de cause. Ce type de jugement clinique sans mention de cause s'appelle un «problème infirmier». Voici une définition du problème infirmier:

Le problème infirmier

Le problème infirmier, tout comme le diagnostic infirmier, est un jugement clinique qui décrit la réponse d'une personne à une expérience du cycle de la vie (événement existentiel ou maturationnel) ou à un problème présent ou potentiel sur le plan de la santé physique ou mentale, ou de l'adaptation sociale dont la cause ne relève pas du domaine infirmier et qui est énoncé comme un problème seulement (Phaneuf et Grondin, 1994, p. 6).

L'approche multivariée ou la possibilité de travailler sur le problème et sur la cause

Au début, l'approche du diagnostic infirmier était uniquement étiologique et l'action qui en découlait était alors orientée vers la cause seulement. Emmy Miller (1989, p. 39) écrit que «l'importance de la cause ou de l'approche étiologique repose sur le fait qu'elle concourt à faire du diagnostic infirmier un énoncé précis et qu'elle peut orienter les interventions de l'infirmière». C'est vrai, mais, à l'usage, les infirmières ont vite découvert qu'il était souvent difficile d'agir sur la cause sans agir sur le problème. Ainsi, dans le cas d'une «Atteinte à l'intégrité de la peau R/A l'immobilité», il est certes important de planifier des interventions pour rétablir la mobilité, mais peut-on omettre les interventions au niveau même des tissus? Bien sûr que non!

Comme le problème et la cause mis en lumière par le diagnostic infirmier sont énoncés à la suite d'un processus sérieux d'observation et de traitement de l'information, il apparaît logique de leur accorder une égale attention. Il faut comprendre que le diagnostic infirmier est à la fois descriptif et prescriptif et qu'il est fréquent de devoir traiter à la fois le problème et sa cause dans une approche non plus uniquement étiologique, mais multivariée. Cette dernière offre les mêmes possibilités que l'approche étiologique, mais en les multipliant, puisque selon la situation l'infirmière peut agir soit exclusivement sur la cause, soit à la fois sur le problème et sur la cause, soit encore sur le problème seulement lorsque la cause dépasse le cadre de ses fonctions autonomes. Elle confère à la démarche de la soignante une souplesse et une efficacité très grandes, de plus en plus acceptées dans les différents milieux.

En somme, l'approche multivariée offre la possibilité d'agir sur:

- le problème seulement;
- la cause seulement;
- le problème et la cause.

Quelques précisions sur la cause

L'orientation étiologique du diagnostic infirmier demeure très marquée. Il est vrai que l'action sur la cause du problème offre de nombreuses possibilités d'intervention. Il faut rappeler que nous agissons sur la cause afin de l'éliminer ou à tout le moins d'en diminuer l'importance, les inconvénients et les séquelles, ce qui nous laisse un champ d'action très important. Dans le cas de la douleur, par exemple, en dehors de l'administration de l'analgésique, même si notre action n'élimine pas nécessairement les sensations douloureuses, elle apporte un soutien psychologique et un confort physique qui permettent à la personne de mieux faire face à sa situation et qui la placent dans des conditions favorisant l'action de la médication.

Quelques difficultés à surmonter dans l'élaboration du diagnostic infirmier

La soignante qui pose un diagnostic infirmier doit affronter de nombreuses difficultés. Voici quelques erreurs à éviter:

- Élaborer une hypothèse qui repose sur des perceptions floues. Ex.: l'infirmière a l'impression que la personne est triste. Les perceptions vagues peuvent orienter la pensée, mais elles ne suffisent pas à poser un diagnostic infirmier.
- Formuler une hypothèse à partir de peu de données. Ex.: données observées chez une personne en deuil: pleurs, tristesse qui conduisent au diagnostic «Deuil dysfonctionnel R/A la perte d'un être cher». Ces seules données sont insuffisantes pour poser un diagnostic infirmier.
- Considérer la maladie ou l'intervention chirurgicale comme la cause sans chercher ce que cette maladie provoque chez la personne. Ex.: une personne souffrant de la maladie d'Alzheimer est très anxieuse, particulièrement lorsqu'elle sort de sa chambre. L'infirmière pose le diagnostic «Anxiété R/A l'Alzheimer». C'est un diagnostic inapproprié. Il est vrai que les personnes souffrant de cette maladie sont anxieuses, mais l'infirmière ne peut intervenir sur cette pathologie; elle doit plutôt chercher à agir en fonction de la difficulté à s'orienter.
- Formuler une cause vague pour répondre à l'obligation de nommer une étiologie. Ex.: «Dégagement inefficace des voies respiratoires R/A son problème de santé». Cette cause ne dit rien et elle n'oriente pas vraiment les interventions. S'il est trop difficile d'identifier la cause, il vaut mieux s'en tenir au problème et éviter les «acrobaties intellectuelles».

Les différences entre le diagnostic infirmier et le diagnostic médical

Il est important de bien saisir les différences entre le diagnostic infirmier et le diagnostic médical. Les processus intellectuels qui permettent de les poser sont les mêmes: l'observation, le raisonnement inductif, l'hypothèse et la déduction. Cependant, les bases sur lesquelles se fondent ces raisonnements sont différentes et les buts ne sont pas les mêmes.

Le diagnostic médical fonde son raisonnement sur les manifestations d'une pathologie éventuelle afin de l'identifier de façon précise pour appliquer un traitement adéquat. Le diagnostic infirmier conduit plutôt la soignante à se demander comment cette pathologie modifie l'alimentation du malade, son sommeil ou son image de lui-même afin de planifier des soins appropriés. Prenons l'exemple d'une personne qui présente des troubles digestifs manifestés par la douleur et des vomissements où se mêle du sang. Le processus diagnostique médical amènera le médecin à identifier un ulcère gastroduodénal, alors que celui de l'infirmière l'incitera plutôt à chercher ce que ce problème de santé provoque chez la personne, soit l'anxiété, les troubles du sommeil et la douleur.

Le diagnostic infirmier est aussi plus global. Il ne touche pas uniquement des éléments liés à la pathologie elle-même; il amène l'infirmière à élargir son champ d'observation et à s'intéresser, par exemple, à la façon dont la personne gère son programme thérapeutique, à ses loisirs, à la présence d'une difficulté aux points de vue de l'estime d'elle-même ou de son adaptation à la dynamique familiale et à sa capacité d'assumer ses rôles. En somme, la différence fondamentale entre la médecine et les soins infirmiers se résume ainsi: la médecine vise globalement à traiter la maladie et les soins infirmiers visent à aider la personne à vivre.

De plus, le diagnostic infirmier, contrairement au diagnostic médical, change continuellement. Il se modifie au fur et à mesure de l'évolution de la maladie. Ainsi, dans le cas d'une personne qui subit une intervention chirurgicale à l'intestin, l'infirmière pourrait d'abord poser les diagnostics suivants:

«Douleur R/A...», «Constipation R/A...», «Dégagement inefficace des voies respiratoires et anxiété R/A...».

Au fur et à mesure que l'état du malade évolue, les diagnostics infirmiers changent. Après quelque temps l'infirmière pourrait poser les diagnostics suivants:

«Faiblesse R/A...» et «Manque de connaissances de son régime et de la poursuite de son traitement».

Au cours d'un épisode de maladie, il arrive que certains diagnostics demeurent inchangés parce qu'il n'y a eu aucune modification chez le malade. Les diagnostics infirmiers sont essentiellement descriptifs de l'état de la personne et doivent en être le reflet fidèle. Les différences entre les types de jugements cliniques qui président au diagnostic infirmier et au diagnostic médical sont résumées au tableau 7.7.

Tableau 7.7 Différences entre le diagnostic infirmier et le diagnostic médical

DIAGNOSTIC INFIRMIER	**DIAGNOSTIC MÉDICAL**
• Le diagnostic infirmier est centré sur la personne. • Il vise la réaction de la personne non seulement face à un problème de santé, mais aussi face à une difficulté existentielle ou maturationnelle. • Il expose un problème et une cause (dans sa forme classique). • Il peut tenir compte non seulement de problèmes actuels, mais aussi de problèmes potentiels en vue de les prévenir. • Il change avec l'évolution de la situation. • Il conduit l'infirmière à des actions autonomes. • Il fait partie d'une classification reconnue depuis 1973 seulement. Celle-ci se précise et devient de plus en plus internationale.	• Le diagnostic médical est essentiellement centré sur la pathologie. • Il vise l'identification des signes et des symptômes afin de cerner le problème de santé de la personne. • Il s'exprime par l'appellation de la pathologie (ex.: pneumonie). Il mentionne rarement la cause (ex.: pneumonie virale). • Il ne concerne généralement que des problèmes existants. • Il demeure à peu près inchangé tout au long de la maladie, parfois même tout au long d'une vie (ex.: le diabète). • Il conduit l'infirmière à des actions prescrites (de collaboration). • Il est homologué dans une classification qui évolue depuis plus de cent ans et qui est devenue internationale.

Utilisation de termes inappropriés: diagnostic médical, situation ou événements sur lesquels l'infirmière ne peut agir

Comme le diagnostic infirmier se distingue du diagnostic médical, il ne devrait comporter aucun terme décrivant une pathologie ni aucun terme médical. Les termes utilisés pour décrire le problème ou la cause doivent être du domaine infirmier.

Le diagnostic infirmier identifie un point où il faut intervenir; si cette cible relève du domaine médical, la situation est bloquée puisqu'elle n'est plus du ressort de l'infirmière. Par exemple, un diagnostic infirmier tel que «Excès du volume liquidien R/A une infection rénale» identifie une cause qui ne relève pas des fonctions autonomes de l'infirmière.

Sans ignorer complètement l'infection rénale, il faut plutôt s'interroger sur les raisons de l'œdème, les habitudes d'hydratation, le manque de connaissances et la difficulté à gérer sa limite liquidienne. Ces éléments sont davantage liés au rôle autonome de l'infirmière.

Le diagnostic médical ne doit être mentionné ni dans le problème ni dans la cause du diagnostic infirmier, même pas de façon sous-entendue. Ainsi, le diagnostic suivant, chez une personne qui souffre d'hypertension, «Anxiété R/A des changements de la pression artérielle» n'est qu'une paraphrase du diagnostic médical qu'il faut éviter.

Les termes utilisés pour décrire la cause ne doivent pas se confondre avec ceux qui décrivent des événements ou des situations sur lesquelles l'infirmière ne peut intervenir, par exemple «Perturbation de l'estime de soi R/A la stomie». Dans ce cas, l'infirmière ne peut rien changer à la stomie, mais elle peut agir sur l'acceptation de la personne ou son adaptation à cette situation. Voici un autre exemple: «Excès nutritionnel R/A la grossesse»; il vaudrait mieux utiliser les termes suivants: «Excès nutritionnel R/A un manque de connaissances du régime prénatal». Lorsque les termes sont inappropriés, il faut tout simplement pousser l'analyse un peu plus loin et se demander sur quoi l'on peut agir.

La participation de la personne soignée au processus diagnostique

La participation de la personne soignée est un autre élément important du diagnostic infirmier. On admet depuis longtemps que la démarche de soins doit se faire en collaboration avec les principaux intéressés, c'est-à-dire le client et sa famille. Il en va de même pour le diagnostic infirmier qui fait partie intégrante de la démarche de soins.

On peut établir des hypothèses de diagnostics infirmiers fort intéressantes, mais elles deviennent pertinentes seulement si la personne soignée les confirme. Cette précaution permet d'éviter des erreurs et des efforts inutiles, mais elle est surtout un gage de considération pour la principale intéressée, c'est-à-dire la personne soignée elle-même. Cette consultation devient un élément de motivation pour l'amener à collaborer à ses soins. Elle n'est plus un objet de soins, mais un sujet agissant; de patiente passive, elle se transforme en participante active.

La validation auprès de la personne empêche que le diagnostic infirmier devienne simplement une étiquette que l'on «accole» automatiquement. À cet égard, D. L. Carnevali et M. D. Thomas (1993, p. 3) précisent que le diagnostic infirmier est une abstraction, une représentation de la réalité du malade et de sa famille en réponse à une situation et elles ajoutent que si les infirmières n'y prennent garde, il peut devenir une fausse interprétation de la réalité. C'est pourquoi il faut valider le diagnostic infirmier auprès de la personne lorsque son état le permet.

On peut aussi craindre que l'interprétation des données soit influencée par les propres valeurs de l'infirmière et ses perceptions, ce qui orienterait ses interventions vers un problème qui n'existe pas ou qui est différent. Voilà une autre raison de valider le diagnostic infirmier auprès de la personne soignée.

Poser un diagnostic infirmier n'est pas chose facile et sa formulation, contrairement à celle du diagnostic médical, change souvent, ajoutant encore à sa complexité. L'état d'une personne est un phénomène dynamique en perpétuel mouvement. Comme le diagnostic infirmier se fonde sur la réponse de la personne, il s'inscrit dans la même mouvance et l'infirmière doit souvent le réviser et consulter la personne soignée pour le valider.

L'encadré suivant résume les avantages de la participation de la personne soignée aux diverses étapes du diagnostic infirmier.

Avantages de la participation de la personne

Elle permet:
- de respecter la personne dans sa capacité de participer aux décisions qui la concernent;
- de la motiver à collaborer à ses soins;
- de la transformer d'objet de soins en sujet capable d'agir, de la faire passer de personne passive à participante active;
- d'éviter l'étiquetage artificiel d'un problème;
- d'enrayer les fausses interprétations de la réalité du malade;
- d'éviter de juger d'un problème à partir des propres valeurs de l'infirmière et de ses perceptions;
- de diminuer les risques d'erreurs et les efforts inutiles.

Les facteurs qui influencent le processus diagnostique

Plusieurs facteurs viennent influencer le processus diagnostique. Certains sont liés à la personne qui pose le diagnostic, d'autres sont extérieurs.

Les facteurs inhérents à la personne qui pose le diagnostic

Les facteurs liés à la personne qui pose le diagnostic touchent ses habiletés perceptuelles, conceptuelles et relationnelles.

La capacité d'observation Nous avons vu l'importance de l'observation dans la collecte des données. Toutefois, la capacité d'attention et de concentration diffère d'une personne à l'autre, et la précision du diagnostic infirmier dépend de la rigueur de la personne qui le pose. Aussi faut-il développer chez l'étudiante ou chez l'infirmière des habiletés qui l'amèneront à porter attention aux diverses dimensions d'une situation et qui aiguiseront sa perspicacité.

Les habiletés conceptuelles Ces habiletés touchent la mémoire, l'organisation logique des données, les raisonnements inductifs et déductifs. Le raisonnement inductif se fait à partir d'éléments spécifiques, particuliers à une personne, et aboutit à une conclusion. Exemple: Mme Weis est hospitalisée à la suite d'un accident cérébral. Selon un raisonnement inductif, l'infirmière tient compte de l'âge de la personne, de la condition de sa peau et de son alitement pour formuler l'hypothèse «Haut risque d'atteinte à l'intégrité de la peau».

Le raisonnement déductif suit un cheminement inverse. Exemple: Sylvie est infirmière dans une unité de soins pour personnes âgées. Elle sait que la plupart des gens invalides et vieillissants souffrent d'une perturbation de l'image et de l'estime de soi. Elle est à l'affût des signes et des symptômes qui lui permettraient de poser un diagnostic infirmier du type «Perturbation de l'image et de l'estime de soi R/A la non-acceptation des changements dus au vieillissement». L'élaboration du diagnostic infirmier fait particulièrment appel au jugement. C'est sur lui que se fondent le jugement clinique et l'évaluation des hypothèses.

L'ouverture à l'expérience de l'autre Il ne suffit pas d'observer: il faut aussi répondre aux stimuli de l'observation, être sensible aux sentiments qu'éprouve la personne soignée sans porter de jugement hâtif ou stéréotypé sur les données observées. L'infirmière doit se laisser guider par l'expérience de l'autre et orienter sa pensée vers des hypothèses qui collent à la réalité de la personne.

La mémoire Avant de poser un diagnostic infirmier, la soignante doit d'abord emmagasiner l'information dans sa mémoire. Pour poser un jugement clinique, elle doit ensuite comparer cette information avec ses connaissances afin de déceler les écarts par rapport à la normale, c'est-à-dire les problèmes. Les connaissances nécessaires à ce processus s'acquièrent par la formation et l'expérience.

L'expérience dans le domaine infirmier L'expérience professionnelle sous-tend le raisonnement diagnostique. En effet, l'expérience de l'infirmière influence grandement son approche (Carnevali et Thomas, 1993, p. 145).

L'infirmière qui travaille dans un champ disciplinaire précis, en cardiologie, par exemple, arrive facilement et rapidement à poser des diagnostics appropriés pour ce type de clientèle. Ainsi, si un malade présente des douleurs rétrosternales la nuit, le médecin posera le diagnostic «Angine de repos» et la soignante, «Altération des habitudes de sommeil R/A douleur».

Bien sûr, une condition qui revient fréquemment augmente la rapidité du diagnostic, mais il faut demeurer vigilante et se méfier de l'interprétation stéréotypée. L'infirmière qui travaille dans un service d'oncologie ou de traumatologie, par exemple, développe des schèmes d'analyse et d'interprétation liés aux pathologies traitées dans ces unités de soins, mais elle risque d'oublier les caractéristiques particulières de chacune des personnes dont elle s'occupe.

L'expérience du processus diagnostique Une certaine connaissance du langage, c'est-à-dire la taxinomie utilisée pour poser les diagnostics et une certaine maîtrise du processus de raisonnement diagnostique sont des atouts de taille. Ces avantages tiennent à la formation bien sûr, mais aussi à l'usage fréquent du diagnostic infirmier. Comme dit le proverbe: «C'est en forgeant qu'on devient forgeron.»

La conception de son rôle autonome et de son rôle de colla-boration L'importance que l'infirmière attache à son rôle autonome et sa manière d'intégrer son rôle de collaboration influencent la place qu'elle accorde au diagnostic infirmier et à la planification des soins. Sa propre perception de son rôle influence sa capacité de devenir ce que D. L. Carnevali et M. D. Thomas appellent une «diagnosticienne» (1993, p. 149).

Ses habiletés relationnelles L'habileté de l'infirmière à communiquer avec la personne, à créer un climat favorable et à recueillir l'information dont elle a besoin représente un atout majeur dans le processus diagnostique. Cette habileté influence aussi la validation du diagnostic infirmier auprès de la personne.

Les facteurs extérieurs

La complexité de la situation On peut penser que plus la situation est complexe, plus l'infirmière éprouve de la difficulté à s'y retrouver: c'est vrai, certaines situations lourdes sont difficiles à traiter! Cependant, certaines difficultés peuvent aussi survenir dans des situations simples en apparence, mais où les signes et les symptômes sont peu évidents. La personne qui souffre de solitude ou d'un sentiment d'impuissance, par exemple, peut très bien ne pas révéler ce sentiment clairement et parfois même le cacher ou le déguiser.

Le temps dont dispose l'infirmière Le manque de temps sert parfois de prétexte pour omettre des actes professionnels importants comme la planification des soins ou la relation d'aide. Il faut évidemment tenir compte de la lourdeur de la tâche des infirmières et des exigences du diagnostic infirmier, mais il faut se rappeler qu'une partie du processus du diagnostic infirmier peut s'appliquer tout en prodiguant des soins, notamment l'observation, la collecte des données et l'orientation de la pensée. L'infirmière doit ensuite consigner les données recueillies et les analyser, mais le processus de jugement clinique se passe beaucoup plus dans la tête qu'au bout du crayon. Avec un peu d'entraînement et une rationalisation de son mode de fonctionnement, l'infirmière peut arriver à poser des diagnostics infirmiers sans y consacrer un temps fou.

Les exigences du milieu de soins Les exigences imposées dans les milieux de soins incitent vivement à utiliser le diagnostic infirmier. Certains endroits appliquent une règle formelle: le plan de soins doit être établi entre 8 heures et 24 heures après l'hospitalisation (ou la première visite à domicile). Ces règlements internes sont souvent un gage de la qualité des soins.

L'adéquation des hypothèses et des diagnostics infirmiers

La formulation d'une hypothèse ou d'un diagnostic infirmier doit répondre à certains critères de qualité tant pour les bases du raisonnement que pour le libellé. Pour en juger, l'infirmière peut se poser les questions suivantes:

- Le diagnostic infirmier repose-t-il sur des données suffisantes et objectivables? (Miller, 1989, p. 53)

- Énonce-t-il un problème réel et important pour la personne?
- Le problème qui sous-tend le diagnostic peut-il être traité autrement que par l'élaboration d'un diagnostic infirmier (activités de la vie quotidienne, protocole de soins)?
- Le problème et sa cause peuvent-ils réellement être améliorés par l'intervention de l'infirmière dans le cadre de ses fonctions autonomes? (Ziegler, 1986, dans Sylvain, 1994, p. 72)
- Les diagnostics infirmiers posés tiennent-ils compte du problème de santé? Ainsi, dans le cas d'une personne hospitalisée pour un problème respiratoire ou psychiatrique, il serait normal d'en présenter le reflet dans le diagnostic infirmier. (Fortinash et Holoday-Worret, 1995, p. 6)
- Le problème et la cause traitent-ils une réaction actuelle ou potentielle de la personne face à son problème de santé plutôt qu'un aspect purement médical de la situation?
- Le problème et sa cause ont-ils été validés auprès de sources sûres: personne soignée, famille et proches, infirmière d'expérience, équipe de soins, livres de référence?
- L'ordre problème-cause est-il respecté dans l'énoncé?
- Le problème et la cause sont-ils reliés par la particule R/A?
- Le diagnostic infirmier est-il explicite et suffisamment concis et précis pour fournir des indications claires en vue de la planification des soins?
- Le problème est-il exposé selon une taxinomie acceptée?

Le devenir d'une hypothèse de diagnostic infirmier

Il se peut qu'en analysant une situation l'infirmière conclue qu'il n'est pas nécessaire de poser un diagnostic infirmier parce que les difficultés peuvent être surmontées par d'autres moyens, particulièrement les activités de la vie quotidienne. Mais, la plupart du temps, le diagnostic infirmier s'impose. Dans les situations les plus courantes, après avoir franchi les différentes étapes du processus diagnostique et avoir retenu plusieurs hypothèses, il reste à analyser ces hypothèses pour en éliminer certaines ou en modifier d'autres. Elles peuvent être trop nombreuses, pas assez précises, inadaptées ou impossibles à valider. Celles qui sont retenues deviennent des diagnostics infirmiers. Elles doivent alors être exprimées selon une taxinomie reconnue, en l'occurrence celle de l'ANADI, présentée un peu plus loin dans ce chapitre.

DEVENIR D'UNE HYPOTHÈSE

L'établissement des priorités

Nous avons déjà abordé les priorités au chapitre 2 traitant des besoins. Il est intéressant de conceptualiser le phénomène de variation pour établir les priorités des besoins à satisfaire. Toutefois, dans le cadre de la démarche de soins, il faut les établir en fonction du diagnostic infirmier.

Les diagnostics infirmiers identifient des difficultés plus ou moins importantes qu'il faut traiter en conséquence. L'infirmière dispose souvent d'un temps limité: elle doit donc savoir par quoi commencer et combien de temps consacrer à telle ou telle difficulté. C'est pourquoi elle doit établir des priorités. Elle pourra ainsi accorder plus d'attention aux difficultés qu'elle juge plus urgentes ou plus importantes.

Certains critères peuvent influencer le choix des priorités. L'infirmière doit d'abord accorder son attention à un diagnostic qui vise à préserver la vie et la sécurité de la personne. Elle doit ensuite s'occuper de celui qui révèle un problème entraînant une forte dépense d'énergie, puis de celui qui révèle un haut niveau de dépendance, etc. L'encadré suivant présente une échelle des priorités.

L'infirmière doit d'abord s'occuper d'un diagnostic dont le problème...

1. **Touche des besoins physiologiques essentiels et présente un risque pour la vie:**
   - il met l'équilibre homéostatique en danger, menace la vie de la personne; par exemple, un mode de respiration très inefficace, un déficit important du volume liquidien (déshydratation) ou une hypothermie sérieuse;

2. **Présente un risque pour la sécurité:**
   - il peut compromettre la sécurité de la personne ou celle des autres; par exemple, un risque de violence envers soi et envers les autres, un déficit sensoriel ou une altération de la pensée qui la met à risque d'accident;

3. **Entraîne la souffrance physique ou psychologique:**
   - il provoque une forte dépense d'énergie et une réaction psychologique importante; par exemple, la douleur, l'anxiété et la peur;

4. **Multiplie les dépendances et conduit au dysfonctionnement:**
   - il détermine un niveau important de dépendance qui se répercute sur les autres besoins; par exemple, une limite de la mobilité qui empêche la personne de manger et de boire seule, d'aller aux toilettes, de marcher et de se laver, de se vêtir seule;
   - il risque d'entraîner des séquelles indésirables; par exemple, le syndrome d'immobilité avec ses risques d'atteinte neuro–musculaire (ankylose, déformations), de malfonctionnement physiologique (respiratoire, intestinal, etc.), d'escarre;

5. **Altère le confort:**
   - il provoque des sensations désagréables; par exemple, les nausées, une atteinte à l'intégrité de la peau (rougeurs, prurit, etc.), la fatigue, le ballonnement, etc.;

6. **Entrave le fonctionnement affectif, cognitif ou social:**
   - il risque d'atteindre l'image de soi, le droit à l'information de la personne ou à celui de vivre selon ses croyances et ses valeurs, ou encore de l'empêcher de communiquer ou de se réaliser.

En résumé, l'infirmière doit d'abord s'occuper d'un diagnostic dont le problème

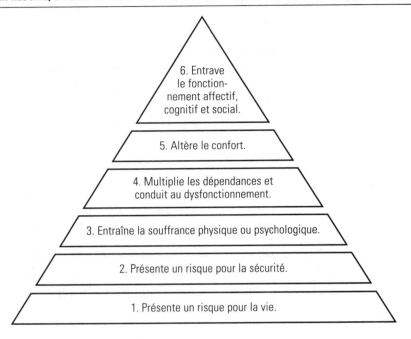

Cette pyramide n'est pas immuable et les échelons peuvent varier selon les situations. Une amélioration sur le plan physiologique ou une détérioration sur le plan affectif peuvent bouleverser cet agencement. Il peut aussi arriver que plusieurs problèmes importants se révèlent en même temps.

Il faut faire la distinction entre l'importance subjective, c'est-à-dire la valeur que la personne accorde à un problème, et l'importance objective, soit la valeur que lui accorde l'infirmière. Cette dernière connaît bien sûr le sérieux de certains problèmes physiologiques et psychologiques et peut leur accorder une valeur différente de celle de la personne soignée. Mais rappelons certains principes qui permettent d'éviter ce piège:

- la démarche de soins doit se faire en dialoguant avec la personne soignée;
- les objectifs doivent être atteints autant que possible par la personne elle-même;
- les priorités doivent être établies avec la personne dans la mesure du possible.

La priorité que l'infirmière accorde à la satisfaction d'un besoin peut être différente de celle de la personne et il faut parfois trouver un compromis. Généralement, une conversation avec la personne permet d'arriver à une solution. Toutefois, si la divergence d'opinion persiste, c'est toujours le malade qui a le dernier mot. Il faut reconnaître qu'il n'existe aucun principe absolu. Les priorités deviennent une question de jugement personnel et peuvent être fort variables d'un malade à l'autre et même d'une soignante à l'autre.

Mise en situation

Mme Klein est hospitalisée depuis quelques jours. Elle a subi l'ablation de la vésicule biliaire il y a trois jours. Elle mange peu. Elle a un régime spécial et prétend ne pas avoir d'appétit parce qu'elle est encore souffrante. Chez elle, elle ne mangeait pas beaucoup depuis plusieurs jours. Elle veut savoir comment elle devra s'alimenter, quand elle pourra reprendre ses activités, etc. Elle manifeste de l'essoufflement et sa respiration est embarrassée à cause des sécrétions. Elle ne tousse pas parce que cela lui fait mal. Vous posez les diagnostics infirmiers suivants et vous indiquez les priorités par des chiffres entre parenthèses.

ÉNONCÉ DES PRIORITÉS ET ANALYSE

PRIORITÉS	DIAGNOSTICS INFIRMIERS
(2)	- Haut risque de déficit nutritionnel R/A la douleur.
(3)	- Manque de connaissances à propos de la période post-opératoire et du traitement à poursuivre.
(1)	- Dégagement inefficace des voies respiratoires R/A la présence de sécrétions, à la douleur.

Dans la situation présente, il faut accorder la priorité aux difficultés respiratoires qui risquent d'entraîner des complications sérieuses. De plus, la douleur est associée à ses difficultés. Il faut aussi considérer le déficit nutritionnel, d'autant plus que lui aussi est associé à la douleur, mais dans une moindre mesure. Quant au manque de connaissances, de toute évidence, il revêt un caractère moins urgent.

La place des priorités dans la démarche de soins

L'établissement des priorités peut se faire en fonction des besoins ou des diagnostics infirmiers. Les priorités peuvent être établies à différentes étapes de la démarche de soins. Elles peuvent apparaître dès l'étape du diagnostic infirmier puisqu'elles se fondent sur un jugement, sur une interprétation de l'importance ou de l'urgence d'un problème par rapport à d'autres. Elles peuvent faire partie de l'étape de la planification puisqu'elles orientent en quelque sorte les soins.

C'est une question de choix. Toutefois, il nous paraît logique de les traiter immédiatement avec le diagnostic infirmier, avant de fixer des objectifs et de planifier des interventions qui, de toute façon, risquent d'être influencées par ces priorités.

Les avantages de l'établissement des priorités

L'établissement des priorités offre plusieurs avantages. Il permet de répondre aux besoins immédiats de la personne et d'organiser le travail de manière plus logique et plus fonctionnelle. De plus, il permet à l'infirmière de mieux coordonner ses actions, surtout lorsqu'elle prend soin de plusieurs malades. Les priorités inscrites sur le plan de soins facilitent aussi la continuité des soins puisqu'elles deviennent les mêmes pour tous les membres de l'équipe.

Les perceptions négatives de certaines personnes face au diagnostic infirmier

Certaines infirmières éprouvent de la difficulté à accepter le terme «diagnostic infirmier». Pour elles, seuls les médecins peuvent utiliser le mot «diagnostic». Pourtant le terme «diagnostic» ne relève pas seulement du domaine médical. L'une de ses acceptions, selon le dictionnaire *Robert*, est «une prévision, une hypothèse tirée de signes». Dans notre société moderne, les diagnostics se multiplient. On pose des diagnostics sur nos cheveux, sur notre épiderme, notre voiture, nos appareils électroniques sans que personne y trouve à redire. Si tout ce beau monde peut diagnostiquer, pourquoi pas les infirmières, à l'intérieur de leur propre domaine?

Certaines expriment aussi des réticences alléguant que le diagnostic infirmier constitue un jugement de valeur sur la façon d'être de la personne ou risque de violer le secret professionnel. Ces déclarations ne sont pas fondées. Il ne s'agit pas de porter un jugement au sens moral, mais un jugement sur l'état de la personne afin de mieux l'aider. Le diagnostic infirmier ne viole pas plus le code d'éthique que les multiples observations que les infirmières inscrivent au dossier.

Pour d'autres soignantes, ce terme suppose une telle complexité qu'elles craignent de ne pouvoir le comprendre. Pourtant, depuis toujours, les soignantes portent des jugements cliniques sur l'état des malades dont elles s'occupent. Elles n'ont pas attendu l'appellation «diagnostic infirmier» pour le faire. Elles savaient très bien identifier les difficultés à libérer les voies respiratoires, l'insuffisance nutritionnelle, l'anxiété ou la constipation sans les appeler «des diagnostics infirmiers». Au fond, elles en posaient sans le savoir, de façon non officielle, dans leur propres termes. La résistance de certaines personnes provient très souvent de leur manque de connaissances. Lorsqu'elles reçoivent une information pertinente, elles se laissent facilement convaincre.

Pour d'autres encore, ces termes sont menaçants. Elles comprennent, avec raison, qu'ils signifient une plus grande autonomie et cela leur fait peur. Il est parfois confortable de demeurer relativement dépendante du médecin. Certaines s'imaginent qu'en ne faisant rien de leur propre initiative elles courent moins de risques! Rappelons que le professionnalisme rejette la dépendance et l'inertie.

Il y a aussi celles pour qui la démarche de soins et le diagnostic infirmier exigent un temps et une énergie que la lourdeur de leur tâche ne leur permet pas. Pourtant, sans une planification appropriée, elles risquent de ne pas trop savoir où elles vont, de perdre un temps précieux et d'offrir des soins de qualité médiocre.

Les infirmières ne sont pas les seules à réagir négativement. D'autres travailleurs de la santé et certains médecins voient là un mouvement menaçant. Ils se demandent: «Devenues plus autonomes, que feront les infirmières? Décideront-elles de mener une action parallèle et séparée du plan de traitement médical? Et que deviendront les actes de collaboration habituellement exécutés par les infirmières?» Ce questionnement est dénué de tout fondement. Là encore, une meilleure connaissance de ce qu'est réellement le diagnostic infirmier les amène à comprendre qu'il ne vise pas à isoler l'infirmière des autres membres de l'équipe multidisciplinaire. Au contraire, il vise plutôt à faire d'elle une interlocutrice encore plus valable dans le but d'offrir au malade, en collaboration avec les autres professionnels, des soins toujours de plus grande qualité. Il arrive que quelques médecins se montrent inquiets, mais la plupart du temps, lorsqu'ils sont bien informés, ils donnent leur accord et se disent même intéressés, car il y va du mieux-être de leurs malades. Dans certains milieux où s'implante le diagnostic infirmier, certains médecins se montrent constructifs et apportent même une collaboration importante.

La résistance au changement n'est pas encore vaincue, mais le diagnostic infirmier s'implante progressivement dans tous les genres d'établissements de santé. Il est adapté selon les services: médecine et chirurgie, psychiatrie, pédiatrie, soins à long terme, services d'urgence, services de chirurgie d'un jour, etc. Dans certains centres, on l'utilise même dans les salles d'opération.

Le service Info-Santé des régions de Montréal et de Québec, maintenant intégré aux CLSC (Centres locaux de santé communautaire), utilise la démarche de soins et le diagnostic infirmier dans son mode de fonctionnement téléphonique. Ces concepts servent d'ailleurs à structurer l'annuaire des protocoles infirmiers, leur principal outil de travail.

La taxinomie de l'ANADI

L'ensemble des énoncés des diagnostics infirmiers présentés dans le présent ouvrage est fondé sur la taxinomie de l'ANADI. Les diagnostics qui s'y trouvent peuvent être répartis de diverses façons. Ils sont souvent présentés selon la classification des Modes fonctionnels de santé décrits par Margot Phaneuf et Louise Grondin (1994, p. 504) ou selon celle de la taxinomie révisée de l'ANADI (1990). Rappelons que ces classifications ne sont pas des modèles conceptuels, mais seulement des regroupements logiques qui en facilitent la gestion.

Comme le présent ouvrage est fondé sur le modèle conceptuel de Virginia Henderson, les diagnostics infirmiers y sont organisés selon l'agencement des besoins tels que les décrit Virginia Henderson. La taxinomie présentée aux pages suivantes est classée de la même façon. Celle qui respecte la classification des Modes fonctionnels de santé est présentée en annexe dans ce chapitre.

Liste des problèmes infirmiers de l'Association nord–américaine du diagnostic infirmier (ANADI), répartis selon les 14 besoins fondamentaux de Virginia Henderson

Les diagnostics suivis d'un astérisque ont été définis en 1995.

1
RESPIRER

Dégagement inefficace des voies respiratoires
Incapacité de maintenir une respiration spontanée
Intolérance au sevrage de la ventilation assistée
Mode de respiration inefficace
Perturbation des échanges gazeux
Risque élevé de suffocation

2
BOIRE ET MANGER

Allaitement maternel efficace
Allaitement maternel inefficace
Allaitement maternel interrompu
Déficit de volume liquidien (déshydratation)
Déficit nutritionnel
Excès de volume liquidien (œdème)
Excès nutritionnel
Incapacité (partielle ou totale) d'avaler
Incapacité (partielle ou totale) de s'alimenter
Mode d'alimentation inefficace chez le nourrisson
Risque élevé d'aspiration (fausse route)
Risque élevé de déficit de volume liquidien (déshydratation)
Risque élevé d'excès nutritionnel

3
ÉLIMINER

Altération de l'élimination urinaire
Constipation
Constipation colique
Diarrhée
Incapacité (partielle ou totale) d'utiliser les toilettes
Incontinence fécale
Incontinence urinaire à l'effort
Incontinence urinaire fonctionnelle
Incontinence urinaire par réduction du temps d'alerte
Incontinence urinaire réflexe
Incontinence urinaire vraie (totale)
Pseudo–constipation
Rétention urinaire

4	
SE MOUVOIR ET MAINTENIR UNE BONNE POSTURE	Altération de la mobilité physique
	Diminution de l'irrigation tissulaire (préciser: cardiopulmonaire, cérébrale, gastro–intestinale, périphérique, rénale)
	Diminution du débit cardiaque
	Intolérance à l'activité
	Risque élevé de dysfonctionnement neurovasculaire périphérique
	Risque élevé de syndrome d'immobilité
	Risque élevé d'intolérance à l'activité

5	
DORMIR ET SE REPOSER	Fatigue
	Perturbation des habitudes de sommeil

6	
SE VÊTIR ET SE DÉVÊTIR	Incapacité (partielle ou totale) de se vêtir et de soigner son apparence

7	
MAINTENIR LA TEMPÉRATURE DU CORPS DANS LES LIMITES DE LA NORMALE	Hyperthermie
	Hypothermie
	Risque élevé d'altération de la température corporelle
	Thermorégulation inefficace

8	
ÊTRE PROPRE ET SOIGNÉ, ET PROTÉGER SES TÉGUMENTS	Atteinte à l'intégrité de la muqueuse buccale
	Atteinte à l'intégrité de la peau
	Atteinte à l'intégrité des tissus
	Incapacité (partielle ou totale) de se laver et d'effectuer ses soins d'hygiène
	Risque élevé d'atteinte à l'intégrité de la peau

9	
ÉVITER LES DANGERS	Altération des mécanismes de protection
	Altération des opérations de la pensée
	Anxiété marquée/extrême
	Anxiété modérée
	Chagrin (deuil) dysfonctionnel
	Chagrin (deuil) par anticipation
	Confusion aiguë *
	Confusion chronique *
	Déni non constructif
	Désorganisation comportementale chez le nourrisson *
	Difficulté à se maintenir en santé
	Diminution de la capacité adaptative intracrânienne *

Douleur aiguë
Douleur chronique
Dysréflexie
Gestion inefficace du programme thérapeutique (prise en charge inefficace du programme thérapeutique)
Gestion inefficace du programme thérapeutique par la collectivité (prise en charge inefficace du programme thérapeutique par la collectivité) *
Gestion inefficace du programme thérapeutique par la famille (prise en charge inefficace du programme thérapeutique par la famille) *
Gestion inefficace du programme thérapeutique par l'individu (prise en charge inefficace du programme thérapeutique par l'individu) *
Incapacité de s'adapter à un changement dans l'état de santé
Négligence de l'hémicorps (droit ou gauche)
Non-observance (préciser)
Organisation comportementale chez le nourrisson *
Perturbation chronique de l'estime de soi
Perturbation de la croissance et du développement
Perturbation de l'estime de soi
Perturbation de l'identité personnelle
Perturbation de l'image corporelle
Perturbation du champ énergétique *
Perturbation situationnelle de l'estime de soi
Peur
Réaction post-traumatique
Recherche d'un meilleur niveau de santé (préciser les comportements)
Risque élevé d'accident
Risque élevé d'automutilation
Risque élevé de blessure en période périopératoire *
Risque élevé de désorganisation comportementale chez le nourrisson *
Risque élevé de trauma
Risque élevé de violence envers soi ou envers les autres
Risque élevé d'infection
Risque élevé d'intoxication
Syndrome d'interprétation erronée de l'environnement *

10
COMMUNIQUER AVEC SES SEMBLABLES

Altération de la communication verbale
Altération de la perception sensorielle (préciser : auditive, gustative, kinesthésique, olfactive, tactile, visuelle)
Dysfonctionnement sexuel
Isolement social
Perturbation de la sexualité
Perturbation des interactions sociales
Risque de sentiment de solitude *
Syndrome du traumatisme de viol
Syndrome du traumatisme de viol: réaction mixte
Syndrome du traumatisme de viol: réaction silencieuse

11
AGIR SELON SES CROYANCES ET SES VALEURS

Bien-être spirituel: actualisation potentielle *
Détresse spirituelle
Perte d'espoir
Sentiment d'impuissance

12
S'OCCUPER EN VUE DE SE RÉALISER

Conflit décisionnel
Conflit face au rôle parental
Difficulté dans l'exercice du rôle d'«aidant» naturel
(défaillance de l'entourage dans l'exercice du rôle de soignant)
Incapacité d'organiser et d'entretenir le domicile
Perturbation dans l'exercice du rôle
Perturbation dans l'exercice du rôle parental
Perturbation de la dynamique familiale
Perturbation de la dynamique familiale: alcoolisme *
Risque élevé de difficulté dans l'exercice du rôle d'«aidant» naturel
(risque élevé de défaillance de l'entourage dans l'exercice du rôle
de soignant)
Risque élevé de perturbation dans l'exercice du rôle parental
Risque élevé de perturbation de l'attachement parent-enfant *
Stratégies d'adaptation défensives
Stratégies d'adaptation familiale efficaces (potentiel de croissance)
Stratégies d'adaptation familiale inefficaces (absence de soutien)
Stratégies d'adaptation familiale inefficaces (soutien compromis)
Stratégies d'adaptation individuelle inefficaces
Stratégies d'adaptation inefficaces d'une collectivité *
Syndrome de déracinement (syndrome d'inadaptation à un changement
de milieu)
Troubles de la mémoire *

13
SE RÉCRÉER

Manque de loisirs

14
APPRENDRE

Manque de connaissances

A *nnexe*

Définition des modes fonctionnels de santé

La liste des diagnostics infirmiers qui suit est présentée dans l'optique de l'ANADI (1995). Les diagnostics infirmiers y ont été regroupés selon les 11 modes fonctionnels de santé de Marjory Gordon, qui sont des catégories de réponses, des façons de faire touchant divers aspects de la santé d'une personne ou d'un groupe. Ces modes de présentation des diagnostics infirmiers sont différents et très utilisés. Cet arrangement permet de répartir l'ensemble des diagnostics infirmiers afin de faciliter leur emploi. Il ne se réfère à aucun concept philosophique ni à aucune valeur particulière.

Liste des problèmes infirmiers de l'Association nord-américaine du diagnostic infirmier (ANADI), répartis selon les 11 modes fonctionnels de santé de Marjory Gordon

Les diagnostics suivis d'un astérisque ont été définis en 1995.

1   Perception et gestion de la santé

1. Altération des mécanismes de protection
2. Difficulté à se maintenir en santé
3. Gestion inefficace du programme thérapeutique (ou prise en charge inefficace du programme thérapeutique)
4. Gestion inefficace du programme thérapeutique par la collectivité (ou prise en charge inefficace du programme thérapeutique par la collectivité) *
5. Gestion inefficace du programme thérapeutique par la famille (ou prise en charge inefficace du programme thérapeutique par la famille) *
6. Gestion inefficace du programme thérapeutique par l'individu (ou prise en charge inefficace du programme thérapeutique par l'individu) *
7. Non–observance (préciser)
8. Perturbation de la croissance et du développement
9. Recherche d'un meilleur niveau de santé (préciser les comportements)
10. Risque de blessure en période périopératoire *
11. Risque élevé d'accident
12. Risque élevé de suffocation
13. Risque élevé de trauma
14. Risque élevé d'infection
15. Risque élevé d'intoxication

2   Nutrition et métabolisme

1. Allaitement maternel efficace
2. Allaitement maternel inefficace
3. Allaitement maternel interrompu
4. Atteinte à l'intégrité de la muqueuse buccale
5. Atteinte à l'intégrité de la peau
6. Atteinte à l'intégrité des tissus
7. Déficit du volume liquidien (déshydratation)
8. Déficit nutritionnel

9. Excès du volume liquidien (œdème)
10. Excès nutritionnel
11. Hyperthermie
12. Hypothermie
13. Incapacité (partielle ou totale) d'avaler
14. Mode d'alimentation inefficace chez le nourrisson
15. Risque élevé d'altération de la température corporelle
16. Risque élevé d'aspiration (fausse route)
17. Risque élevé d'atteinte à l'intégrité de la peau
18. Risque élevé de déficit de volume liquidien (déshydratation)
19. Risque élevé d'excès nutritionnel
20. Thermorégulation inefficace

3 Élimination

1. Altération de l'élimination urinaire
2. Constipation
3. Constipation colique
4. Diarrhée
5. Incontinence fécale
6. Incontinence urinaire à l'effort
7. Incontinence urinaire fonctionnelle
8. Incontinence urinaire par réduction du temps d'alerte
9. Incontinence urinaire réflexe
10. Incontinence urinaire vraie (totale)
11. Pseudo-constipation
12. Rétention urinaire

4 Activité et exercice

1. Altération de la mobilité physique
2. Dégagement inefficace des voies respiratoires
3. Diminution de l'irrigation tissulaire (préciser: cardiopulmonaire, cérébrale, gastro-intestinale, périphérique, rénale)
4. Diminution du débit cardiaque
5. Dysréflexie
6. Fatigue
7. Incapacité de maintenir une respiration spontanée
8. Incapacité (partielle ou totale) de s'alimenter
9. Incapacité (partielle ou totale) de se laver/effectuer ses soins d'hygiène
10. Incapacité (partielle ou totale) de se vêtir/soigner son apparence
11. Incapacité d'organiser et d'entretenir le domicile
12. Incapacité (partielle ou totale) d'utiliser les toilettes
13. Intolérance à l'activité
14. Intolérance au sevrage de la ventilation assistée
15. Manque de loisirs
16. Mode de respiration inefficace
17. Perturbation des échanges gazeux
18. Risque élevé de dysfonctionnement neurovasculaire périphérique
19. Risque élevé de syndrome d'immobilité
20. Risque élevé d'intolérance à l'activité

5 **Sommeil et repos**

1. Perturbation des habitudes de sommeil

6 **Cognition et perception**

1. Altération de la perception sensorielle (préciser: auditive, gustative, kinesthésique, olfactive, tactile, visuelle)
2. Altération des opérations de la pensée
3. Conflit décisionnel (préciser)
4. Confusion aiguë *
5. Confusion chronique *
6. Douleur aiguë
7. Douleur chronique
8. Manque de connaissances (préciser)
9. Négligence de l'hémicorps (droit ou gauche)
10. Syndrome d'interprétation erronée de l'environnement *
11. Troubles de la mémoire *

7 **Perception et concept de soi**

1. Anxiété marquée/extrême
2. Anxiété modérée
3. Perte d'espoir
4. Perturbation chronique de l'estime de soi
5. Perturbation de l'estime de soi
6. Perturbation de l'identité personnelle
7. Perturbation de l'image corporelle
8. Perturbation situationnelle de l'estime de soi
9. Peur
10. Risque élevé d'automutilation
11. Risque élevé de violence envers soi ou envers les autres
12. Sentiment d'impuissance

8 **Relation et rôle**

1. Altération de la communication verbale
2. Chagrin (deuil) dysfonctionnel
3. Chagrin (deuil) par anticipation
4. Conflit face au rôle parental
5. Difficulté dans l'exercice du rôle d'«aidant» naturel (défaillance de l'entourage dans l'exercice du rôle de soignant)
6. Isolement social
7. Perturbation dans l'exercice du rôle
8. Perturbation dans l'exercice du rôle parental
9. Perturbation de la dynamique familiale
10. Perturbation de la dynamique familiale: alcoolisme *
11. Perturbation des interactions sociales
12. Risque de perturbation de l'attachement parent–enfant *
13. Risque élevé de difficulté dans l'exercice du rôle d'«aidant» naturel (risque élevé de défaillance de l'entourage dans l'exercice du rôle de soignant)
14. Risque élevé de perturbation dans l'exercice du rôle parental
15. Risque élevé de sentiment de solitude *

9 Sexualité et reproduction

1. Dysfonctionnement sexuel
2. Perturbation de la sexualité

10 Adaptation et tolérance au stress

1. Déni non constructif
2. Désorganisation comportementale chez le nourrisson *
3. Diminution de la capacité adaptative intracrânienne *
4. Incapacité à s'adapter à un changement dans l'état de santé
5. Organisation comportementale chez le nourrisson: potentiel d'amélioration *
6. Perturbation du champ énergétique *
7. Réaction post-traumatique
8. Risque de désorganisation comportementale chez le nourrisson*
9. Stratégies d'adaptation défensives
10. Stratégies d'adaptation familiale efficaces (potentiel de croissance)
11. Stratégies d'adaptation familiale inefficaces (absence de soutien)
12. Stratégies d'adaptation familiale inefficaces (soutien compromis)
13. Stratégies d'adaptation individuelle inefficaces
14. Stratégies d'adaptation inefficaces d'une collectivité *
15. Syndrome de déracinement (syndrome d'inadaptation à un changement de milieu)
16. Syndrome du traumatisme de viol
17. Syndrome du traumatisme de viol: réaction mixte
18. Syndrome du traumatisme de viol: réaction silencieuse

11 Valeurs et croyances

1. Bien-être spirituel: actualisation potentielle *
2. Détresse spirituelle

B *ibliographie*

ACKLEY, Betty J. et LADWIG, Gail B. (1993). *Nursing A Guide to Diagnosis Planning Care Handbook*. St. Louis, Missouri, Mosby.

ALFARO, Rosalinda (1990). *Démarche de soins. Mode d'emploi*, traduit et adapté par Anne Pietrasik. Paris, Lamarre.

BILLIER–REKEL, M., DUMONT, C. et FIMA, O. (mars 1994). «Diagnostic infirmier, où en sommes–nous?» *La Recherche en soins infirmiers*. Paris, Publications ARSI.

BOISVERT, Cécile (décembre 1990). «Démarche de soins, Diagnostic infirmier. Le diagnostic infirmier. Le passé, le présent, l'avenir». *Infirmière enseignante* n° 10, 20ᵉ année.

CARNEVALI, D. L. et THOMAS, M. D. (1993). *Diagnostic Reasoning and Treatment Decision Making in Nursing*. Philadelphia, Lippincott.

CARPENITO, Lynda J. (1990). *Diagnostic infirmier. Du concept à la pratique clinique*, traduit par Catherine Collet. 2ᵉ édition française. Paris, Medsi/McGraw–Hill.

CARPENITO, Lynda J. (1993). *Nursing Diagnosis. Application to Clinical Practice*. 5ᵉ édition. Philadelphia, Lippincott.

CARPENITO, Lynda J. (1995). *Diagnostics infirmiers*. 5ᵉ édition Montréal, ERPI.

COLLIÈRE, Marie–Françoise (1982). *Promouvoir la vie. De la pratique des femmes soignantes aux soins infirmiers*. Paris, InterÉditions.

DOENGES, M. E. et MOORHOUSE, M. F. (1992). *Application of Nursing Process and Nursing Diagnosis: An Interactive Text*. Philadelphia, F. A. Davis.

DOENGES, Marilynn E., TOWNSEND, Mary C. et MOORHOUSE, Mary Frances (1995). *Psychiatric Care Plans*. 2ᵉ édition. Philadelphia, F. A Davis.

DREYFUS, H. et DREYFUS, S. (1985). *Mind over Machine*. New York, MacMillan, The Free Press, cité par P. Benner et C. A. Tanner (janvier 1987). «How Expert Nurses Use Intuition». *American Journal of Nursing*, p. 23–31.

FORMARIER, Monique (1994). «Opérationnalisation des concepts: soins, qualité, évaluation. Soins infirmiers: repères méthodologiques.» *La Recherche en soins infirmiers*. Paris, Publications ARSI.

FORTINASH, Katrine M. et HOLODAY-WORRET, Patricia A. (1995). *Psychiatric Nursing Care Plans*. New York, Mosby.

FREY, Velma C., HOCKETT, C. et MOIST, G. (1990). *Guide pratique de diagnostics infirmiers. Diagnostics infirmiers et plan de soins*. Montréal, Lidec.

GETTRUST, Kathy V. et BRABEC, Paula D. (1992). *Nursing Diagnosis in Clinical Practice*. New York, Delmar Publishers.

GORDON, Marjory (1989). *Diagnostic infirmier. Méthodes et applications*. Paris, Medsi.

GORDON, Marjory (1993-1994). *Manual of Nursing Diagnosis*. 6e édition. St. Louis, Missouri, Mosby.

GRONDIN, Louise et PHANEUF, Margot (1995). *Mémento de l'infirmière: utilisation des diagnostics infirmiers*. Paris, Maloine.

INTERNATIONAL COUNCIL OF NURSES [ICN] (1993). *Nursing's Next Advance: An International Classification for Nursing Practice* (ICNP). Genève, Suisse.

IYER, Patricia, TAPTICH, B. J. et BERNOCCHI-LOSEY, D. (1986). *Nursing Process and Nursing Diagnosis*. Philadelphia, W. B. Saunders.

MILLER, Emmy (1989). *How to Make Nursing Diagnosis Work. Administrative and Clinical Strategies*. Norwalk, Conn., Appleton & Lange.

PHANEUF, Margot (1985). *La Démarche scientifique*. Montréal, McGraw-Hill.

PHANEUF, Margot et GRONDIN, Louise (1994). *Diagnostic infirmier et Rôle autonome de l'infirmière*. Paris, Maloine.

PSIUK, Thérèse (juin 1995). «Le Raisonnement diagnostic dans l'activité quotidienne de l'infirmière. La Recherche.» *La Recherche en soins infirmiers*. Paris, Publications ARSI.

RIOPELLE, L., GRONDIN, L. et PHANEUF, M. (1984). *Soins infirmiers, un modèle centré sur les besoins de la personne*. Montréal, McGraw-Hill.

SIMON, H. (1979). «Information Processing Models of Cognition». *Annual Review of Psychology*.

SKEMP, R. R. (1979). «Intelligence Learning in Action», cité dans Denise Bruneau-Morin et Margot Phaneuf (1991). *Structures pédagogiques pour le programme des soins infirmiers*, 180.01. Tome 2.

SYLVAIN, Hélène (1994). *Apprendre à mieux diagnostiquer*. Laval, Éditions Études Vivantes.

TAPTICH, B. J., IYER, P. W. et BERNOCCHI-LOSEY, D. (1989). *Nursing Diagnosis and Care Planning*. Philadelphia, Saunders.

La planification des soins, étape 3 de la démarche de soins

Objectifs terminaux

1° L'étudiante se rendra compte de l'importance du plan de soins pour dispenser des soins humains, complets et de qualité.

2° Elle procédera à une planification adéquate des soins.

Objectifs intermédiaires

De façon plus spécifique, l'étudiante sera capable:

1° de rédiger des objectifs spécifiques, réalistes et évaluables;

2° de proposer des interventions précises, concises et créatives;

3° d'expliquer l'importance du plan de soins personnalisé;

4° de rédiger un plan de soins à partir de situations simulées.

La planification, 3ᵉ étape de la démarche de soins

La planification, troisième étape de la démarche de soins, découle directement du diagnostic infirmier. Le diagnostic a permis d'identifier un problème auquel il faut ensuite apporter des solutions, c'est-à-dire des interventions qui contribueront à prévenir une difficulté, à éliminer la cause d'un problème ou à en diminuer les effets et, partant, à corriger ou à améliorer la situation. Alors que l'étape de collecte des données est une étape de dialogue avec la personne et que celle de l'analyse et de l'interprétation est une étape plutôt intellectuelle, celle de la planification est essentiellement tournée vers l'action. Cette troisième étape de la démarche de soins peut se définir ainsi:

> **Planification des soins**
>
> La planification des soins consiste à établir un plan d'action, à prévoir les étapes de sa réalisation, les gestes à faire, les moyens à mettre en œuvre et les précautions à prendre, bref à penser et à organiser une stratégie de soins bien définie.

Notre culture professionnelle amène plusieurs infirmières à se préoccuper plus des gestes techniques et des soins proprement dits que de la planification. Certaines soutiennent qu'elles élaborent un plan de soins dans «leur tête» et qu'elles ne voient pas l'importance de le mettre sur papier. Cette situation est déplorable si l'on songe que la planification vise à améliorer la qualité des soins puisqu'elle permet de les personnaliser, d'assurer leur continuité et de les évaluer (Miller, 1989, p. 163). Dans cette optique, le plan de soins ne peut rester à l'état nébuleux de processus intellectuel: il doit être explicitement rédigé dans un document que tous les soignants pourront consulter au besoin.

Au premier niveau de l'analyse et de l'interprétation, nous avons présenté une forme plutôt élémentaire de planification par reconnaissance de schèmes que nous avons appelée «Planification des activités de la vie quotidienne». Il importe de faire la distinction entre les deux. La planification dont il est ici question fait suite à un processus d'analyse élaboré des données et à une succession de raisonnements qui ont conduit au diagnostic infirmier. L'étape de planification des soins comporte deux volets: l'élaboration des objectifs de soins et celle des interventions.

Le modèle de la planification d'une tâche

La planification des soins relève de la capacité intellectuelle de programmer l'action ou d'élaborer des plans complexes. Il est intéressant de voir comment circule l'information dans une telle organisation intellectuelle. J.-P. Changeux (1983, p. 214) explique que c'est au niveau du lobe frontal qu'émergent les images-programmes d'où s'échafaudent les stratégies de nos comportements à venir. «Organe de la civilisation, le cortex frontal calcule, anticipe, prévoit.»

Le modèle de Robert Brien (1995, p. 76) éclaire ces propos. Le schéma suivant présente une adaptation de ce modèle.

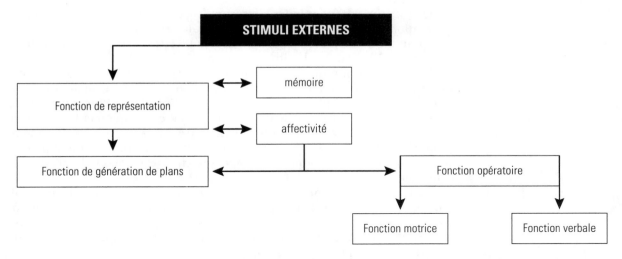

Comme l'indique ce schéma, nous recueillons l'information que nous présentent nos sens et nous la traitons soit en emmagasinant les connaissances nouvelles, soit en les comparant avec celles que recèle déjà notre mémoire. C'est ce qui se passe à l'étape de la collecte de données et de l'analyse. Les données recueillies sont aussi touchées par notre système affectif qui leur confère un caractère important, secondaire, désirable, indésirable, etc. Notre fonction de représentation entre ensuite en jeu et nous apporte une double vision: elle nous présente une vue de la situation actuelle avec ses difficultés et une vue de la situation idéale ou souhaitée.

Nous interprétons alors la situation, c'est-à-dire que nous la voyons; nous diagnostiquons le problème par le processus de comparaison, de différenciation entre la situation problématique et la situation «normale». Notre fonction de génération de plans prend la relève et s'alimente à notre système affectif riche en émotions et au bassin de connaissances emmagasinées dans notre mémoire. C'est là que se trouvent les concepts dont nous avons besoin, c'est-à-dire les «recettes», les règles à suivre, les procédures et les stratégies à appliquer pour modifier la situation. C'est la mémoire qui nous fournit nos repères. Cette phase de génération de plans offre deux possibilités: tirer parti d'un plan existant (utilisation de plans standard) ou sélectionner des règles pour créer un agencement nouveau.

L'action suppose ensuite deux types de fonctions: des fonctions motrices pour exécuter les gestes et des fonctions verbales qui président à la sélection des composantes linguistiques nécessaires pour rédiger un plan de soins.

Ce cheminement intellectuel nous explique tout le processus de la démarche de soins et particulièrement cette étape de la planification. En effet, en nous présentant la situation souhaitée, notre fonction de représentation nous conduit directement à l'élaboration d'objectifs qui sont en fait des projections visant l'amélioration de la situation, c'est-à-dire le mieux-être de la personne. Vous observez, par exemple, un malade qui respire mal: sa fréquence respiratoire est accélérée parce qu'il est embarrassé par des sécrétions (c'est l'état actuel). Quelle serait la situation souhaitée? Ce pourrait être que cette personne soit capable de respirer sans embarras à une fréquence de 14 à 20 par minute. C'est exactement ainsi que pourrait se traduire l'objectif dans cette situation.

Quant aux interventions, elles sont suscitées par notre fonction de génération de plans et nos fonctions opératoires motrices et verbales. Ces fonctions nous incitent à chercher des solutions, c'est-à-dire des actions susceptibles d'aboutir à la situation souhaitée.

D'aucuns diront que ce cheminement est complexe et pas du tout essentiel pour apprendre à planifier des soins. C'est vrai, mais il montre que le processus de planification n'a rien d'artificiel ni de bien compliqué. Il fait en quelque sorte partie de nous puisqu'il est simplement le reflet du fonctionnement normal de notre intelligence. Voilà de solides arguments pour répondre à la résistance au changement qui empêche une implantation réellement fonctionnelle de la démarche de soins et du diagnostic infirmier.

Ce cheminement intellectuel nous indique aussi la place des objectifs dans ce processus. Certaines personnes se demandent s'il est essentiel de fixer des objectifs dans une démarche de soins. Les explications qui précèdent sont assez éloquentes pour permettre de constater qu'en les omettant on brûle une étape du processus.

Le plan de soins

Selon le dictionnaire, un plan est une suite ordonnée d'opérations. Le plan de soins répond parfaitement à cette définition: il comporte les éléments organisationnels du travail de l'infirmière. Comme toute personne qui accomplit un travail sérieux, ingénieur, architecte ou simple ouvrier, l'infirmière a besoin d'un plan d'aménagement pour exécuter des gestes: c'est le plan de soins. Voici les éléments qui le composent:

> **Composition du plan de soins**
>
> Le plan de soins comporte un ou des diagnostics infirmiers pour lesquels il faut fixer des objectifs, planifier des interventions et prévoir une évaluation.

Les objectifs de soins: premier volet de la planification

La première étape de la planification consiste à fixer des objectifs qui indiquent ce que pourra faire la personne et quels devraient être les résultats à la suite des interventions. Par le moyen de l'objectif, l'infirmière décrit le comportement qu'elle attend de la personne ou le résultat qu'elle veut obtenir compte tenu de la situation. Ces modifications peuvent être d'ordre biologique, psychologique, social ou spirituel.

Mise en situation

Vous vous occupez de M. Lomez qui a subi une intervention au genou gauche. Il a été alité pendant un certain temps, mais il peut maintenant se lever. Toutefois, il éprouve de la difficulté à marcher: il dit que son genou est raide et douloureux; il ajoute qu'il est fatigué et qu'il se sent faible. Vous avez émis les hypothèses suivantes: douleur, fatigue, faiblesse, altération de la mobilité physique; après les avoir analysées et vérifiées, vous retenez le diagnostic d'«Altération de la mobilité physique (pour marcher) R/A la douleur et à la faiblesse».

Vous savez qu'il faut entreprendre des actions pour améliorer la situation, mais jusqu'où faut-il aller? Quel degré d'autonomie M. Lomez peut-il réellement atteindre? C'est l'objectif que vous déterminerez qui l'indiquera à la personne soignée et aux autres membres de l'équipe de soins. Au début, il peut prendre la forme suivante: «M. Lomez sera capable de se lever avec de l'aide et de faire quelques pas autour du lit.» Lorsqu'il aura pris du mieux, l'objectif pourra se libeller ainsi: «Il sera capable de marcher seul dans le corridor pendant 10 minutes.» L'objectif exprime à la fois le but à atteindre et les moyens pour y parvenir.

Objectif

Un objectif est la projection d'une intention qui s'exprime par la description du comportement que l'on attend de la personne ou d'un résultat que l'on désire obtenir après avoir mis en œuvre un ensemble de moyens.

L'objectif relève de la personne elle-même

L'objectif relève de la personne soignée et non pas de l'infirmière, puisque c'est la personne elle-même qui doit faire les gestes pour atteindre l'état désiré. Dans sa forme usuelle, chez un malade potentiellement capable d'évoluer de façon consciente, l'objectif décrit une attitude, un comportement volontaire de la personne ou un état auquel elle peut parvenir. Bien sûr, l'infirmière planifie, mais, à cette étape, c'est la personne qui doit faire les gestes pour atteindre les résutats souhaités. Aussi, pour simplifier la rédaction d'un objectif, on peut adopter la formule suivante: «La personne sera capable de...» à laquelle on ajoute un verbe à l'infinitif.

Exemples

La personne sera capable de nommer cinq aliments riches en potassium, à évaluer le...

On peut aussi écrire simplement:

❑ Respecter son **régime**.
❑ Prendre sa médication de façon précise et régulière.
❑ Voir à ses soins d'hygiène sans augmentation importante des signes vitaux.

Ou encore, utiliser le temps futur et adopter une tournure plus personnelle:

❑ M. Lapierre exprimera la diminution de sa douleur.
❑ Mme Martin se rendra seule aux toilettes.

RÉGIME OU **DIÈTE**
Ensemble des aliments que la personne doit consommer ou éviter.

Des objectifs de la personne ou des objectifs de soins

Dans certaines situations, il est impossible de miser sur les objectifs «de la personne» parce qu'elle est incapable de participer à l'évolution de son mieux–être, de prévenir des difficultés éventuelles ou de conserver un état optimal compte tenu de son état de santé. C'est le cas, par exemple, d'une personne confuse, inconsciente, très malade, paralysée ou mourante. Les objectifs deviennent alors des objectifs de soins.

Dans ces situations, il existe trois possibilités: omettre l'objectif, le transformer ou le rédiger comme les autres en sous–entendant que c'est un objectif de soins. Toutefois, comme l'objectif est à l'origine de l'action parce qu'il indique le but à atteindre, il est aussi nécessaire dans ces situations que dans les autres: il est donc impensable de l'omettre. Le transformer exigerait une formulation particulière qui entraînerait des complications inutiles. Par conséquent, il ne reste plus qu'à le conserver en considérant simplement que la logique sous–jacente est un peu différente et qu'il s'agit d'un objectif de soins. Ainsi, dans le cas d'une personne alitée et très malade, si l'on formule l'objectif suivant: «Présenter une peau intacte à la région coccygienne, à évaluer le ...», cela ne signifie pas qu'elle fera elle-même les gestes pour y arriver, mais plutôt qu'il s'agit d'un objectif permettant à l'infirmière de planifier des soins appropriés.

Les caractéristiques d'un objectif

Afin d'orienter clairement le sens de l'action à acomplir et de préciser le degré d'autonomie que doit atteindre la personne, un objectif doit répondre à certains critères pour déterminer ses exigences fonctionnelles et sa formulation.

Caractéristiques d'un objectif

- La formulation doit être simple, claire et concise.
- L'objectif doit être propre à un sujet, soit la personne soignée, soit sa famille.
- L'atteinte de l'objectif doit être observable et même mesurable.
- Il doit évoluer avec la situation.
- Sa formulation suppose une seule action ou une seule condition à la fois (à moins que ces actions ne soient intimement reliées).
- Sa formulation comporte le plus souvent un verbe actif.
- Il peut toucher différents domaines: psychomoteur, affectif, cognitif.
- Il doit se rattacher à la partie «problème» du diagnostic infirmier.
- Les actions proposées doivent être réalistes compe tenu de l'état de la personne et du pronostic.
- Il doit fournir des indications précises sur l'action à entreprendre ou l'état à atteindre (qui? quoi? comment? quand? dans quelle mesure?).
- Il doit être déterminé, dans la mesure du possible, de concert avec la personne.
- Il doit s'inscrire dans la logique des autres composantes du plan de soins: diagnostic infirmier et interventions.
- La formulation doit indiquer une échéance précise pour l'atteinte de l'objectif.
- L'objectif doit inclure, dans certains cas, un pronostic qui fournit des indications sur la probabilité de l'atteindre.

La formulation de l'objectif doit être simple, claire et concise

L'objectif est un outil de travail qui doit se résumer à quelques mots significatifs. Si l'objectif est imprécis, il devient difficile de savoir s'il a été véritablement atteint et, du même coup, l'étape de l'évaluation se trouve compromise.

Certains objectifs trop vagues sont en réalité des buts. Ainsi, l'objectif «Présenter un rythme d'élimination normal, à évaluer le...» est trop flou. Un rythme peut être normal pour une personne et anormal pour une autre. Il serait donc préférable d'écrire: «Éliminer une selle molle aux 2 jours, à évaluer le...» (suivant le rythme idéal pour cette personne).

Dans cet autre exemple, «Présenter un niveau d'anxiété moins élevé, à évaluer le...», comment pourra-t-on constater que cette personne est moins anxieuse? Rien ne l'indique. Aussi vaudrait-il mieux écrire: «Exprimer la diminution de son anxiété, à évaluer le...». Si c'est la personne qui s'exprime, l'atteinte de l'objectif est plus manifeste. Un objectif global et un peu vague peut cependant être précisé par quelques mots descriptifs dans l'énoncé, par exemple «Présenter un niveau moins élevé d'anxiété (faciès détendu, comportement calme), à évaluer le...»

L'objectif doit être spécifique

Afin d'éviter toute confusion, l'objectif doit toucher un seul sujet, soit la personne soignée, soit sa famille. Lorsque les sujets sont multiples, il devient plus difficile d'atteindre l'objectif et de l'évaluer. Ainsi, si l'on considère l'objectif suivant: «La malade et son époux seront capables d'exprimer leurs inquiétudes concernant la mastectomie de madame, à évaluer le...», on peut supposer que l'un et l'autre atteindront l'objectif par des moyens différents et que l'évaluation se fera à des moments différents. Dans certains cas, on pourrait malgré tout unir deux sujets.

Les résultats doivent être observables et, dans certains cas, mesurables

La rédaction des objectifs traduit le caractère responsable de la profession d'infirmière, car c'est l'objectif qui sert de base à l'évaluation. Toutefois, pour évaluer, il faut être capable de repérer, parfois même de mesurer, le comportement souhaité ou l'état qu'on cherche à atteindre. Aussi faut-il les exprimer dans des termes concrets qui facilitent leur appréciation.

Exemples
- ❑ S'hydrater à raison de 2000 mL par jour, à évaluer le...
- ❑ Éliminer une selle molle aux deux ou trois jours, à évaluer le...
- ❑ Tousser de façon efficace aux six heures, à évaluer le...
- ❑ Consommer, à chaque repas, une portion de chacun des grands groupes d'aliments, à évaluer le...

Les objectifs ne comportent pas tous des éléments mesurables. Certains sont plus globaux.

Exemples
- ❑ Avoir les voies respiratoires libres de sécrétions, à évaluer le...
- ❑ Conserver une peau intacte, à évaluer le...

Certains sont plus abstraits et s'évaluent plus facilement si la personne exprime elle-même l'atteinte du résultat.

> ***Exemples***
> ❑ Exprimer sa capacité d'envisager la vie de manière positive,
>   à évaluer le...
> ❑ Exprimer la diminution de sa douleur, à évaluer le...
> ❑ Exprimer le sentiment de sa valeur personnelle en dépit de sa
>   modification corporelle, à évaluer le...

L'objectif doit évoluer avec la situation

L'objectif n'est pas immuable. Il doit tenir compte des capacités de la personne au moment où il est formulé et évoluer selon l'amélioration ou la détérioration de son état. C'est autour de cette évolution que s'articule l'action. Il faut cependant reconnaître que la brièveté des séjours empêche l'infirmière d'établir une progression, mais, lorsqu'elle peut le faire, les résultats sont fort intéressants. Le schéma qui suit illustre cette évolution.

ÉVOLUTION D'UN OBJECTIF AVEC LES PROGRÈS DE LA PERSONNE

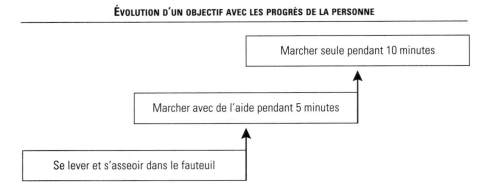

La formulation suppose une seule action ou une seule condition à la fois

La formulation d'un objectif doit viser, autant que possible, une seule action ou une seule condition à la fois. En effet, lorsqu'il y a plusieurs actions à accomplir, chacune d'elles peut être évaluée à des moments différents, par des moyens différents, risquant ainsi de prêter à confusion. Il existe cependant des exceptions pour les actions intimement reliées, par exemple se lever et s'asseoir dans le fauteuil.

La formulation comporte un verbe actif

Il faut tâcher, dans la mesure du possible, de formuler l'objectif avec un verbe actif, par exemple marcher, procéder à ses soins d'hygiène, utiliser adéquatement une technique de relaxation, etc. Un verbe actif n'est pas toujours synonyme de tâche motrice; il peut ainsi signifier des opérations verbales et intellectuelles, ou à caractère affectif telles que «Nommer des aliments riches en fer, à évaluer le ...», «Identifier les allergènes qu'il faut éliminer de son environnement, à évaluer le...», «Exprimer ses sentiments de peur, à évaluer le...»

L'objectif peut toucher différents domaines

À la lueur de ce qui précède, il ressort qu'un objectif peut toucher différents domaines. Il peut être de nature psychomotrice, c'est-à-dire qu'il entraîne des mouvements faisant appel à l'appareil musculosquelettique nécessaire à la fonction motrice. Mais il met aussi en branle tout un ensemble de processus essentiels à la coordination neuromusculaire et de processus mentaux qui impliquent des modèles ou des schèmes d'enchaînement d'actions utiles pour certaines manipulations comme s'habiller sans aide, manger seule, etc.

En soins infirmiers, certaines «actions» peuvent être de nature plutôt physiologique, telles que «Présenter une fréquence respiratoire de 14 à 20 par minute, à évaluer le...», «Éliminer une selle molle aux deux jours, à évaluer le...», «Uriner dans le bassin, à évaluer le...», etc. Dans certains cas, pour éviter l'abus de langage, il faut plutôt parler d'état ou de condition réunissant un ensemble de processus physiologiques, par exemple «Conserver une coloration normale ou sans cyanose, à évaluer le...», «Participer à une activité sans changement appréciable des signes vitaux, à évaluer le... », «Augmenter sa masse de 0,5 kg par semaine, à évaluer le...», etc.

Un objectif peut aussi être d'ordre affectif pour mettre en relief un sentiment, une émotion ou une idée d'acceptation, de refus ou d'expression de soi. Les objectifs englobent une foule d'éléments, allant des intérêts aux sentiments en passant par les attitudes, les appréciations, les motivations et les valeurs de la personne. Le domaine affectif est une source intarissable à laquelle l'infirmière peut puiser pour toucher diverses dimensions de l'être humain.

Les états affectifs déterminent très souvent le comportement et, pour amener une personne à faire certains gestes, il faut d'abord éveiller son intérêt, sa motivation, sa confiance dans sa capacité d'agir. Ainsi, on aura les objectifs suivants: «Exprimer son intérêt à prendre les moyens pour améliorer sa santé, à évaluer le...», «Exprimer un sentiment d'encouragement face à ses progrès, à évaluer le... », «Exprimer sa capacité d'affronter ses difficultés de...», etc.

Pour accepter un traitement ou le poursuivre, la personne a aussi très souvent besoin de stimulation; on peut alors formuler l'objectif suivant: «Exprimer son acceptation du traitement, à évaluer le...».

L'objectif d'ordre affectif vise parfois un effet libérateur de l'anxiété ou de certains sentiments oppressants. Nous trouvons alors des objectifs tels que «Exprimer ses sentiments à l'égard de son amputation, à évaluer le...», «Exprimer la diminution de son anxiété, à évaluer le...», «Exprimer ses peurs concernant..., à évaluer le...».

Un objectif peut aussi être d'ordre cognitif, c'est-à-dire qu'il concerne la connaissance et l'apprentissage. Les apprentissages dont il est ici question touchent la santé et l'équilibre biopsychosocial de même que la prévention de la maladie et son traitement. Il est important qu'une personne comprenne son problème de santé et qu'elle sache ce qu'elle peut faire pour prévenir les complications et parvenir à un mieux-être.

C'est une manifestation de respect pour sa dignité et sa capacité de parvenir à l'autonomie que de lui transmettre de l'information. Les objectifs d'ordre cognitif peuvent, par exemple, prendre la forme suivante: «Expliquer les précautions à prendre au moment de sa médication, à évaluer le...», «Décrire les signes premiers d'une crise d'anxiété, à évaluer le...», «Manifester sa capacité d'appliquer une technique de contrôle de la dyspnée». Naturellement, c'est la personne elle-même qui doit fournir les explications après avoir reçu l'enseignement de l'infirmière.

> **Les objectifs peuvent toucher les domaines suivants:**
> - domaine psychomoteur;
> - domaine affectif;
> - domaine cognitif.

L'objectif doit se rattacher à la partie «problème» du diagnostic infirmier

Comme nous l'avons déjà vu, le diagnostic infirmier se divise en deux parties principales: le problème et sa cause. L'objectif est la projection d'un résultat que l'on désire obtenir dans une situation problème que l'on veut changer en situation souhaitée. Il vise donc directement le problème. Ainsi, si une personne éprouve de la difficulté à bouger le bras et qu'on pose le diagnostic infirmier «Incapacité partielle de s'alimenter R/A une limite de la mobilité», l'objectif qui en découle peut prendre la forme suivante: «S'alimenter de manière autonome, à évaluer le...», «Manger avec de l'aide, à évaluer le...» ou «S'alimenter en utilisant des ustensiles spéciaux, à évaluer le...». En somme, l'objectif est un peu comme l'envers du problème: il témoigne d'une amélioration. Le schéma qui suit illustre le lien qui rattache l'objectif au problème.

DIAGNOSTIC INFIRMIER

Problème	Cause

↓

Objectif

Les actions proposées doivent être réalistes compte tenu de l'état de la personne et du pronostic

Les objectifs doivent être adaptés à la situation de la personne. Il serait impossible d'atteindre un objectif trop exigeant ou irréaliste; il ne servirait qu'à décourager la personne soignée et même l'infirmière. Il doit donc tenir compte des capacités immédiates de la personne et l'amener à progresser. Ainsi, quand une personne est seulement capable de s'asseoir au bord du lit, il faut non seulement l'amener à le faire, mais il faut aussi l'amener à se lever et à s'asseoir dans le fauteuil, puis à marcher, mais toujours en considérant ses capacités. L'objectif est essentiellement évolutif; il suit les progrès de la personne, mais il respecte ses possibilités.

L'objectif doit aussi tenir compte du **pronostic**, c'est-à-dire du degré d'évolution probable. Un diagnostic d'«Incontinence», par exemple, n'a pas le même pronostic chez une femme de 40 ans **multipare** que chez une personne qui souffre de la **maladie d'Alzheimer.**

L'objectif doit fournir des indications précises

L'objectif vise un changement précis qui doit se refléter dans sa formulation. L'énoncé doit fournir des indications sur une situation donnée (qui? quoi? comment? quand? dans quelle mesure?).

PRONOSTIC
Prévision de l'évolution de la maladie.

MULTIPARE
Qui a mis au monde plusieurs enfants.

ALZHEIMER (MALADIE D')
Variété de démence présénile.

Il doit renseigner sur le sujet, c'est-à-dire la personne ou le groupe touché par le problème, soit le malade, le conjoint, la famille, etc. (le *qui*). Pour personnaliser les soins, on peut utiliser le nom de la personne, par exemple, Mme Duparc ou Sylvie sera capable d'«Exprimer ses sentiments concernant..., à évaluer le...». Toutefois, pour simplifier la rédaction du plan de soins, on omet souvent le nom de la personne, sauf s'il s'agit d'une autre personne que le bénéficiaire, par exemple «L'époux de Mme Lenoir sera capable de...»

L'objectif doit aussi indiquer ce que doit faire la personne, la famille ou le groupe (le *quoi*). Ce peut être le comportement ou l'attitude à adopter, l'état ou le geste qu'on espère, exprimés la plupart du temps par un verbe actif.

S'il y a lieu, l'objectif doit répondre à la question *comment?* Par exemple, cette personne devra-t-elle effectuer ses déplacements seule ou avec de l'aide? Devra-t-elle utiliser le déambulateur ou une canne? Devra-t-elle manger avec des ustensiles spéciaux? Devra-t-elle choisir des aliments sur une liste spéciale ou sur le menu? Devra-t-elle utiliser les toilettes ou le bassin de lit? Il est souvent important d'apporter ces précisions afin de faciliter le travail de l'équipe et d'assurer la continuité des soins.

L'objectif peut aussi préciser *quand* faire l'action, à quel moment particulier ou à quelle fréquence, par exemple, la personne doit procéder à des séances de toilette bronchique deux ou trois fois par jour. Doit-elle se lever et s'asseoir dans le fauteuil une fois par jour ou plus souvent? Doit-elle exprimer ses sentiments avant l'intervention chirurgicale? Doit-elle pratiquer une technique de relaxation le soir, au coucher? Là encore, les réponses à ces questions facilitent l'organisation des soins et assurent leur continuité.

Certains objectifs apportent un autre élément de précision: *dans quelle mesure*, c'est-à-dire quelle quantité? quelle durée?

Exemples

- ❏ S'hydrater à raison de 2000 mL par jour.
- ❏ Augmenter sa consommation de lait à 250 mL par jour.
- ❏ Réduire sa consommation alimentaire à 6300 kJ par jour.
- ❏ Augmenter sa masse de 5 kg.
- ❏ Respirer sans embarras, à une fréquence de 14 à 20 par minute.
- ❏ Vider sa vessie avec un résidu inférieur à 50 mL.

Les questions auxquelles doit répondre un objectif

- Qui fait l'action, adopte l'attitude ou atteint l'état désiré?
- Comment cette personne doit-elle faire ce geste ou atteindre cet état?
- Quoi faire pour atteindre cet objectif?
- Quand doit-elle faire ce geste? À quelle fréquence?
- Dans quelle mesure? Quelle quantité? Quelle durée?

En somme, un objectif doit fournir à la soignante et à l'équipe des indications précises sur les gestes que la personne doit faire ou l'état qu'elle doit atteindre. Après avoir rédigé un objectif, il est bon de se demander: «Pourrait-il être plus précis?» Par exemple, devant l'objectif «Comprendre son traitement, à évaluer dans 24 heures», il faudrait répondre oui, car il serait préférable de spécifier ce qui est particulièrement important pour cette personne. Est-ce de comprendre pourquoi elle suit ce traitement? de saisir l'importance d'être fidèle au traitement? d'en comprendre les étapes? d'en connaître les effets secondaires? etc. Robert Mager (1969, p. 13) écrivait, avec raison: «Si vous n'êtes pas certains de l'endroit où vous voulez vous rendre, vous risquez de vous retrouver ailleurs.»

L'objectif doit être déterminé de concert avec la personne

Puisqu'il s'agit très souvent d'un objectif «de la personne» et que c'est elle qui doit faire preuve de dynamisme et faire des gestes pour l'atteindre, il est logique, si son état le permet, de le déterminer en collaboration avec elle. Après avoir posé un diagnostic infirmier, la soignante peut lui exposer ses observations sur son état et valider ainsi son diagnostic. Elle peut ensuite lui faire part de l'objectif qu'il serait souhaitable d'atteindre et solliciter son approbation et sa collaboration.

Dans certains cas, l'objectif peut même être rédigé avec la personne. Ainsi, si une personne dort mal et se plaint surtout d'avoir énormément de difficulté à s'endormir, l'infirmière, après avoir recueilli des données et des commentaires, pourrait lui demander: «Qu'est-ce que vous souhaiteriez?» La personne pourrait répondre: «M'endormir sans m'énerver; je reste trop longtemps sans fermer l'œil.» Traduisant ce souhait, l'infirmière pourrait rédiger l'objectif suivant: «S'endormir dans un délai de 20 à 30 minutes après l'installation au lit.»

En consultant la personne sur son plan de soins, l'infirmière lui témoigne du respect. C'est une façon de lui montrer qu'elle la croit capable de comprendre et d'agir. C'est aussi un excellent moyen de la motiver à accepter son traitement et à y prendre une part active.

L'objectif doit s'inscrire dans la logique des autres composantes du plan de soins

L'objectif découle du diagnostic infirmier et doit donc s'inscrire dans la même logique. Quant aux interventions, elles s'articulent autour de l'objectif en fournissant les moyens de l'atteindre. Il est donc essentiel qu'elles suivent la même direction. Pour établir ce lien logique, il est recommandé d'écrire le diagnostic très lisiblement et d'aligner les objectifs et les interventions qui s'y rapportent comme dans l'exemple ci-dessous.

Figure 8.1

Exemple de disposition

Diagnostic infirmier	Objectif	Interventions	Évaluation
❑ Constipation	• Exprimer avoir retrouvé son rythme d'élimination habituel (aux 2 jours).	❑ Établir un profil d'élimination. ❑ Suggérer des aliments riches en fibres. ❑ Conduire aux toilettes à des heures régulières conformes au profil antérieur. ❑ Recommander de boire 2000 mL par jour. ❑ Expliquer l'importance de l'activité pour combattre la constipation.	.

L'évaluation doit s'inscrire dans la même veine puisqu'elle porte de façon particulière sur l'atteinte des objectifs.

L'objectif doit indiquer une échéance précise

L'objectif tend vers un but autour duquel s'organise l'action. Pour qu'il soit autre chose qu'un «vœu pieux», il est important de le situer dans le temps, c'est-à-dire préciser une échéance, qui peut varier de quelques heures à plusieurs semaines, voire des mois. L'échéance peut indiquer deux choses: soit le moment où l'infirmière prévoit atteindre son objectif ou le moment qu'elle juge approprié pour observer l'évolution de la situation.

Dans le cas d'une personne dont le diagnostic infirmier se lit «Mode de respiration inefficace R/A des séquelles d'un traumatisme», accompagné de l'objectif «Respirer avec une amplitude acceptable, à une fréquence de 14 à 20 par minute», l'échéance peut être brève. La situation présente des risques sérieux de complications respiratoires et il est important de la suivre de près. L'infirmière pourrait considérer, par exemple, une période de six à huit heures, non pas parce qu'elle croit que la situation sera alors corrigée, mais parce qu'elle juge que c'est un intervalle raisonnable pour observer l'évolution de la situation et modifier son action s'il y a lieu.

> **L'échéance peut indiquer:**
> - le moment où l'infirmière prévoit atteindre son objectif;
> - le moment qu'elle juge approprié pour observer l'évolution de la situation et modifier son action s'il y a lieu.

L'échéance d'un objectif se traduit de diverses façons: on peut dire, par exemple, «à évaluer le...»; on peut aussi dire «d'ici 15 heures, d'ici deux jours ou d'ici une semaine» ou encore «à évaluer à la fin de la nuit», «à évaluer avant l'intervention». Finalement, la formulation qui mentionne une date ou une heure exprime l'échéance la plus précise.

L'échéance fixée pour l'atteinte d'un objectif varie selon

- **l'urgence**. L'objectif doit tenir compte de l'ordre de priorité établi dans le diagnostic. Par exemple, l'échéance d'un objectif portant sur une fonction vitale sérieusement entravée sera courte. Ainsi, pour un diagnostic infirmier de «Dégagement inefficace des voies respiratoires R/A la présence de sécrétions» auquel est attribuée une priorité 1, en raison de l'état sérieux de la personne, l'échéance n'excédera pas de six à huit heures. En revanche, pour un diagnostic de «Chagrin par anticipation R/A la non-acceptation d'une maladie terminale», l'objectif «Exprimer ses sentiments de peur et de tristesse» pourra être considéré à plus long terme, par exemple de trois à quatre jours;

- **le temps dont on dispose**. Il a été expliqué qu'un objectif doit être établi en fonction des capacités de la personne, mais il doit l'être aussi en fonction du temps dont on dispose pour l'aider à l'atteindre Ainsi, chez une personne qui doit subir une intervention chirurgicale, si l'infirmière a formulé l'objectif suivant: la personne sera capable de «Verbaliser ses sentiments face à l'intervention», l'échéance doit nécessairement arriver avant l'intervention. Il en est souvent de même pour les courts séjours: ils conditionnent nécessairement l'échéance des objectifs;

- **le contexte de soins**. L'échéance varie aussi selon le service où travaille l'infirmière: urgence, soins aigus, soins à long terme. Tout est lié au temps dont elle dispose. Traditionnellement, l'étudiante, comme l'infirmière, était invitée à formuler des objectifs à court terme, à moyen terme et à long terme. Toutefois, avec la réorganisation des soins et compte tenu de la nécessité de fixer une échéance, il est aujourd'hui plus efficace, particulièrement dans les soins actifs, de rédiger un objectif à court terme et de le modifier selon l'évolution de la personne;
- **le pronostic**. Si le pronostic est réservé, l'échance pourra être plus longue parce que l'atteinte de l'objectif pose des difficultés.

Voici les principaux facteurs qui influencent la longueur du délai fixé pour atteindre un objectif:

- l'urgence de la situation;
- le temps dont on dispose;
- le contexte de soins;
- le pronostic infirmier.

L'objectif doit inclure le pronostic de l'infirmière

Selon le dictionnaire, un pronostic est une conjecture sur ce qui doit arriver. En soins infirmiers, cela signifie un jugement que porte l'infirmière sur l'issue prévue d'une situation, sur l'atteinte d'un objectif. Le pronostic est un jugement clinique émis après le diagnostic infirmier. Il a des incidences sur les exigences de l'objectif, mais surtout sur son évaluation. Par exemple, pour un diagnostic infirmier d'«Altération de la mobilité physique R/A la faiblesse», les attentes de l'infirmière seront différentes selon que la personne a 50 ans ou 70 ans et le délai alloué pour recouvrer la mobilité variera aussi en fonction de l'âge. Toutefois, le pronostic revêt une importance encore plus grande au moment de l'évaluation.

L'incidence de l'évaluation d'un objectif varie selon que le pronostic est sombre ou excellent. Si le pronostic est médiocre et que l'objectif n'est pas atteint, cela ne signifie pas un échec, mais si le pronostic est bon, il faut s'interroger sur ce qui s'est passé.

Le pronostic influence non seulement les objectifs, les interventions et l'évaluation des résultats, mais aussi l'évaluation de la qualité des soins et même le calcul de la charge de travail de l'infirmière, puisque l'atteinte d'un objectif demande plus de temps et d'énergie si le pronostic est pauvre. Un pronostic réservé ne doit cependant pas démotiver l'infirmière. Au contraire, puisque le défi est d'autant plus grand.

Voici les principaux facteurs qui influencent le pronostic infirmier:

- la motivation de la personne;
- son état physique général (faiblesse, infirmité, etc.);
- son problème de santé (chronique ou aigu), son âge, ses capacités intellectuelles, son équilibre psychologique, les limites de ses ressources financières, de son réseau de soutien, etc.

Certaines personnes diront que le pronostic rend l'élaboration du plan de soins encore plus complexe. C'est vrai, mais il n'est pas nécessaire de toujours l'indiquer; on peut le réserver pour les cas où l'évolution est plus difficile. Si la tâche paraît trop difficile pour l'étudiante, elle peut demander conseil ou faire des recherches. Souvent, le simple bon sens et l'observation suffisent à formuler un pronostic.

Dans certaines situations, il est particulièrement intéressant de joindre un pronostic à l'objectif, notamment quand la personne manque de motivation, ou qu'elle présente certaines limites physiques, psychologiques ou matérielles.

La motivation de la personne   Pour atteindre un objectif, la personne doit être motivée. Il faut donc l'inciter à agir ou à changer son style de vie, sinon le pronostic demeurera pauvre. Par exemple, une personne polytraumatisée qui doit réapprendre les mouvements pour manger, voir à ses soins d'hygiène, etc., malgré de très grandes difficultés, pourra y arriver avec le temps si elle est motivée.

L'état physique (faiblesse, infirmité, etc.)   Une personne dont l'état physique est détérioré ou qui souffre d'une infirmité éprouvera plus de difficulté à atteindre certains objectifs. Ainsi, il est difficile de marcher pour une personne handicapée et non voyante depuis peu ou de s'occuper de ses soins d'hygiène pour une personne hémiplégique. Des cas semblables peuvent justifier un pronostic réservé.

Le problème de santé (chronique ou aigu)   Le problème de santé de la personne influence certes le pronostic infirmier. Nous avons déjà cité l'exemple de l'incontinence chez un malade souffrant d'Alzheimer. Dans un tel cas, selon la phase de la maladie, le pronostic peut être réservé. Précisons qu'il n'y a pas nécessairement de lien entre le pronostic médical et le pronostic infirmier. Ainsi, le pronostic médical peut indiquer que les chances d'amélioration sont faibles dans le cas d'une personne qui souffre de diabète grave, mais un objectif visant la connaissance du traitement ou des soins des pieds peut présenter chez la même personne un très bon pronostic infirmier si elle est motivée et alerte intellectuellement.

L'âge   L'âge avancé diminue souvent les possibilités d'évolution d'une personne, et ce, à divers points de vue: du point de vue physique, l'amplitude respiratoire et l'amplitude du mouvement diminuent, de même que la tolérance à l'effort, le contrôle des sphincters, les capacités de perception, etc.; du point de vue psychologique, les habitudes sont plus ancrées, les valeurs, souvent différentes de celles du milieu, et la résistance au changement, plus forte. Tous ces facteurs peuvent amener l'infirmière à émettre, dans certains cas, un pronostic réservé, mais il ne faut pas trop présumer des difficultés des personnes vieillissantes, car elles nous réservent souvent des surprises.

Les capacités intellectuelles (intelligence, capacité de se concentrer, mémoire, capacité de résoudre des problèmes)   Les capacités intellectuelles d'une personne sont des atouts qui peuvent l'aider en toutes circonstances. En dépit d'une situation difficile, elles peuvent concourir à un bon pronostic. Ainsi, une personne souffrant de diabète, qui doit apprendre à suivre un régime exigeant, à s'injecter de l'insuline, à modifier plusieurs aspects de son style de vie, y parviendra si elle est intellectuellement alerte. Le pronostic pourrait alors être quand même très bon.

L'équilibre psychologique   L'équilibre émotif d'une personne l'aide à accepter des conditions difficiles liées à la maladie et au traitement. Il lui permet de mieux s'adapter à des limites physiques, à des modifications de ses perspectives de vie, à une altération de son schéma corporel, au vieillissement, au deuil, etc. Par exemple, une personne qui souffre de dépression et qui doit subir une intervention sérieuse est mal armée pour faire face à la douleur physique et psychologique. Dans ce cas, des objectifs visant l'acceptation de son état et les soins d'une stomie pourraient avoir un pronostic réservé.

Les limites des ressources financières et du réseau de soutien Pour faire face à une situation difficile, une personne a souvent besoin du support de ses proches non seulement durant l'hospitalisation, mais aussi après son retour à la maison. De plus, elle a souvent besoin de ressources financières pour suivre un traitement ou un régime ou pour payer une aide-ménagère. Si la personne est sans ressources, le pronostic pourrait être réservé.

L'ajout d'un pronostic au plan de soins

Pour toutes les raisons que nous venons d'énumérer, il est important, dans les cas difficiles, d'inclure dans le plan de soins un pronostic relié à l'atteinte de l'objectif (lorsque le pronostic est réservé). Il suffit d'indiquer à la suite de l'objectif: Excellent (E), Bon (B) ou Réservé (R). Ainsi, pour le diagnostic infirmier suivant, formulé dans le cas d'une mère célibataire qui allaite son bébé sans beaucoup d'attention «Allaitement inefficace R/A un manque de motivation», l'objectif pourrait être:

«Démontrer les techniques et les règles d'hygiène propres à l'allaitement au sein, à évaluer le...» Pronostic: R (réservé).

Les interventions: deuxième volet de la planification

Les interventions constituent la deuxième partie de la planification des soins. L'écart entre la situation problème et la situation idéale amène l'infirmière à planifier des interventions pour atteindre un objectif. Il peut s'agir d'actions accomplies par l'infirmière ou par la personne elle-même, ou d'attitudes à adopter.

Les objectifs sont centrés sur la personne et c'est elle-même qui intervient, mais c'est l'infirmière qui planifie les interventions, toujours orientées vers le mieux-être de la personne. L'association objectif-intervention repose sur un raisonnement de type «si, alors» semblable à celui que l'on trouve dans les systèmes informatisés: si les interventions se concrétisent, alors le résultat escompté sera atteint.

> **Interventions**
>
> Les interventions représentent toute action que fait l'infirmière, toute attitude ou tout comportement qu'elle adopte ou qu'elle cherche à développer chez la personne, dans le cadre de ses fonctions professionnelles, en visant le mieux-être de la personne soignée.

C'est surtout par le moyen des interventions que l'infirmière assume le rôle de suppléance tel qu'il est défini dans le modèle conceptuel de Virginia Henderson.

Les interventions infirmières s'inspirent, d'une part, de l'information recueillie auprès de la personne (collecte des données et diagnostic infirmier) et, d'autre part, des connaissances cliniques de la soignante sur lesquelles elle se fonde pour trouver des solutions. Les interventions infirmières dépendent de la réponse de la personne traduisant un comportement humain qui peut varier à l'infini. Par conséquent, elles peuvent toucher toute une gamme d'actions et d'attitudes. Pour planifier et appliquer ses interventions, l'infirmière doit tirer parti d'une foule de connaissances théoriques et techniques en soins infirmiers, d'éléments relationnels, de connaissances en anatomie, physiologie, pathologie, psychologie, sociologie, etc.

ENSEMBLE DES CONNAISSANCES OÙ L'INFIRMIÈRE DOIT PUISER

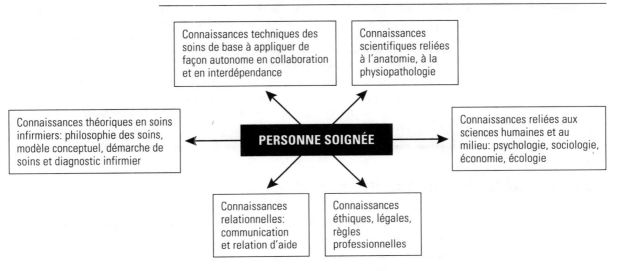

Les divers types d'interventions

Les interventions autonomes qui se trouvent dans un plan de soins se divisent en deux grandes catégories:

- les interventions autonomes de soins infirmiers qui visent les soins physiques pour l'entretien des fonctions corporelles, celles qui tendent à apporter un support psychologique à la personne ou à ses proches et celles qui ont pour but d'assurer sa sécurité, de lui communiquer des connaissances ou d'améliorer les conditions du milieu;

> ### *Exemples*
>
> «Offrir des aliments à teneur élevée en calcium», «Réserver 10 minutes par jour pour permettre à la personne de s'exprimer sur sa difficulté de...», «Utiliser la question ouverte pour évaluer le niveau d'anxiété», «Faire un massage des pieds», «Faire faire une visualisation», «Expliquer à la personne comment refaire son pansement de manière aseptique», «Renseigner la personne sur les signes précurseurs d'une crise d'anxiété», «Utiliser un processus de réévaluation cognitive pour aider la personne à parvenir à une vision plus juste de la réalité», «Disposer les objets dans la portion encore active de son champ visuel», «Faire faire des exercices d'affirmation de soi».

- les interventions infirmières autonomes reliées à des soins médicaux qui viennent compléter un geste technique ou médical pour le rendre plus acceptable, plus humain, pour en diminuer les inconvénients.

Mise en situation

Une grande brûlée devient angoissée au moment de refaire son pansement. On a posé un diagnostic d'«Anxiété R/A la peur et à la douleur au moment de refaire le pansement», et l'objectif se lit ainsi: «Exprimer qu'elle accepte le changement du pansement avec moins de crainte, à évaluer le ...». Les interventions proposées dans le plan de soins visent à lui apporter une présence réconfortante avant de refaire le pansement, à lui faire

exprimer ses craintes, à lui faire pratiquer une technique de relaxation, à lui expliquer des manières de se détendre au moment de changer le pansement et à lui administrer l'analgésique prescrit de 20 à 30 minutes avant le début du traitement, à être attentive en changeant le pansement pour éviter les gestes douloureux et à exprimer notre satisfaction pour toute amélioration des manifestations d'anxiété.

On distingue deux types d'interventions:
- les interventions autonomes de soins infirmiers (elles peuvent être techniques, relationnelles et d'enseignement);
- les interventions infirmières autonomes reliées à des soins techniques et médicaux.

Les caractéristiques des interventions

Pour être appropriées, les interventions doivent présenter certaines caractéristiques.

Caractéristiques des interventions

Les interventions doivent:
- être fondées sur des principes scientifiques de soins infirmiers, de physiopathologie, de psychologie, de sociologie, etc.;
- être individualisées;
- être formulées de manière concise, simple et concrète;
- s'harmoniser avec le diagnostic infirmier et l'objectif;
- toucher la partie problème et (ou) la partie cause du diagnostic infirmier;
- répondre aux questions quoi? quand? comment? où? dans quelle mesure? (à quel rythme ou à quelle fréquence?) qui?
- viser la progression vers l'autonomie ou le mieux-être de la personne;
- être considérées comme le pendant de l'ordonnance médicale et être signées;
- être créatives;
- favoriser la participation de la personne, la relation d'aide et l'enseignement.

Les interventions doivent reposer sur des bases sérieuses

Les interventions infirmières ne sont pas des gestes banals et insignifiants. Elles doivent être fondées sur des principes scientifiques de biologie, de soins infirmiers, de psychologie, de sociologie ou sur des directives techniques reconnues. En d'autres termes, l'infirmière ne peut pas, sous prétexte de vouloir aider la personne, faire n'importe quel geste.

Les interventions doivent être individualisées

Les interventions proposées dans le plan de soins doivent être planifiées en fonction des problèmes d'une personne en particulier. Dans un plan de soins standard, cette personnalisation se fait en choisissant certaines interventions parmi la panoplie. Il est important de respecter cette condition si l'on veut offrir des soins plus humains et assurer leur qualité.

Mise en situation

Une personne est déshydratée. On a posé un diagnostic de «Déficit du volume liquidien R/A la faiblesse» et l'objectif est le suivant «S'hydrater à raison de 2000 mL par jour, à évaluer le...». Les interventions visent à faire boire cette personne, mais pas n'importe comment. Elles doivent tenir compte de son état, de sa faiblesse, de sa difficulté à se verser de l'eau, à porter le verre à ses lèvres ou encore de ses difficultés de déglutition. Elles pourront, par exemple, prendre la forme suivante: «Expliquer l'importance de boire beaucoup», «Mettre un pot de jus de son choix à son chevet et lui en offrir toutes les heures», «La faire boire en soulevant bien la tête pour favoriser la déglutition», «Si elle s'étouffe souvent, faire plutôt sucer de petits glaçons», «Offrir des aliments riches en liquides», etc.

Il est évidemment plus facile d'individualiser un plan de soins complètement rédigé par l'infirmière, mais il demeure possible de le faire avec un plan de soins standard. Il suffit de faire les choix appropriés et d'ajouter quelques détails s'il y a lieu. Les plans standard sont présentés un peu plus loin dans le présent chapitre.

Les interventions doivent être concises, simples et précises

Les interventions proposées dans le plan de soins doivent être libellées en phrases simples et concises. Il est inutile de se livrer à des exercices stylistiques qui ne feraient qu'embrouiller le message. La concision est un gage d'efficacité.

On ne saurait trop insister sur l'importance de la précision. La démarche de soins est un processus scientifique dont la rigueur se traduit par des interventions précises.

Les interventions doivent s'harmoniser avec le diagnostic et l'objectif

Comme l'objectif, les interventions doivent aussi s'inscrire dans la même logique que les autres composantes du plan de soins.

Les interventions touchent la partie problème ou la partie cause du diagnostic infirmier

Nous avons vu que les objectifs touchent généralement la partie «problème» du diagnostic infirmier. Nous avons longuement expliqué que l'approche multivariée permet d'agir soit sur le problème seulement, soit sur la cause seulement, soit sur le problème et la cause. Par conséquent, les interventions peuvent toucher le problème et la cause comme le montre le schéma qui suit:

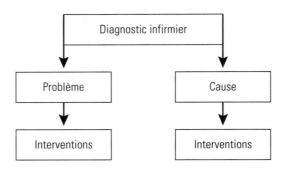

SITE DE L'ACTION

Les interventions doivent répondre aux questions quoi? comment? quand? où ? dans quelle mesure? qui?

Tout comme les objectifs, les interventions doivent comporter des éléments de précision qui orientent les infirmières qui doivent appliquer le plan de soins.

Les interventions doivent renseigner sur le *quoi*, c'est-à-dire ce qu'il faut faire ou ce que la personne doit faire pour atteindre l'objectif, par exemple «Prodiguer les soins d'hygiène de la bouche», «Lubrifier la zone irritée», «Faire participer à des décisions simples», «Faire faire des exercices respiratoires», «Faire manger», «Faire boire», «Faire marcher».

Les interventions doivent aussi répondre à la question *comment?* Les exemples que nous venons de citer doivent, dans certains cas, préciser comment accomplir ou faire accomplir une action. Ainsi, quand on lit «Lubrifier la zone irritée», il faudrait ajouter la substance à utiliser, soit «Lubrifier la zone irritée avec un émollient hydrosoluble» et le nommer au besoin. Dans l'intervention «Faire manger», on pourrait tenir compte de la personne et ajouter: «Faire manger lentement en plaçant les aliments du côté non paralysé».

Les interventions doivent aussi préciser *quand* faire l'action. Par exemple, à l'objectif «Lubrifier la zone irritée avec un émollient hydrosoluble», on pourrait ajouter: «Lubrifier la zone irritée avec un émollient hydrosoluble à chaque changement de culotte d'incontinence». Le *quand* implique aussi une notion de rythme, de fréquence qu'il faut ajouter dans certaines interventions, par exemple, «Faire faire des exercices respiratoires» pourrait devenir: «Faire faire des exercices respiratoires aux quatre heures» et «Prodiguer les soins d'hygiène de la bouche», «Prodiguer les soins d'hygiène de la bouche matin et soir».

Certaines interventions impliquent des notions de lieux: il est alors utile de préciser le *où*. Ainsi, «Faire marcher» deviendrait «Faire marcher autour du lit ou dans le corridor».

Les interventions doivent aussi indiquer *dans quelle mesure* faire l'action, ou pendant combien de temps, par exemple «Faire faire des exercices respiratoires pendant cinq minutes aux quatre heures», «Faire marcher pendant 10 minutes autour du lit ou dans le corridor».

Dans certaines organisations de soins, il faut aussi préciser *qui* doit faire l'action. Nous avons déjà traité cette question dans les objectifs. Elle vise le personnel qui doit intervenir, car, dans certains milieux, l'organisation du travail suppose la collaboration de différents membres: infirmières, auxiliaires, aides-soignantes, préposées, agents de toutes sortes.

La rédaction du plan de soins relève de la responsabilité profession-nelle de l'infirmière, mais des personnes désignées peuvent participer à son application. Le plan de soins doit servir non seulement à organiser l'ensemble des soins de la personne, mais aussi à orienter les différents membres de l'équipe; c'est pourquoi on peut y indiquer qui doit se charger de telle ou telle intervention. Toutefois, cette politique varie selon les établissements et les façons d'organiser le travail. C'est ainsi que, dans certains établissements, un astérisque signifie que la tâche revient à l'auxiliaire, comme dans l'exemple suivant.

Exemple

Interventions

❑ Expliquer la nécessité de conserver une position susceptible d'optimiser la circulation: tenir les jambes élevées, éviter de croiser les jambes, etc.

❑ Faire pratiquer des exercices pour stimuler la circulation artérielle (Burger–Allen) cinq minutes trois fois par jour.

❑ Se lever et s'asseoir dans le fauteuil 20 minutes, deux fois par jour.

Cette dernière intervention relève de l'auxiliaire.

Les interventions doivent viser l'évolution de la personne

Les interventions doivent viser l'évolution de la personne vers l'autonomie ou un mieux–être. Le plan de soins se situe dans une approche évolutive et proactive. Ce processus long et complexe est réservé aux problèmes traités à plus long terme. Il ne s'applique pas aux problèmes qui peuvent se résoudre de façon simple et immédiate par les «Activités de la vie quoti-dienne». Bien sûr, l'amélioration n'est pas toujours possible. Toutefois, rap-pelons que le plan de soins vise aussi la prévention des complications et des séquelles ou le maintien d'un état optimal compte tenu de l'état de la personne.

Les interventions sont le pendant des ordonnances médicales

Les interventions constituent le volet thérapeutique de la démarche de soins. D'un point de vue logique et professionnel, elles sont le pendant des ordonnances médicales et doivent être empreintes du même sérieux. L'importance des interventions se traduit par la nécessité de signer non seulement le plan de soins, mais aussi toute intervention ajoutée ou modi-fiée. Cette exigence reflète aussi le caractère légal du plan de soins. Si l'on croit au sérieux des interventions infirmières, il devient évident que la soi-gnante doit en endosser la responsabilité.

Les interventions doivent être créatives

Les interventions doivent être inventives. Il faut éviter que le plan de soins n'aboutisse à des interventions stéréotypées. Il est donc important de tenter d'être imaginative et d'élaborer des interventions originales qui répondent vraiment aux caractéristiques de la personne, à ses besoins et à l'évolution de son état.

Les plans de soins traduisent souvent une grande préoccupation de satisfaire des besoins physiques pour lesquels il existe un très grand nombre d'interventions. Toutefois, ils proposent moins d'interventions pour les besoins dits supérieurs tels qu'éviter les dangers, communiquer, agir selon ses croyances et ses valeurs, s'occuper en vue de se réaliser, se récréer et apprendre. Ces besoins pourraient pourtant donner lieu à des interventions novatrices puisqu'ils revêtent de multiples formes qui permettent à l'infirmière de faire preuve de créativité.

Les interventions doivent favoriser la participation de la personne, la relation d'aide et l'enseignement

Le plan de soins doit refléter la philosophie des soins et la finalité du modèle conceptuel qui lui sert de base, c'est-à-dire, dans le cas du modèle de Virginia Henderson, l'évolution vers l'autonomie. Ce but ne peut être atteint sans une étroite collaboration avec la personne soignée.

Les interventions doivent présenter les soins dans une approche humaine, caractérisée par des relations chaleureuses, porteuses d'encouragement et d'espoir. Les attitudes et les habiletés de relation d'aide sont à cet égard des atouts majeurs qu'il faut mentionner dans le plan de soins.

Renseigner les personnes soignées fait aussi partie des responsabilités de l'infirmière et, dans de multiples situations, cette dernière peut proposer des interventions d'éducation auprès de la personne et de sa famille. Le chapitre 12 porte sur l'enseignement à la clientèle.

Les différences entre un objectif de soins et une intervention

À la lecture des caractéristiques des interventions et des objectifs, certaines personnes peuvent se demander: «Quelle est la différence entre les deux?» Il est vrai que, devant certains énoncés, on peut se poser la question: «Est-ce un objectif ou une intervention? Comment les distinguer?»

Les différences entre un objectif et une intervention peuvent se définir ainsi:

- L'objectif est généralement plus global.

  Exemples:
  «S'hydrater à raison de 1500 mL par jour» est un objectif.
  «Offrir un verre d'eau aux deux heures» est une intervention.

- L'objectif peut devenir opérationnel par des interventions qui permettront de l'atteindre.

  Exemples:
  «Augmenter sa consommation de fibres de deux portions par jour» est un objectif.
  «Expliquer l'importance des fibres dans l'alimentation», «Fournir de l'information sur les principaux aliments contenant des fibres», «Faire choisir des aliments riches en fibres qui sont au menu» sont des interventions.

- L'objectif comporte une limite de temps et il est parfois accompagné d'un pronostic.

Les interventions comme moyens de rendre un objectif opérationnel

Dans son plan de soins, après avoir posé un diagnostic infirmier et déterminé un objectif, l'infirmière doit encore rendre cet objectif opérationnel en proposant des interventions qui permettent de l'atteindre.

Figure 8.2

Exemples d'«opérationnalisation» d'un objectif

Objectif	Interventions
❑ Conserver une peau de couleur normale à la région coccygienne, à évaluer le...	❑ Nettoyer la peau avec du savon doux; rincer et assécher soigneusement. ❑ Changer de position aux deux heures. ❑ Réduire les forces de cisaillement en utilisant une **alèze** pour remonter le malade dans le lit. ❑ Placer un **matelas anti-escarres**.
❑ Exprimer la diminution de son anxiété, à évaluer le...	❑ Réserver 10 minutes par jour pour échanger. ❑ Favoriser l'expression des sentiments, de la peur, de la tension. ❑ Faire pratiquer une technique de relaxation au coucher.

ALÈZE, ALÈSE OU ALAISE
Pièce de literie placée sous le malade.

MATELAS ANTI-ESCARRES
Matelas qui permet d'éviter la formation des escarres.

Le plan de soins

Le plan de soins est l'instrument de travail par excellence de l'infirmière. Elle en est directement responsable et il fait partie de ses fonctions autonomes.

> **Plan de soins**
>
> Le plan de soins est un ensemble comprenant le diagnostic infirmier, les objectifs et les interventions qui servent à prévoir, à organiser et à évaluer les soins.

Le plan de soins fait partie des standards de la *Joint Commission on Accreditation of Health Organizations* (JCAHO), reconnus dans de nombreux pays. Le critère 5.3 énonce qu'une infirmière diplômée doit établir un plan de soins pour chaque patient. Le critère 5.5 précise que le plan de soins doit être documenté (reposer sur des données fiables) et qu'il doit refléter les standards actuels de la pratique infirmière (1988, p. 146).

Les différents types de plans de soins

Il existe différents types de plans de soins. Le plus répandu est sans contredit le plan de soins personnalisé. C'est un instrument ouvert où il faut remplir des colonnes pour le diagnostic infirmier, les objectifs, les interventions et l'évaluation.

Ce type de plan est un extraordinaire moyen pour organiser les soins, mais il exige beaucoup de temps et d'énergie. Il existe aussi un plan de soins standard qui facilite la tâche de l'infirmière. C'est un instrument fermé qui, pour un diagnostic infirmier donné, propose un éventail d'objectifs et d'interventions parmi lesquels choisir. Ce plan peut être utilisé de deux façons: il peut servir de modèle pour élaborer un plan de soins personnalisé ou devenir un instrument de travail dont on joint une copie au dossier. Entre ces deux extrêmes, il y a toute une gamme de plans de soins de type intermédiaire. Les pages qui suivent présentent des exemples de plans de soins. La figure 8.3 montre un formulaire de plan de soins personnalisé qui peut être complété par un plan standard et des protocoles de soins.

Figure 8.3

Exemple de formulaire pour un plan de soins personnalisé

Autres formulaires utilisés:
❑ Plan standard
❑ Plan d'enseignement
❑ Protocole de soins

Diagnostic infirmier	Objectif	Échéance	Interventions autonomes	Horaire	Évaluation

Il existe aussi des plans de soins dits «génériques» pour des clientèles particulières, par exemple les malades qui souffrent d'asthme ou de phlébite ou encore pour des conditions spécifiques comme dans le cas des personnes qui subissent une chimiothérapie. À ces différents formulaires il faut ajouter le plan de soins informatisé qui est l'espoir de demain pour bien des infirmières surchargées.

Les plans de soins standard

Les plans de soins standard ont été introduits il y a déjà assez longtemps afin de simplifier la planification des soins. Selon la définition de M. Mayers, (1983), ce sont des protocoles de soins appropriés pour les personnes qui présentent des difficultés courantes et prévisibles, associées à un diagnostic infirmier ou à un problème de santé.

Les plans de soins standard offrent certains avantages. D'abord, ils permettent de gagner du temps et, comme ils sont généralement préparés par des expertes, ils sont très performants. Les plans de soins standard sont des protocoles qui ne se prêtent à aucune adaptation, alors que les plans de soins standard modifiés permettent de faire des choix et des ajouts, les rendant ainsi plus personnalisés. La figure 8.4 présente une partie d'un plan de soins standard générique pour une arthroplastie du genou (période postopératoire avancée).

Figure 8.4

Exemple de plan de soins standard

Diagnostic infirmier	Objectif	Interventions	Évaluation
Douleur au genou R/A l'œdème.	Présenter un genou ... sans œdème, à évaluer le... Pronostic: E____ B____ R____	Évaluer la présence d'œdème à la jambe aux ____ heures. Placer la jambe ____ dans un bon alignement. Expliquer qu'il est important de bouger. Administrer l'analgésique environ ____ minutes avant les exercices. Faire les exercices de renforcement du quadriceps ____ tel qu'il est recommandé.	

Dans cet exemple, l'infirmière n'a plus qu'à remplir le plan standard proposé.

La figure 8.5 présente d'autres exemples de plans de soins standard modifiés permettant de personnaliser les soins. On trouve d'abord un plan de soins pour un problème de «Dégagement inefficace des voies respiratoires» qui, associé à une cause, en l'occurrence une diminution de la mobilité, formule un diagnostic infirmier.

En examinant le formulaire, nous trouvons d'abord une brève définition du problème, puis les principaux signes et symptômes qui manifestent ce problème. L'infirmière coche ses choix dans les cases qui correspondent à l'état de la personne. Viennent ensuite des colonnes pour les objectifs et leur échéance; on peut aussi y préciser le pronostic s'il y a lieu. À cela s'ajoute la section pour les interventions et leur horaire. L'infirmière doit faire des choix tant pour les objectifs que pour les interventions. En outre, elle doit indiquer l'horaire. Ainsi, si l'intervention choisie propose de faire tousser la personne quatre fois par jour pour effectuer la toilette bronchique, l'infirmière peut inscrire 10 h, 14 h, 16 h, 20 h (ou tout autre moment qui lui convient) dans la colonne de l'horaire. La dernière colonne est réservée à l'évaluation des objectifs. Les explications sur l'évaluation sont présentées au chapitre 10.

La deuxième page de ce plan de soins propose des interventions visant l'une des causes mentionnées précédemment, soit la diminution de la mobilité. La dernière colonne de cette partie du plan de soins présente de nouveau les signes et symptômes manifestant ce problème. L'infirmière peut cocher ceux qui sont encore présents au moment de l'évaluation.

Figure 8.5

Diagnostic infirmier: Dégagement inefficace des voies respiratoires

Définition: Impossibilité ou difficulté de libérer les voies respiratoires du mucus qui s'y accumule.

Relié à:
- ☑ diminution de la mobilité
- ☐ présence de sécrétions épaisses
- ☐ douleur

Manifesté par:
- ☑ expression verbale d'embarras respiratoire
- ☑ toux inefficace
- ☐ cyanose
- ☐ bruits
- ☑ dyspnée
- ☐ tachypnée
- ☐ douleur
- ☐ fièvre
- ☑ amplitude réduite

Objectif(s)	Échéance	Interventions	Horaire	Évaluation
1. ☑ Tousser de façon efficace aux *6* heures.	*15-05*	1. ☑ Mettre un humidificateur au chevet, à moins de contre-indication.		Objectif ☐ Atteint ☑ En voie d'être atteint ☐ Non atteint ☐ Raison de la non-atteinte:
2. ☐ Respirer sans difficulté à une fréquence de 14 à 20 par minute.		2. ☑ Expliquer l'importance de s'hydrater abondamment pour liquéfier les sécrétions.		
		3. ☑ Hydrater à raison de 1500 mL par jour.		
3. ☐ Conserver une coloration normale.		4. ☑ Faire faire un drainage postural aux ___ heures. Alterner les positions décubitus et semi-Fowler.	*6-12-18-23*	
4. ☐ Exprimer une facilité accrue pour respirer.		5. ☑ Faire tousser aux *6* heures.		
		6. ☐ Faire faire des exercices respiratoires ___ minutes aux ___ heures.		
5. ☐ Autres:		7. ☐ Permettre à la personne d'exprimer ses difficultés et manifester de la compréhension.		
Pronostic: ☐ excellent ☐ bon ☐ réservé		8. ☐ Recommander aux visiteurs de ne pas fumer (si ce n'est pas déjà interdit).		
		9. ☐ Autres:		

Diagnostic infirmier: Dégagement inefficace des voies respiratoires R/A la diminution de la mobilité

Interventions	Horaire	Évaluation
1. ☑ Expliquer l'importance de bouger afin de faciliter la ventilation pulmonaire et le drainage du mucus.		État au moment de l'évaluation de l'objectif
2. ☐ Faire pratiquer des exercices passifs _____ actifs _____ minutes aux _____ heures _____ fois par jour.		☑ Expression verbale d'embarras respiratoire
3. ☐ Surveiller la coloration des tissus aux protubérances osseuses et au siège.		☐ Toux inefficace
4. ☐ Appliquer une crème hydratante sur les protubérances osseuses et sur le siège.		☐ Cyanose
5. ☐ Se lever et s'asseoir dans le fauteuil _____ minutes _____ fois par jour.		☐ Bruits respiratoires
6. ☑ Rassurer par une présence chaleureuse.		☐ Dyspnée
7. ☐ Autres:		☐ Tachypnée
		☐ Douleur
		☐ Fièvre
		☐ Amplitude réduite
		☐ Autres:
		_____
		Date: _____ 15-05
		L. Baron, inf.
		Signature

L'utilisation des divers plans de soins

Certaines personnes se demandent s'il faut préférer les plans de soins personnalisés ou les plans de soins standard modifiés. En fait, la question ne se pose pas ainsi. Si l'on dispose du temps nécessaire pour établir des plans de soins personnalisés, tant mieux. Mais si le temps manque, les plans de soins standard feront très bien l'affaire. Le plus souvent, ils sont utilisés conjointement: l'infirmière inscrit ses diagnostics infirmiers sur un formulaire de plan de soins ouvert et joint au dossier le ou les plans de soins standard nécessaires. Ainsi, au lieu d'écrire les objectifs et les interventions liés au diagnostic, elle mentionne simplement qu'elle utilise un plan de soins standard en indiquant son titre.

Imaginons que vous faites le plan de soins de Mme Desoiles et que vous posez les diagnostics suivants: «Anxiété modérée R/A la non-acceptation d'un changement dans l'état de santé», «Atteinte à l'intégrité de la peau R/A l'immobilité» et «Altération de la mobilité physique R/A la douleur». À l'unité de soins où vous travaillez, vous disposez d'un certain nombre de plans de soins standard pour les cas existant dans cette unité, mais ils ne sont pas encore tous élaborés. Il y a des plans de soins standard portant sur l'anxiété et sur l'atteinte à l'intégrité de la peau; alors vous joignez une copie de ces deux plans de soins au dossier de Mme Desoiles, vous mentionnez que vous utilisez ces deux plans de soins sur le formulaire de plan de soins personnalisé et vous développez le diagnostic d'altération de la mobilité sur le même formulaire. Les figures 8.6 à 8.8, aux pages 212 à 217, illustrent une situation semblable. Elles présentent un plan de soins personnalisé pour l'intolérance à l'activité, et un plan de soins standard pour l'anxiété et pour l'atteinte à l'intégrité de la peau. L'infirmière pourrait les personnaliser simplement en cochant des choix ou en ajoutant des interventions ou des commentaires.

Le dernier plan de soins standard pour l'atteinte à l'intégrité de la peau présente une colonne supplémentaire que certains centres utilisent pour le calcul de la charge de travail. Ces éléments de calcul ne sont toutefois pas expliqués dans cet ouvrage. Ce formulaire montre comment tout s'intègre dans un plan de soins.

Les plans de soins présentés ici peuvent être utilisés dans tous les milieux. Toutefois, les infirmières qui travaillent à domicile, dans une salle de réveil, dans une salle d'urgence ou dans un service de chirurgie d'un jour peuvent les trouver inappropriés à cause du peu de temps qu'elles passent auprès des malades. Pourtant, avec la nouvelle orientation des soins, il est important de nous interroger et de chercher des solutions qui permettent, tout en tenant compte de cette limite, de travailler de façon véritablement professionnelle, à partir d'un modèle conceptuel et d'une démarche de soins, et d'appliquer un plan de soins qui découle du diagnostic infirmier. La figure 8.9 présente un plan de soins standard abrégé que certains centres tentent déjà d'élaborer. Il s'agit de formuler quelques diagnostics infirmiers qui prévalent dans un service (ou une partie de ces diagnostics, ciblant certaines clientèles, par exemple les personnes qui souffrent de difficultés cardiorespiratoires ou celles qui souffrent de problèmes orthopédiques, etc.). Ce plan abrégé propose aussi des choix pour les manifestations de dépendance, les diagnostics infirmiers et les objectifs qui peuvent s'y rattacher. L'infirmière inscrit ensuite elle-même quelques interventions pertinentes qu'elle doit faire pendant le peu de temps qu'elle passe auprès de la personne soignée.

Ainsi, l'infirmière coche ses choix dans les cases qui correspondent aux manifestations qu'elle observe chez la personne, puis elle choisit dans la liste le ou les diagnostics infirmiers pertinents et ajoute la cause si c'est possible. Si aucun diagnostic ne correspond à l'état de la personne, elle en formule un et l'inscrit dans la case «Autres». Elle choisit ensuite un objectif approprié; si aucun ne convient, elle en établit un elle-même. Elle complète ce bref plan de soins en ajoutant quelques interventions. Dans la colonne «évaluation», elle inscrit le résultat obtenu à la suite de ses interventions et, avant le départ de la personne, elle signe le plan de soins.

Cet exemple pourrait être adapté pour la salle d'urgence, la chirurgie d'un jour ou encore les soins à domicile.

Figure 8.6

Exemple d'intégration d'un plan personnalisé et d'un plan standard

Plan de soins personnalisé

Autres formulaires utilisés: ☐ Plan d'enseignement ☐ Protocole de soins

Diagnostic infirmier	Objectif	Échéance	Interventions autonomes sur le problème	Horaire	Évaluation
☐ Anxiété R/A la non-acceptation d'un changement dans l'état de santé.	Plan de soins standard				
☐ Atteinte à l'intégrité de la peau R/A l'immobilité.	Plan de soins standard				
☐ Intolérance à l'activité R/A des difficultés respiratoires.	Participer à une activité sans augmentation appréciable des signes vitaux.	10/05	1. ☐ Identifier avec précision les activités pour lesquelles l'intolérance se manifeste. 2. ☐ Cerner les facteurs qui influencent la tolérance: anxiété, douleur. 3. ☐ Amener à mieux connaître ses limites et à les repousser progressivement sans s'épuiser. 4. ☐ Faire établir des priorités dans ses activités. 5. ☐ Planifier un programme progressif d'activités. 6. ☐ Prévoir des périodes de repos au cours de la journée. 7. ☐ Expliquer comment conserver son énergie durant les activités: relaxation, effort pendant l'expiration, périodes de repos. 8. ☐ Expliquer comment soulager la dyspnée. 9. ☐ Enseigner la mesure de la pulsation et de la respiration à la personne ou à un de ses proches. 10. ☐ Autres:		

Figure 8.6 (suite)

Diagnostic infirmier: Intolérance à l'activité ☐ modérée ☐ marquée ☐ R/A des difficultés respiratoires

Interventions	Horaire	Temps prévu	Évaluation
1. ☐ Faire pratiquer des exercices respiratoires 5 minutes quatre fois par jour.	9 h 13 h 17 h 21 h		État au moment de l'évaluation de l'objectif ☐ Expression verbale de fatigue ☐ Dyspnée à l'effort ☐ Pâleur ☐ Besoin de s'arrêter ☐ Fréquence cardiaque ☐ T.A. ☐ Diaphorèse ☐ Autres: _____ _____ _____ _____ _____ Date: _____ _____ Signature
2. ☐ Faire tousser après les exercices pour libérer les voies respiratoires.			
3. ☐ Recommander aux visiteurs de ne pas fumer.			
4. ☐ Placer en position demi-assise lors de la dyspnée.			
5. ☐ Rassurer par une présence chaleureuse.			
6. ☐ Expliquer la technique pour diminuer l'essoufflement à l'effort.			
7. ☐ Permettre à la personne d'exprimer son inquiétude et lui manifester de l'empathie.			
8. ☐ Autres:			

Figure 8.7

Plan de soins standard

Diagnostic infirmier: Anxiété modérée _____ marquée _____

Définition: Sentiment indéterminé d'inconfort, d'inquiétude, de tension.

Relié à:
- ❑ atteinte à la perception de soi
- ❑ conflits face aux valeurs et aux objectifs de vie
- ❑ inadaptation à une crise existentielle
- ❑ menace à l'intégrité physique/psychologique
- ❑ situation conflictuelle
- ❑ refus d'une perte/d'un deuil
- ❑ inadaptation à un changement dans l'état de santé

Manifesté par:
- ❑ faciès tendu
- ❑ expression verbale d'anxiété
- ❑ agitation
- ❑ pleurs
- ❑ diaphorèse
- ❑ palpitations
- ❑ irritabilité
- ❑ effroi
- ❑ anorexie
- ❑ sensation de détresse
- ❑ nausées
- ❑ polyurie
- ❑ tremblements
- ❑ troubles de la mémoire
- ❑ hyperventilation

Objectif(s)	Échéance	Interventions	Horaire	Temps prévu	Évaluation
1. ❑ Exprimer sa capacité de faire face aux événements.		1. ❑ Rassurer par une présence fréquente.			Objectif ❑ Atteint ❑ En voie d'être atteint ❑ Non atteint ❑ Raison de la non-atteinte: _____ _____ _____ _____
2. ❑ Exprimer la diminution de son anxiété.		2. ❑ Ne pas laisser seule la personne qui fait une crise d'anxiété.			
3. ❑ Montrer l'absence de signes d'anxiété.		3. ❑ Procurer un environnement calme et sécuritaire.			
4. ❑ Présenter un faciès calme et détendu.		4. ❑ Isoler au besoin dans un endroit ouvert, calme.			
5. ❑ Reconnaître les signes d'une crise d'anxiété.		5. ❑ Identifier les éléments déclencheurs.			
6. ❑ Se montrer capable de maîtriser une crise d'anxiété.		6. ❑ Prévoir des entretiens de ____ minutes pour permettre à la personne de s'exprimer.			
7. ❑ Autres:		7. ❑ Faire pratiquer une technique de relaxation ____ minutes par jour.			Date: _____
		8. ❑ Aider à faire une évaluation plus réaliste de la situation.			
		9. ❑ Faire un massage du dos, des pieds.			
		10. ❑ Faire faire des exercices respiratoires: respiration abdominale avec insistance sur l'expiration.			
		11. ❑ Après la crise, aider à reconnaître les signes d'une crise d'anxiété et les moyens de les contrôler.			
		12. ❑ Procurer des activités de détente et de divertissement de son choix.			_____
		13. ❑ Autres:			Signature

Figure 8.7 (suite)

Diagnostic infirmier: Anxiété _____ R/A l'incapacité de s'adapter à un changement dans l'état de santé

Interventions	Horaire	Temps prévu	Évaluation
1. ☐ Vérifier ses perceptions concernant les conséquences de la maladie.			État au moment de l'évaluation de l'objectif
2. ☐ Reconnaître ce qui est difficile à accepter dans la maladie (régime _____, médication _____, traitements _____, limites _____, marginalisation _____).			☐ Agitation
3. ☐ Utiliser l'écoute active pour aider la personne à cerner ses sentiments, ses valeurs, ses craintes.			☐ Anorexie ☐ Hyperventilation
4. ☐ Cerner les mécanismes d'adaptation habituellement utilisés pour faire face aux difficultés et renforcer les mécanismes sains: humour, confidences à des personnes chères, réflexion, prière.			☐ Irritabilité ☐ Palpitations ☐ Pleurs
5. ☐ Explorer des moyens de concilier le problème de santé et la vie familiale, sociale, sexuelle et professionnelle.			☐ Troubles de la mémoire ☐ Troubles du sommeil
6. ☐ Expliquer qu'il faut du temps pour s'adapter.			☐ Autres:
7. ☐ Prodiguer des soins en rapport avec la phase d'adaptation à la maladie: phase de prise de conscience du problème, phase de négation et de colère, phase d'acceptation, phase de résignation.			_____
8. ☐ Aider la personne à prendre conscience de ses émotions.			_____
9. ☐ Permettre d'exprimer la négation, la colère.			_____
10. ☐ Suggérer aux proches d'assurer une présence et de manifester de l'amour.			
11. ☐ Aider à prendre des décisions réalistes face à l'avenir.			
12. ☐ Permettre à la personne d'exprimer ses inquiétudes face à la réadaptation.			
13. ☐ Aider à reconnaître les limites avec lesquelles elle devra vivre.			
14. ☐ Travailler avec la famille pour faciliter la réintégration de la personne malade.			
15. ☐ Faire exprimer les difficultés qu'elle entrevoit pour son retour à la vie normale et ses craintes au sujet de la réadaptation.			Date: _____
16. ☐ Aider à accepter l'idée d'un diagnostic difficile, d'un traitement prolongé, d'une hospitalisation de transition.			Signature
17. ☐ Autres:			

Figure 8.8
Plan de soins standard
Diagnostic infirmier: Atteinte à l'intégrité de la peau, site:

Définition: Changement dans la couleur et la texture de la peau, présence de lésions.

Relié à:
- ❑ déshydratation
- ❑ prurit
- ❑ diminution de la mobilité
- ❑ incontinence

Manifesté par:
- ❑ sécheresse
- ❑ rougeur
- ❑ œdème
- ❑ inflammation
- ❑ ulcération
- ❑ phlyctène
- ❑ écoulement séreux ou purulent
- ❑ douleur, nécrose
- ❑ lacération
- ❑ ecchymoses

Objectif(s)	Échéance	Interventions	Horaire	Temps prévu	Évaluation
1. ❑ Présenter une peau intacte sur...		1. ❑ Évaluer le temps nécessaire aux tissus pour reprendre leur coloration à la suite d'une pression.			Objectif ❑ Atteint ❑ En voie d'être atteint ❑ Non atteint ❑ Raison de la non-atteinte:
2. ❑ Présenter une peau de couleur normale.		2. ❑ Évaluer l'état de la peau : coloration, texture, turgescence, lésion(s) aux heures.			_____
3. ❑ Présenter une plaie sans inflammation.		3. ❑ Nettoyer la peau avec un savon doux, rincer, bien assécher.			_____
4. ❑ Diminuer la lésion de ___ cm.		4. ❑ Masser le pourtour de la rougeur (sauf si contre-indiqué). 5. ❑ Mettre un matelas anti-escarres.			_____
5. ❑ Diminuer la rougeur.		6. ❑ Changer de position aux ___ heures. 7. ❑ En cas de plaie: nettoyer avec solution stérile de ___ . Application de compresses humides pendant ___ minutes aux ___ heures. Application de tulle gras et pansement sec.			_____
6. ❑ Ne plus présenter d'écoulement de la plaie.		8. ❑ Protéger avec un pansement occlusif, si écoulement. 9. ❑ En cas de nécrose: débrider la plaie de façon stérile avant de refaire le pansement.			
7. ❑ Se dire à l'aise, sans prurit.		10. ❑ Expliquer l'importance de bien s'hydrater et de suivre un régime riche en protéines.			Date: ___
8. ❑ Autres:		11. ❑ Permettre à la personne d'exprimer sa difficulté et les sentiments qu'elle fait naître.			_____ Signature
Pronostic: E ___ B ___ R ___ .					

Figure 8.8 (suite)

Diagnostic infirmier: Atteinte à l'intégrité de la peau R/A la diminution de la mobilité

Interventions	Horaire	Temps prévu	Évaluation
1. ☐ Évaluer les capacités et les limites de la personne.			État au moment de l'évaluation de l'objectif
2. ☐ Coussiner les endroits atteints et placer dans une position qui permet d'éviter la pression.			☐ Sécheresse
3. ☐ Alterner les points d'appui aux ____ heures.			☐ Œdème
4. ☐ Maintenir un bon alignement corporel.			☐ Prurit
5. ☐ Recommander de bouger aussi souvent que possible, mais surveiller les frottements.			☐ Inflammation
6. ☐ Indiquer l'importance de changer de position dans le lit et dans le fauteuil roulant.			☐ Ulcération
7. ☐ Faire pratiquer des exercices passifs ____ actifs ____ pendant ____ minutes aux ____ heures.			☐ Phlyctène
8. ☐ Réduire les forces de cisaillement au moment des déplacements en utilisant une alèze pour la remonter dans le lit.			☐ Écoulement séreux
9. ☐ Aider à s'asseoir au bord du lit ____ à se lever ____ à s'asseoir dans le fauteuil ____ minutes ____ fois par jour.			☐ Écoulement purulent
10. ☐ Faire marcher ____ minutes ____ fois par jour.			☐ Nécrose
11. ☐ Enseigner des techniques de mobilisation: lever ____ transfert du lit au fauteuil roulant ____ .			☐ Lacération(s)
12. ☐ Enseigner des exercices appropriés à son état ____ des exercices assis dans le fauteuil roulant ____ .			☐ Ecchymoses
13. ☐ Expliquer l'importance de l'exercice par rapport à son état.			☐ Douleur
14. ☐ Manifester de la compréhension; stimuler à bouger, mais toujours en respectant les capacités de la personne.			☐ Étendue de la rougeur
15. ☐ Renforcer les efforts manifestés.			☐ Étendue de la plaie
			☐ Autres: ____
			Date: ____
			Signature

Figure 8.9

Plan de soins standard abrégé

Chirurgie d'un jour

Manifestations:

- verbalisation
- de douleur
- de nervosité
- de peur
- de chagrin
- agitation
- diaphorèse
- tremblements

- pleurs
- plaintes
- embarras respiratoire
- toux
- dyspnée
- tachypnée
- pose de nombreuses questions

- s'inquiète
- de l'intervention
- de l'anesthésie
- des suites opératoires
- globe vésical
- diminution de la diurèse (mL/h)
- hématurie

- fièvre
- tachycardie
- cyanose
- pâleur des tissus
- peau froide
- confusion
- autres:

Diagnostics infirmiers les plus fréquents	Objectifs	Évaluation	Interventions autonomes
☐ Anxiété R/A ☐ Douleur (site) ____ R/A ☐ Peur R/A ☐ Difficulté à libérer les voies respiratoires R/A ☐ Chagrin R/A ☐ Risque élevé d'altération de la température corporelle R/A ☐ Hyperthermie R/A ☐ Incapacité partielle ____ ou totale ____ d'avaler R/A ☐ Altération de la mobilité physique R/A ☐ Altération de l'élimination urinaire R/A ☐ Rétention urinaire R/A ☐ Diminution du débit cardiaque ☐ Diminution de l'irrigation tissulaire ☐ Altération de la pensée R/A ☐ Manque de connaissances R/A ☐ Autres:	☐ Exprimer ses sentiments de peur ____ d'inquiétude ____ , de chagrin ____ . ☐ Se dire plus rassuré ____ . Respirer à une fréquence de 14 à 20 par minute. ☐ Respirer sans embarras. ☐ Conserver une température dans les limites de la normale. ☐ Avaler avec un minimum d'inconfort. ☐ Accepter les limites de l'immobilisation ____ , du pansement ____ . ☐ Uriner ____ mL/h. ☐ Conserver une coloration normale. ☐ Se situer par rapport au lieu, aux personnes. ☐ Exprimer sa compréhension de ____ . ☐ Autres:		
		Signature _____	

Bibliographie

ACKLEY, Betty J. et LADWIG, Gail B. (1993). *Nursing A Guide to Diagnosis Planning Care Handbook*. St. Louis, Missouri, Mosby.

ALFARO, Rosalinda (1990). *Démarche de soins. Mode d'emploi*, traduit et adapté par Anne Pietrasik. Paris, Lamarre.

BRIEN, Robert (1995). *Sciences cognitives*. Québec, Presses de l'Université du Québec.

BULECHECK, Gloria M. et McCLOSKEY, Joanne C. (1985). *Nursing Interventions*. Philadelphia, W. B. Saunders.

CARNEVALI, D. L. et THOMAS, M. D. (1993). *Diagnostic Reasoning and Treatment Decision Making in Nursing*. Philadelphia, J. B. Lippincott.

CARPENITO, Lynda J. (1995). *Diagnostics infirmiers*. 5ᵉ édition. Montréal, ERPI.

CHANGEUX, J.-P. (1983). *L'Homme neuronal*. Paris, Fayard.

COLLIÈRE, Marie-Françoise (1982). *Promouvoir la vie. De la pratique des femmes soignantes aux soins infirmiers*. Paris, InterÉditions.

DOENGES, Marilynn E., TOWNSEND, Mary C. et MOORHOUSE, Mary Frances (1995). *Psychiatric Care Plans*. 2ᵉ édition. Philadelphia, F. A Davis.

DREYFUS, H. et DREYFUS, S. (1982). *Mind over Machine*. New York, MacMillan, The Free Press. Cité par P. Benner et C. A. Tanner (1987). «How Expert Nurses Use Intuition». *American Journal of Nursing*, p. 23–31.

FORTINASH, Katrine M. et HOLODAY-WORRET, Patricia A. (1995). *Psychiatric Nursing Care Plans*. New York, Mosby.

FREY, Velma C., HOCKETT, C. et MOIST, G. (1990). *Guide pratique de diagnostics infirmiers. Diagnostics infirmiers et plan de soins*. Montréal, Lidec.

GARNIER, M. et DELAMARE, J. (1989). *Dictionnaire des termes de médecine*. Paris, Maloine.

GETTRUST, Kathy V. et BRABEC, Paula D. (1992). *Nursing Diagnosis in Clinical Practice*. New York, Delmar Publishers.

GORDON, Marjory (1989). *Diagnostic infirmier. Méthodes et applications*. Paris, Medsi.

GORDON, Marjory (1993–1994). *Manual of Nursing Diagnosis*. 6ᵉ édition. St. Louis, Missouri, Mosby.

GRONDIN, L., LUSSIER, R. J., PHANEUF, M. et RIOPELLE, C. L. (1990). *Planification des soins infirmiers, Modèle d'interventions autonomes*. Laval, Études Vivantes.

GRONDIN, Louise et PHANEUF, Margot (1995). *Mémento de l'infirmière: utilisation des diagnostics infirmiers*. Paris, Maloine.

INTERNATIONAL COUNCIL OF NURSES [ICN] (1993). *Nursing's Next Advance: An International Classification for Nursing Practice (ICNP)*. Genève, Suisse.

IYER, Patricia, TAPTICH, B. J. et BERNOCCHI-LOSEY, D. (1986). *Nursing Process and Nursing Diagnosis*. Philadelphia, W. B. Saunders.

JOINT COMMISSION ON ACCREDITATION OF HEALTH ORGANISATIONS (1988). *Accreditation Manual for Hospitals*, Chicago, JCAHO.

MAGER, Robert F. (1969). *Pour éveiller le désir d'apprendre*. Paris, Gauthier-Villars.

MAYERS, M. (1983). *A Systematic Approach to the Nursing Care Plan*. Norwalk, Conn., Appleton-Century-Crofts.

MILLER, Emmy (1989). *How to Make Nursing Diagnosis Work. Administrative and Clinical Strategies*. Norwalk, Conn., Appleton & Lange.

ORDRE DES INFIRMIÈRES ET INFIRMIERS DU QUÉBEC (1985). *Normes et Critères de compétence pour les infirmières et infirmiers*. Montréal, O.I.I.Q.

PHANEUF, Margot (1985). *La Démarche scientifique*. Montréal, McGraw-Hill.

PHANEUF, Margot et GRONDIN, Louise (1994). *Diagnostic infirmier et Rôle autonome de l'infirmière*. Paris, Maloine.

RIOPELLE, L., GRONDIN, L. et PHANEUF, M. (1984). *Soins infirmiers: un modèle centré sur les besoins de la personne*. Montréal, McGraw-Hill.

RIOPELLE, L., GRONDIN, L. et PHANEUF, M. (1987). *Répertoire des diagnostics infirmiers selon le modèle conceptuel de Virginia Henderson*. Montréal, McGraw-Hill.

SIMON, H. (1979). «Information Processing Models of Cognition». *Annual Review of Psychology*.

SKEMP, R. R. (1979). «Intelligence Learning in Action» cité dans Denise Bruneau-Morin et Margot Phaneuf (1991). *Structures pédagogiques pour le programme des soins infirmiers*, 180.01, Tome 2, Saint-Jean-sur-Richelieu, Collège Saint-Jean-sur-Richelieu.

TAPTICH, B. J., IYER, P. W. et BERNOCCHI-LOSEY, D. (1989). *Nursing Diagnosis and Care Planning*. Philadelphia, W. B. Saunders.

L'exécution et la documentation, étape 4 de la démarche de soins

Objectifs terminaux

L'étudiante prendra conscience:

1° de l'importance de mettre le plan de soins en application à l'étape de l'exécution des soins;

2° de la nécessité de le compléter par une documentation.

Objectifs intermédiaires

De façon plus spécifique, l'étudiante sera capable:

1° de définir l'étape de l'exécution;

2° de saisir les points forts de cette étape:
- la préparation mentale de la journée;
- l'élaboration d'un horaire de travail;
- l'exécution des soins;

3° de définir dans ses propres termes le modèle d'acquisition des compétences;

4° d'expliquer comment s'exercent les diverses fonctions de l'infirmière dans l'exécution des soins:
- la fonction de soins;
- la fonction de support émotif;
- la fonction d'enseignement;

5° d'expliquer la responsabilité de l'infirmière dans la délégation des tâches;

6° de définir la documentation des soins;

7° d'expliquer l'importance des rapports écrits;

8° de montrer à quoi servent les rapports verbaux;

9° de mettre des documentations de soins en application dans des situations simulées.

L'exécution

La phase d'exécution, c'est l'étape de la réalisation du plan de soins élaboré par l'infirmière. Elle est centrée sur l'accomplissement des interventions qui figurent dans le plan de soins et qui visent à amener la personne à atteindre les objectifs.

> ### Exécution
>
> L'exécution est la quatrième étape de la démarche de soins au cours de laquelle sont amorcées les interventions prévues dans le plan de soins pour permettre à la personne d'atteindre les objectifs fixés.

Toutefois, il faut préciser que le plan de soins doit être exécuté en concomitance avec toutes les autres activités qui touchent la personne soignée, c'est-à-dire celles qui ont été planifiées dans les «Activités de la vie quotidienne» (soins d'hygiène, lever, etc.) et celles qui sont du ressort de la fonction de collaboration (administration de médicaments, changement de pansements et application de traitements divers).

Certaines étudiantes et même certaines infirmières qui se familiarisent avec la planification des soins se demandent comment arriver à tout concilier. La question mérite considération, car le plan de soins ne peut servir à promouvoir l'évolution et l'autonomie de la personne s'il n'est pas bien intégré à la tâche quotidienne de l'infirmière.

Mise en situation

Prenons l'exemple d'une infirmière qui a inscrit dans les «Activités de la vie quotidienne»: Aider Mme Dutoit à manger, à découvrir ses plats et à couper ses aliments (parce qu'elle souffre d'arthrite déformante surtout aux mains), lever avec de l'aide deux fois par jour. Elle sait que le médecin a prescrit à cette personne des anti-inflammatoires quatre fois par jour, des sels d'or en injection intramusculaire (un type de médicament qu'elle n'a encore jamais administré) et une orthèse à la main droite selon la tolérance. L'infirmière a formulé le plan de soins qui suit afin d'aider cette personne à évoluer vers une plus grande indépendance. Parmi plusieurs hypothèses, elle a retenu l'«Altération de la mobilité (des mains) R/A la douleur» et elle a complété son plan de soins de la manière suivante:

Figure 9.1

Exemple d'un plan de soins à intégrer à la tâche de l'infirmière

Diagnostic infirmier	Objectif	Interventions	Horaire
Altération de la mobilité (des mains) R/A la douleur.	S'alimenter seule progressivement, en utilisant des ustensiles spéciaux. À évaluer le 05-05.	❑ Évaluer la capacité de préhension aux deux jours. ❑ Placer les mains dans un bassin d'eau tiède, 10 minutes, deux fois par jour, et faire ensuite des exercices passifs des doigts et des mains pendant 5 minutes.	

Figure 9.1 *(suite)*

Diagnostic infirmier	Objectif	Interventions	Horaire
	Pronostic: bon	❑ Suggérer des exercices actifs (faits par la personne), cinq minutes, trois fois par jour. Expliquer de ne pas insister si les douleurs sont importantes. Au besoin, faire faire les exercices dans l'eau. ❑ Donner l'analgésique prescrit 30 minutes avant les exercices (au besoin). ❑ Enseigner comment se servir des ustensiles spéciaux. ❑ Expliquer l'importance d'un régime riche en calcium et en vitamine C. ❑ Permettre d'exprimer sa douleur, ses sentiments. ❑ La féliciter pour ses efforts.	10 h, 14 h, 20 h

L'infirmière se demande maintenant comment conjuguer ses interventions autonomes et ses interventions de collaboration. Pour répondre à cette question, il faut disséquer l'étape de l'exécution en trois points: la préparation de la journée, l'élaboration mentale ou écrite d'un horaire de travail et l'exécution des soins. Cette division n'a rien de formel; elle permet seulement de mieux expliquer comment se déroule l'étape de l'exécution.

La préparation de la journée

C'est une réflexion sur le plan de soins et sur l'ensemble des activités prévues pour la personne soignée au cours d'une journée. Il faut déterminer le temps nécessaire pour ces activités, le moment propice pour les tenir (pendant la toilette, après la sieste, etc.), les difficultés possibles (douleur, découragement, non–participation de la personne, etc.), les ressources utiles (ustensiles spéciaux, orthèse, dépliants sur l'alimentation, **protocoles** de soins ou d'enseignement, etc.). Il ne faut pas oublier que le moment de certaines activités prévues dans le plan de soins est déjà indiqué dans la colonne de l'horaire.

PROTOCOLE
Ensemble de règles à suivre.

En préparant sa journée de travail, l'infirmière prend aussi conscience des connaissances et des habiletés requises pour accomplir ses tâches. Dans le cas qui nous occupe, elle sait qu'elle n'a jamais administré de sels d'or et que ce médicament nécessite une surveillance particulière.

Le plan de soins, les activités de la vie quotidienne et l'ordonnance médicale indiquent à l'infirmière ce qu'elle doit faire dans le cas de Mme Dutoit: c'est le *quoi* de son action; elle se demande maintenant *quand* et *comment* faire à l'intérieur d'une journée de travail. Par souci d'efficacité, elle doit d'abord se demander quelles actions elle peut réunir pour gagner du temps et demeurer dans les limites qui sont imposées. Par exemple, avec quelle intervention peut–elle joindre l'enseignement? Avec la toilette du matin ou avec d'autres soins? Dans le contexte actuel, la rationalisation des opérations est capitale.

L'élaboration mentale ou écrite d'un horaire de travail (feuille de route)

L'infirmière décide ensuite de l'ordre de ses actions en tenant compte des autres interventions (médication, traitement, etc.). Elle peut le faire mentalement, mais certains centres proposent des «feuilles de route» sur lesquelles l'infirmière inscrit quelques notes utiles qu'elle glisse sans sa poche. M. E. Doenges et M. F. Moorhouse (1992) suggèrent aussi d'utiliser un formulaire de travail (*worksheet*).

Rappelons que si plusieurs diagnostics infirmiers ont été posés il faut respecter les priorités établies. De plus, il faut mentionner dans l'horaire les objectifs qui doivent être évalués ce jour-là.

En organisant son travail, l'infirmière accroît l'efficacité du plan de soins, elle minimise les pertes de temps et d'énergie, tant pour le malade que pour elle-même, et elle allie ses fonctions autonomes à ses fonctions de collaboration.

L'organisation du travail doit cependant être souple, car une activité prévue peut facilement devoir être annulée en raison d'une modification de l'état de la personne. Voici un exemple de feuille de route qui pourrait servir d'aide-mémoire pour les soins de Mme Dutoit. L'infirmière n'écrit pas toujours autant de détails; parfois même, l'organisation se fait mentalement, mais elle est toujours nécessaire pour que le plan de soins soit efficace.

Feuille de route pour l'infirmière de jour	
8 h, 12 h, 16 h	Médication anti-inflammatoire.
9 h	Évaluer la mobilité au cours de la toilette. Expliquer le régime.
10 h et 14 h	Lever, bain des mains, exercices passifs et actifs, orthèse à la main droite mise en place.
12 h	Médication intramusculaire.
	Expliquer l'utilisation des ustensiles spéciaux, surveiller, aider.

En planifiant sa journée de travail, l'infirmière doit tenir compte des autres malades dont elle a la charge et prévoir les soins de chacun. Là encore, elle doit établir des priorités qui tiennent compte de l'urgence et de l'importance des soins à donner. Ce processus d'organisation exige des compétences que les infirmières acquièrent avec le temps. Ces dernières doivent «apprendre à planifier, organiser et coordonner les différents besoins et demandes des malades et à sans cesse adapter leurs priorités aux changements constants de leur état» (Benner, 1995, p. 137).

Même si ce processus d'organisation semble difficile, l'infirmière novice ne doit pas se décourager. L'expérience lui permettra de s'améliorer chaque jour. La complexité du processus démontre cependant que chaque contact avec la personne doit sous-entendre une intention particulière afin de coupler certaines interventions de soins, qu'il s'agisse de recueillir des données, de faire de l'enseignement ou d'apporter du réconfort à la personne (Yura et Walsh, 1983, p. 185). Ainsi, dans la situation présentée, l'infirmière peut profiter du moment où elle aide Mme Dutoit à faire sa toilette ou à manger pour lui enseigner quels sont les aliments riches en calcium et en vitamine C ou encore pour l'écouter et lui manifester sa compréhension.

L'exécution des soins

L'infirmière doit faire les gestes prévus dans son horaire selon une approche visant la satisfaction des besoins physiques et émotifs de la personne et sa progression vers une plus grande indépendance.

Il ne faut cependant pas considérer l'étape de l'exécution à part des autres étapes de la démarche de soins. Tout en prodiguant des soins, l'infirmière continue à observer, à recueillir des données, à les analyser et à s'orienter vers d'autres hypothèses de diagnostics infirmiers. La démarche de soins est un processus dynamique où les étapes se succèdent selon une certaine logique, mais où elles se chevauchent aussi à certains moments. L'infirmière peut être rendue au stade de l'élaboration du diagnostic ou de l'exécution pour tel problème et seulement à la collecte des données pour un autre. Un plan de soins n'est jamais immuable: il est en constante évolution.

L'étape de l'exécution sollicite les connaissances de l'infirmière, ses habiletés perceptuelles et intellectuelles, son jugement, sa capacité de prendre des décisions de même que ses aptitudes techniques et ses aptitudes pour les relations interpersonnelles.

La délégation des tâches

DÉLÉGATION
Action de confier à quelqu'un d'autre un travail que l'on pourrait faire soi-même.

L'étape de l'exécution comprend aussi la **délégation** de certaines actions. La tâche de l'infirmière est lourde, mais, dans plusieurs établissements de soins, elle n'est pas seule pour l'accomplir. Bien qu'elle soit légalement responsable de la planification et de l'exécution des soins, elle peut déléguer certaines tâches à d'autres personnes (auxiliaires, aides-soignantes, préposées et autres agents). Elle doit tenir compte de cette possibilité dans la coordination de son travail quotidien. Nous avons déjà mentionné que certaines interventions pouvant être faites par d'autres peuvent être indiquées par un astérisque dans les «Activités de la vie quotidienne» ou dans le plan de soins. C'est une façon d'organiser systématiquement la répartition des tâches.

Au Québec, en France et dans plusieurs pays, on reconnaît que certains actes peuvent être délégués aux auxiliaires et aux aides-soignantes. Cependant, l'infirmière demeure toujours libre de décider d'assumer des interventions si elle juge que celles-ci exigent des précautions particulières (ex.: lever un malade souffrant) ou une capacité de compréhension et de support affectif qu'elle peut assurer mieux que quiconque.

Certains soins peuvent aussi être confiés à la famille. On oublie souvent la part de collaboration des proches. Toutefois, il faut émettre certaines réserves. Il faut s'assurer que la personne désire voir les siens s'occuper d'elle et chercher à savoir comment les proches perçoivent cette collaboration. La collaboration doit être une manifestation d'amour si l'on veut éviter que la situation ne devienne contraignante ou qu'elle ne dégénère en conflit. La participation de la famille est importante en pédiatrie, chez les personnes âgées ou celles dont la vie s'achève, mais elle est appréciable dans bien d'autres cas. Dans un établissement de soins, l'infirmière doit veiller à ne confier aux proches que des interventions simples, car, aux termes de la loi, ils ne sont pas «habilités» à administrer certains soins.

Avec le virage ambulatoire, de plus en plus de personnes seront soignées chez elles; l'entourage devra collaborer à certains soins et même exercer certaines surveillances beaucoup plus complexes. L'infirmière devra alors expliquer clairement ce qu'il faut faire.

Même si elle délègue certaines interventions, l'infirmière demeure responsable de la qualité des soins. Cela signifie que, selon la loi, elle doit superviser les interventions des autres personnes. Au Québec, le règlement des actes infirmiers nous renseigne à ce sujet (*Règlement des actes infirmiers, Règlement des actes médicaux*, Ordre des infirmières et infirmiers du Québec, 1980, p. 6). Il stipule que, à titre d'infirmière:

- «Je peux travailler avec une personne habilitée.
- Je planifie et contrôle l'acte autorisé, le cas échéant.
- J'assure la surveillance exigée selon les conditions prescrites lorsqu'une personne habilitée pose un acte autorisé.
- Je peux continuer à poser les actes autorisés aux personnes habilitées: infirmières auxiliaires, garde–bébés, puéricultrices…»

(Règlement des actes infirmiers, Règlement des actes médicaux, O.I.I.Q., 1980, p. 6)

Le modèle d'acquisition des compétences appliqué aux soins infirmiers

L'étape de l'exécution nous amène à nous interroger sur l'apprentissage des stratégies cognitives, techniques et relationnelles qui s'y rattachent. Comment peut–on faire cet apprentissage et passer de novice à experte dans le domaine des soins infirmiers? Stuart Dreyfus, mathématicien, et Hubert Dreyfus, philosophe (1980), ont élaboré un modèle d'acquisition des compétences. Ils identifient cinq stades successifs de progression entre le début de la formation et la compétence (Benner, 1995, p. 17).

Ces stades reflètent trois types de changements qui s'opèrent chez la personne qui apprend: le passage de la connaissance de notions théoriques à la volonté de les appliquer, la perception globale et cohérente d'une situation, la transformation d'agent extérieur à une situation en agent engagé.

Patricia Benner (1995) a appliqué ce modèle aux soins infirmiers, et ses recherches tendent à démontrer l'utilité de ce concept qu'elle nous propose selon les stades d'évolution de Dreyfus.

Modèle de Dreyfus

Ce modèle comprend cinq stades:
- novice;
- débutante;
- compétente;
- performante;
- experte.

Examinons ces stades un peu plus en détail.

Novice La novice n'a aucune expérience des situations qu'elle doit affronter. Sa réponse à un problème est limitée parce qu'elle est fondée sur une analyse détaillée de la situation et sur une application rigide des principes acquis. C'est l'image de la jeune étudiante de première année lorsqu'elle est placée en situation réelle.

Débutante La débutante a déjà fait face à des situations semblables, elle sait reconnaître plusieurs éléments du problème et son comportement est à peu près acceptable, mais elle éprouve de la difficulté à établir des priorités.

Compétente Après deux ou trois ans dans un même service, l'infir-mière devient «compétente» au sens du modèle de Dreyfus. Elle est con-sciente des objectifs des actions à plus long terme. Elle distingue plus facilement les éléments importants d'une situation et ceux qu'elle peut ignorer. Elle ne traite pas encore les situations avec rapidité et souplesse, mais elle est capable de faire face à l'imprévu convenablement.

Performante À ce stade, l'infirmière est capable de synthétiser la situation. Elle la voit comme un tout et peut se représenter le problème facilement et rapidement: elle saisit tout de suite ce qui est important. Cette perception globale l'amène à une prise de décision plus efficace. Les principes reçus sont maintenant intégrés et elle peut commencer à s'en dégager. Ces infirmières performantes travaillent depuis trois à cinq ans avec la même population de malades.

Experte L'experte ne s'appuie plus sur un processus analytique, ni sur des règles, ni sur des principes pour prendre ses décisions. Ces derniers sont intégrés à son mode de fonctionnement intellectuel. L'experte est une per-sonne qui jouit d'une grande expérience et qui comprend les situations de façon beaucoup plus intuitive. Patricia Benner explique que l'experte éprouve même de la difficulté à exprimer verbalement ses connaissances tellement celles-ci sont bien intégrées à ses schèmes de fonctionnement. Son expérience se manifeste dans l'action. Dans son ouvrage sur les niveaux de compétence, Guy Le Boterf (1994) souligne les mêmes caracté-ristiques chez l'expert: esprit synthétique, recours à l'intuition et difficulté d'expliciter ses pratiques tellement elles sont devenues des automatismes.

Il n'est évidemment pas essentiel de connaître cette échelle pour apprendre la démarche de soins, mais elle est un encouragement pour l'étudiante ou l'infirmière qui s'initie à ce processus. Dans son mémoire de maîtrise, Claire-Andrée Frenette Leclerc (1992, p. 48–53) a appliqué le modèle de Dreyfus dans l'apprentissage de la démarche de soins. Elle écrit que ce modèle permet de renforcer la motivation des infirmières par la prise en charge de leur propre apprentissage et de leur évolution, de diminuer l'anxiété des jeunes diplômées et d'augmenter la tolérance des aînées à l'égard des nouvelles infirmières, tout en facilitant leur intégration dans le milieu.

Cette échelle met aussi en lumière le long cheminement nécessaire pour arriver à être experte et montre de façon évidente le degré de rende-ment que l'on peut attendre d'une étudiante.

L'exécution des soins et les fonctions de l'infirmière

Nous avons vu que l'étape de l'exécution des soins permet non seulement d'appliquer le plan de soins, mais aussi d'intégrer les fonctions de collabo-ration et les fonctions autonomes de l'infirmière, c'est-à-dire envisager le plan de soins globalement. Dans le cadre des fonctions autonomes, cette étape permet à l'infirmière de remplir sa fonction de soins, sa fonction d'éducation et sa fonction de relation d'aide.

Fonction de soins (ou fonction thérapeutique) Cette fonction touche les interventions qui visent les soins physiques: soins d'hygiène, soins techniques relatifs au traitement et surveillance de différents paramètres. Il est important de mettre en relief ceux qui visent à assurer le confort et la sécurité de la personne et ceux qui visent à soulager la douleur.

Fonction d'éducation (ou fonction pédagogique) Une des fonctions importantes de l'infirmière est d'informer le malade sur sa maladie, son traitement et le milieu hospitalier. Elle peut aussi devoir transmettre des connaissances plus formelles qui exigent des capacités et une organisation particulières que nous verrons au chapitre 12. Mais, comme le soutient Patricia Benner (1995, p. 74), on ne fera que trop simplifier ce rôle si l'on cherche uniquement la transmission d'informations ou l'enseignement de principes formels parce que l'apprentissage le plus significatif réside dans la manière dont un malade fait face à sa maladie et mobilise son énergie pour guérir. Ainsi, les infirmières ne doivent pas seulement proposer l'information, elles doivent aussi présenter des façons d'être et de faire face à une situation.

Fonction de support émotif De tout temps, on a voulu faire de la profession d'infirmière une profession d'aide. Cette volonté est inscrite dans notre inconscient collectif. Au-delà des soins physiques, cette profession touche tout un éventail d'interventions qui visent à soutenir le courage et la motivation de la personne soignée. Cette fonction de support émotif s'exerce en établissant un climat thérapeutique à partir d'une relation chaleureuse avec la personne et de la volonté de l'infirmière de se mettre à l'écoute de la personne, d'accueillir son expérience de souffrance et de manifester sa compréhension. Ce climat doit traduire la confiance et, s'il n'y a pas d'espoir de guérison, il doit refléter l'espérance d'un mieux-être, d'un soulagement.

La présence de l'infirmière est l'un des éléments importants de sa fonction de support. Ce concept alliant la présence physique à la présence psychologique est difficile à définir. La qualité de la présence de l'infirmière ouvre la porte à une relation infirmière-client significative, nous dit Dane Gardner (1985, p. 316). Pour sa part, L. T. Zderad (1978, p. 35-48), qui s'est intéressé à ce concept, écrit qu'il est fait d'ouverture, de disponibilité et de don de soi dans les relations interpersonnelles. Il en fait même la base des soins infirmiers. Ses caractéristiques sont le dialogue, l'empathie et la capacité d'établir une relation. On pourrait définir la présence en disant que c'est le fait d'être «près de la personne», c'est-à-dire disponible et facile à rejoindre dans les moments difficiles, et d'être «avec la personne», c'est-à-dire l'accompagner et la supporter. La meilleure façon de décrire la présence de l'infirmière est peut-être de parler de «l'utilisation thérapeutique de soi».

La relation d'aide, concept important des soins infirmiers, est maintenant identifiée comme une condition de la qualité des soins. L'acceptation, le respect, la considération positive et l'empathie qui sont ses caractéristiques fondamentales en font un puissant outil d'intervention pour l'infirmière.

La documentation des soins

Le but de cette section n'est pas de fournir des explications exhaustives sur les divers formulaires de la documentation des soins, mais plutôt de montrer le lien étroit qui existe entre ces rapports et la démarche de soins, particulièrement à l'étape de l'exécution. Les rapports se divisent en deux grandes catégories: les rapports écrits et les rapports verbaux. Le terme «documentation» vient du latin *docere* qui signifie «instruire». Les documents rédigés par l'infirmière servent en effet à instruire l'équipe de soins et le médecin de l'état de la personne et des soins dispensés.

Les rapports écrits

Après avoir prodigué des soins, l'infirmière doit documenter ses interventions, c'est-à-dire faire le rapport des actions qu'elle a faites et indiquer la réaction de la personne en décrivant son état et en relatant ses propos. De plus, elle doit ajouter ses notes d'observation au dossier et remplir différents types de formulaires (feuilles de rapport d'incident/accident, d'erreur médicamenteuse, formulaires spéciaux pour les solutés et diverses médications: insuline, anticoagulants, chimiothérapie, etc., formulaires préopératoire et postopératoire, formulaire pour les signes vitaux, les signes neurologiques, la masse, l'élimination, etc.).

La documentation des soins fait partie du projet de règlement sur la tenue des dossiers et la tenue d'un cabinet de consultation, et sur la cessation de l'exercice de sa profession par un membre de l'Ordre des infirmières et infirmiers du Québec. Ce règlement se réfère à la Loi sur les infirmières et sur les infirmiers (L.R.Q., c. 1-8, a.91) et au Code des professions (L.R.Q., c. C-26, a.91).

Voici les articles qui ont trait à cet ouvrage.

Article 1. Tout membre de l'Ordre des infirmières et infirmiers du Québec qui exerce à temps plein ou à temps partiel, seul ou en société, à son propre compte ou pour le compte d'un membre ou d'une société de membres, doit tenir un dossier pour chacun de ses clients.

Article 2. Malgré l'article 1, lorsqu'un membre fait partie d'une société ou est employé de celle-ci, d'un gouvernement ou de l'un de ses organismes ou d'une personne physique ou morale, les dossiers tenus par cette société ou cet employeur, relativement aux personnes concernées par les services professionnels que rend ce membre, sont considérés, aux fins de ce règlement, comme les dossiers de ce dernier, s'il peut y inscrire les renseignements mentionnés à l'article 3 ou tout autre acte professionnel concernant l'exercice de sa profession. Dans le cas contraire, ce membre demeure assujetti à l'obligation prévue à l'article 1.

Article 3. Le membre doit consigner pour chaque dossier les éléments et les renseignements ainsi que conserver au dossier les documents suivants:

1. La date d'ouverture du dossier et de chaque consultation.
2. Les noms, prénoms, sexe, date de naissance et numéro de téléphone du client.
3. Le nom et l'adresse du médecin traitant ou de famille ou de tout autre professionnel de la santé.
4. Le motif de la consultation.
5. Les renseignements pertinents relatifs à l'évaluation de la situation de santé, y compris l'examen physique.
6. (Ne s'applique pas ici.)
7. Toute information relative à la planification des interventions de soins.
8. Une description sommaire des soins dispensés au client y compris les recommandations et les conseils de santé ainsi que les réactions du client aux interventions de soins.
9. L'information relative à tout acte relié à une ordonnance médicale.
10. L'information pertinente à toute référence du client à un autre professionnel de la santé.
11. La signature du membre doit être apposée lors de chaque note au dossier du client.

Article 8. Le membre doit s'assurer de la confidentialité de ses dossiers.

La documentation des soins

Ensemble des documents que rédige l'infirmière concernant l'état et l'évolution de la personne soignée ainsi que les soins qui lui sont dispensés.

L'importance des rapports écrits

Depuis très longtemps, les infirmières considèrent que la documentation des soins est essentielle à l'exercice de leur profession et l'importance qu'on lui accorde, depuis 1970, reflète bien l'évolution des soins infirmiers. De nos jours, la documentation occupe une large part du travail de l'infirmière.

Une foule de raisons explique l'utilité de la documentation:

- elle permet de communiquer l'information essentielle à l'équipe de soins;
- elle est devenue une obligation professionnelle et elle offre à l'infirmière l'occasion de faire montre de ses responsabilités;
- elle permet d'évaluer le travail de l'infirmière;
- elle constitue un document légal permanent: tout ce qui se passe autour de la personne soignée y est consigné (traitements, moyens d'investigation, visites de professionnels, etc.);
- elle s'avère un atout précieux pour l'évaluation des soins;
- elle facilite la continuité des soins;
- elle fournit de l'information pour suivre l'évolution de la personne d'une journée à l'autre (plaintes, manifestations de complications, etc.);
- elle assure une protection légale tant pour le malade que pour l'infirmière. Advenant une plainte, la personne peut démontrer, dossier à l'appui, les mesures qui ont été prises et celles qui ont été négligées. De son côté, l'infirmière peut se défendre à l'aide des notes qu'elle a rédigées;
- elle facilite le dialogue entre les professionnels;
- elle peut devenir un sujet de recherche infirmière.

Les facteurs d'influence

Certains facteurs accentuent la portée de la documentation des soins, notamment le fait que les personnes soignées soient plus averties et que l'évaluation de la qualité des soins occupe une place importante. De nos jours, les usagers sont mieux informés et de plus en plus conscients de leur droit à recevoir des soins de qualité. Les corporations professionnelles et les tribunaux sont assez souvent saisis de causes de fautes professionnelles: les infirmières et les autres professionnels doivent se défendre et la documentation des soins peut alors devenir une base pour soutenir leur défense (Iyer et Camp, 1995, p. 3).

L'importance que prend l'évaluation de la qualité des soins est un autre facteur d'influence. L'évolution des professions et les systèmes d'inspection professionnelle et d'agrément des hôpitaux ont rendu cette évaluation chose courante. Elle fait maintenant partie intégrante du fonctionnement des milieux de soins dans plusieurs pays. Elle doit se fonder sur des arguments solides dont la documentation forme la base.

Les observations de l'infirmière

Le principal document écrit que doit remplir l'infirmière est la fiche des observations où elle consigne ce qu'elle a remarqué et ce qu'elle a fait. (En France, il s'agit des transmissions écrites.) Il existe plusieurs méthodes pour rédiger ces notes, mais, peu importe la méthode, la tâche demeure fastidieuse. Comme il faut consigner de nombreux renseignements, il est important de proposer des formulaires qui simplifient le travail. Aujourd'hui, la plupart des établissements utilisent des instruments ouverts où l'infirmière doit écrire toutes ses observations. Cependant, le virage ambulatoire entraînera probablement des modifications importantes. En effet, l'infirmière devra s'adapter à des séjours toujours plus courts, pendant lesquels l'état aigu de la personne nécessitera des soins complexes qui laisseront encore moins de temps pour le travail d'écriture. Aussi, en attendant l'informatisation de la planification et de la documentation des soins, est-il important d'envisager d'autres manières de faire.

Il faut préciser que, peu importe le système qu'on adopte, les observations de l'infirmière doivent toujours refléter fidèlement les interventions auprès de la personne malade, son état et sa réaction physique et psychologique à la maladie et au traitement. Actuellement les observations de l'infirmière sont faites selon la méthode «chronologique» selon un système dit «par exception», c'est-à-dire que la soignante ne note que ce qui sort de l'ordinaire.

La plupart du temps, les soins courants, qui se répètent continuellement, n'apparaissent nulle part. C'est dommage, car ils peuvent être considérés comme n'ayant pas été faits, ce qui peut être fort ennuyeux devant un tribunal. Il serait donc judicieux d'adopter une façon de faire qui soit à la fois rapide et plus sécuritaire du point de vue légal, tant pour la personne soignée que pour l'infirmière. Patricia Iyer et Nancy Camp (1995, p. 68) souligent en ces termes les avantages des formulaires fermés pour les observations courantes (*flowsheets*), complétés par une fiche d'évolution:

- Ils sont faciles et rapides à remplir; ils économisent temps et énergie.
- Ils fournissent une documentation complète et efficace.
- Ils facilitent la continuité des soins.
- Ils diminuent la duplication d'informations.
- Ils fournissent une image rapide des soins de la personne.
- Ils indiquent des soins qui, autrement, ne seraient mentionnés nulle part.

S. Lampe (1988, p. 7) ajoute:
- Ils favorisent une meilleure qualité des soins.
- Ils offrent une protection du point de vue légal.
- Ils sont le reflet de la démarche de soins.
- Ils favorisent l'évaluation et l'assurance de la qualité des soins.

Les pages qui suivent présentent des formulaires pour les observations, inspirés des *flowsheets* utilisés dans certains hôpitaux. L'un est un instrument fermé où l'infirmière n'a qu'à cocher certaines cases ou écrire quelques mots. Les autres, plus ouverts, exigent un minimum d'écriture.

À ces feuilles d'observations courantes il faut ajouter une fiche des signes vitaux et une fiche d'administration des médicaments. En outre, il faut remplir une fiche sur l'évolution de l'état de la personne.

Les observations courantes se rapportent surtout aux soins de base et aux soins techniques. Certains formulaires permettent de noter des observations simples, mais, en règle générale, ils ne touchent pas beaucoup les réactions physiques ou psychologiques de la personne; ils ne mentionnent pas toujours la douleur, les soins spéciaux, etc. C'est pourquoi il faut joindre un document qui permet de décrire en détail tout changement notable de l'état de la personne.

Les feuilles d'observations courantes (*flowsheets*) permettent de noter tout ce qui se passe au cours d'un quart de travail (huit heures) et de comparer avec les autres quarts. En apportant quelques modifications, on peut les utiliser aussi bien pour les soins à court terme que pour les soins à long terme. Les pages qui suivent présentent des exemples de formulaires pour les observations courantes: le premier est un instrument fermé, le deuxième est semi-ouvert et le dernier est un formulaire déjà rempli.

Figure 9.2

Les observations courantes (instrument fermé)

Date:	8 h à 16 h	16 h à 24 h	24 h à 8 h
☐ Respirer	Toux ___ Bruits ___ O$_2$ ___ Humidificateur ___ Dyspnée ___ Cyanose ___	Toux ___ Bruits ___ O$_2$ ___ Humidificateur ___ Dyspnée ___ Cyanose ___	Toux ___ Bruits ___ O$_2$ ___ Humidificateur ___ Dyspnée ___ Cyanose ___
☐ Boire et manger	Appétit ___ Collations ___ Régime ___ Nausées ___ Vomissements: type ___ fréquence ___	Appétit ___ Collations ___ Régime ___ Nausées ___ Vomissements: type ___ fréquence ___	Appétit ___ Collations ___ Régime ___ Nausées ___ Vomissements: type ___ fréquence ___
☐ Éliminer	Élimination intestinale ___ Lavement ___ Incontinence ___ Élimination urinaire ___ Dosage ___	Élimination intestinale ___ Lavement ___ Incontinence ___ Élimination urinaire ___ Dosage ___	Élimination intestinale ___ Lavement ___ Incontinence ___ Élimination urinaire ___ Dosage ___
☐ Se mouvoir et maintenir une bonne posture	Repos au lit ___ Fauteuil ___ Fauteuil roulant ___ Marche ___ Chang. de position aux ___ heures ___ Traction ___ Activités ___ Tolérance à l'activité ___	Repos au lit ___ Fauteuil ___ Fauteuil roulant ___ Marche ___ Chang. de position aux ___ heures ___ Traction ___ Activités ___ Tolérance à l'activité ___	Repos au lit ___ Fauteuil ___ Fauteuil roulant ___ Marche ___ Chang. de position aux ___ heures ___ Traction ___ Activités ___ Tolérance à l'activité ___
☐ Dormir et se reposer	Sieste ___ Qualité du sommeil ___ Matelas spécial ___	Sieste ___ Qualité du sommeil ___ Matelas spécial ___	Sieste ___ Qualité du sommeil ___ Matelas spécial ___
☐ Se vêtir et se dévêtir	Vêtement spécial ___ Cherche à se dévêtir ___	Vêtement spécial ___ Cherche à se dévêtir ___	Vêtement spécial ___ Cherche à se dévêtir ___
☐ Maintenir la température du corps	Température: buccale ___ axillaire ___ rectale ___ Frisson ___ durée ___	Température: buccale ___ axillaire ___ rectale ___ Frisson ___ durée ___	Température: buccale ___ axillaire ___ rectale ___ Frisson ___ durée ___
☐ Être propre et soigné, et protéger ses téguments	État de la peau ___ Incision ___ Drain ___ Toilette: au lit ___ complète ___ partielle ___ lavabo ___ baignoire ___	État de la peau ___ Incision ___ Drain ___ Toilette du soir ___ installation ___	État de la peau ___ Incision ___ Drain ___ Toilette: au lit ___ complète ___ partielle ___ lavabo ___ baignoire ___

Figure 9.2 (suite)

Date:	8 h à 16 h	16 h à 24 h	24 h à 8 h
☐ Éviter les dangers	Douleurs: type _____ site _____ durée _____ Médication: soulagement: _____ O _____ N _____ Suicidaire _____ Côtés de lit: J _____ N _____ Contraintes _____ Anxieux _____ Agité _____ Agressif _____ Alerte: O _____ N _____ Orienté: O _____ N _____ Coopère: O _____ N _____ Aphasie _____ Dysarthrie _____ Mots inappropriés _____ Mutisme _____	Douleurs: type _____ site _____ durée _____ Médication: soulagement: _____ O _____ N _____ Suicidaire _____ Côtés de lit: J _____ N _____ Contraintes _____ Anxieux _____ Agité _____ Agressif _____ Alerte: O _____ N _____ Orienté: O _____ N _____ Coopère: O _____ N _____ Aphasie _____ Dysarthrie _____ Mots inappropriés _____ Mutisme _____	Douleurs: type _____ site _____ durée _____ Médication: soulagement: _____ O _____ N _____ Suicidaire _____ Côtés de lit: J _____ N _____ Contraintes _____ Anxieux _____ Agité _____ Agressif _____ Alerte: O _____ N _____ Orienté: O _____ N _____ Coopère: O _____ N _____ Aphasie _____ Dysarthrie _____ Mots inappropriés _____ Mutisme _____
☐ Communiquer avec ses semblables			
☐ Agir selon ses croyances et ses valeurs			
☐ S'occuper en vue de se réaliser			
☐ Se récréer			
☐ Apprendre	Enseignement _____ Autres:	Enseignement _____ Autres:	Enseignement _____ Autres:
☐ Autres	Cathéter: type _____ site _____ drainage _____ irrigation _____ dernier changement _____ Soluté: type _____ quantité _____ début _____ en cours _____ fin _____ Pansement: Examens: Visite médicale: _____ Signature	Cathéter: type _____ site _____ drainage _____ irrigation _____ dernier changement _____ Soluté: type _____ quantité _____ début _____ en cours _____ fin _____ Pansement: Examens: Visite médicale: _____ Signature	Cathéter: type _____ site _____ drainage _____ irrigation _____ dernier changement _____ Soluté: type _____ quantité _____ début _____ en cours _____ fin _____ Pansement: Examens: Visite médicale: _____ Signature

Figure 9.3

Les observations courantes (instrument semi-ouvert)

Date:	Observations/exécution	8 h à 16 h	16 h à 24 h	24 h à 8 h
☐ Respirer	Toux _____ Bruits respiratoires _____ Cyanose _____ Humidificateur _____			
☐ Boire et manger	Appétit _____ Régime _____ Nausées _____ Vomissements _____ Collations _____			
☐ Éliminer	Élimination intestinale _____ Incontinence: urinaire _____ fécale _____ Élimination urinaire _____ Dosage _____			
☐ Se mouvoir et maintenir une bonne posture	Repos au lit _____ Se lever et s'asseoir _____ dans le fauteuil _____ Marche _____ Changement de position _____ Traction _____ Activités _____ Tolérance à l'activité _____			
☐ Dormir et se reposer	Qualité du sommeil _____ Matelas spécial _____			
☐ Se vêtir et se dévêtir				
☐ Maintenir la température du corps				
☐ Être propre et soigné, et protéger ses téguments	État de la peau _____ Incision _____ Drain _____ Toilette: au lit _____ complète _____ partielle _____ lavabo _____ baignoire _____			

Figure 9.3 (suite)

Date:	Observations/exécution	8 h à 16 h	16 h à 24 h	24 h à 8 h
☐ Éviter les dangers	Douleurs ____ Soulagement ____ Suicidaire ____ Côtés de lit ____ Contraintes ____ Anxieux ____ Agité ____ Agressif ____ Alerte ____ Orienté ____ Coopère ____ Aphasie ____ Dysarthrie ____ Mots inappropriés ____ Mutisme ____			
☐ Communiquer avec ses semblables				
☐ Agir selon ses croyances et ses valeurs ☐ S'occuper en vue de se réaliser ☐ Se récréer ☐ Apprendre	Enseignement ____ Autres:			
☐ Autres	Cathéter ____ dernier changement ____ O₂ ____ débit ____ Soluté ____ Pansement ____ État de l'incision ____ Drain ____ Visite médicale: _____ Signature			

Figure 9.4

Les observations courantes (instrument semi-ouvert)

Date:	Observations	8 h à 16 h	16 h à 24 h	24 h à 8 h
☐ Respirer	Ventilateur ___ Humidificateur √	√	√	√
☐ Boire et manger	Appétit ___ Collations ___ Régime: *Hyposodique*	Céréales, potage seulement	Mange tout	
☐ Éliminer	Incontinence ___ urinaire ___ fécale ___ Aide pour bassin de lit √ chaise d'aisance ___ Dosage *ingesta excreta* Sonde vésicale ___ sac de drainage ___ soins ___	√√	√√	
☐ Se mouvoir et maintenir une bonne posture	Repos au lit ___ Fauteuil ___ Fauteuil roulant √ Marche ___ Chang. de position aux 4 h. Traction ___ Activités ___	√	√√	√√
☐ Dormir et se reposer	Dort bien ___ Éveillé par intervalles ___ Éveillé la plupart du temps ___ Matelas spécial ___	√	√	
☐ Se vêtir et se dévêtir	Vêtement spécial ___ Cherche à se dévêtir ___	√	√	
☐ Maintenir la température du corps	Température: buccale ___ rectale ___ axillaire ___ Frisson √ durée ___	√	√	

HYPOSODIQUE
Régime sans sel (chlorure de sodium) ou à faible teneur en sel.

Figure 9.4 (suite)

Date:	Observations	8 h à 16 h	16 h à 24 h	24 h à 8 h
☐ Être propre et soigné, et protéger ses téguments	Peau intacte ___ Rougeurs ___ site ___ Bain: au lit √ complet ___ partiel √ lavabo ___ baignoire ___	√	*Rougeurs au siège* √	*Rougeurs au siège* √
☐ Éviter les dangers	Côtés de lit: Jour √ Nuit √ Contraintes ___ Isolement ___	√	√	
☐ Communiquer avec ses semblables	Alerte: O ___ N √ Orienté: O ___ N √ Coopère: O √ N ___	√		
☐ Agir selon ses croyances et ses valeurs	Aphasie ___ Dysarthrie ___			
☐ S'occuper en vue de se réaliser				
☐ Se récréer				
☐ Apprendre	Enseignement √ Autres ___	√		
☐ Autres	Cathéter: type ___ site ___ drainage ___ irrigation: solution ___ fréquence ___ Soluté: type ___ quantité ___ début ___ en cours ___ fin ___ O₂ ___ mode d'administration ___ concentration ___ Pansement: type ___ site ___ refait ___ Points/agrafes: nettoyés ___ solution ___ enlevés ___ Examens: Autres: Visite médicale: *12 h Dr Foucault* Signature			

Les notes sur l'évolution

L'état d'une personne se modifie continuellement et les notes de l'infirmière doivent en présenter une description qui oriente à la fois le traitement infirmier et le traitement médical. Il existe de nombreuses méthodes pour rédiger les observations de l'infirmière (SOAP, SOAPIE, PIE, FOCUS, CHRONOLOGIQUE). Actuellement, la plus répandue est la méthode narrative chronologique qui incite à rapporter en détail, dans l'ordre chronologique, les modifications de l'état de la personne, les soins apportés et les traitements appliqués. Cette méthode offre certains avantages, mais elle présente aussi des inconvénients. Les observations sont longues à rédiger, elles sont dispersées et les éléments secondaires se mêlent souvent aux éléments importants, si bien que les observations ne reflètent pas toujours véritablement l'état de la personne et son évolution.

C'est peut-être pourquoi la méthode «Focus», ou méthode d'information ciblée, est de plus en plus appréciée: elle permet de cerner ce qui est important et de le mettre en lumière. Le présent chapitre ne vise pas à présenter une étude exhaustive des différents systèmes, mais à montrer le lien qui unit l'étape de l'exécution de la démarche de soins à la rédaction des notes au dossier. Nous prendrons la méthode «Focus» ou méthode d'information ciblée comme exemple.

La méthode «Focus» ou méthode d'information ciblée

Cette méthode d'information a été développée en 1981 par un comité d'infirmières cadres de Minneapolis pour remplacer le système «SOAP» (observations subjectives et objectives, évaluation, planification) alors en vigueur dans leur hôpital et qui présentait une foule d'inconvénients (Iyer et Camp, 1995, p. 226–227). Une intéressante recherche sur la documentation des soins les amena à développer un système de notes au dossier plus efficace et plus sécuritaire (Lampe, 1988, p. 9).

Cette méthode d'inscription des observations comprend trois éléments principaux: la date et l'heure; l'élément central de l'observation, c'est-à-dire le «focus» ou la cible; et les notes sur l'évolution de l'état de la personne, qui doivent expliciter chaque «focus» ou information ciblée. Certains auteurs l'appellent aussi la méthode «Source» (Iyer *et al.*, 1986, p. 205, 222). Ce terme se rapporte à l'origine ou à la raison de l'observation. Les notes sur l'évolution comprennent toujours trois éléments clés: les données, les interventions de l'infirmière et les résultats obtenus, c'est-à-dire le DIR.

Mise en situation

Mme Lemaire a subi l'ablation de la vésicule biliaire il y a deux jours. Au début de la matinée (8 h 30), elle repousse son petit déjeuner et refuse de faire sa toilette. Elle se dit souffrante; elle est pâle et agitée; elle transpire. Elle accuse des douleurs abdominales généralisées et des douleurs intenses au site de la plaie. À 8 h 45, l'infirmière lui administre les 100 mg de Démérol prescrits. À 9 h 30, Mme Lemaire dit se sentir mieux, mais pas entièrement soulagée. Elle accepte cependant que l'infirmière procède à sa toilette. Cette dernière trouve la peau de Mme Lemaire très chaude. Vers 10 h, elle prend ses signes vitaux: T° 39,2 °C, pulsation 90 par minute, respiration 22 par minute et T. A. 160/90. Elle prévient le Dr Michaud qui viendra un peu plus tard. La malade repose ensuite jusqu'à midi.

La figure 9.5 présente les observations de l'infirmière pour cet avant-midi-là. Elles sont formulées selon la méthode «Focus» ou méthode d'information ciblée. Les lettres D, I et R indiquent la nature des informations.

Figure 9.5

Exemple de notes formulées selon la méthode «Focus»

Date et heure	«Focus»	Notes sur l'évolution
05-10 8 h 30	Douleurs	(D) Repousse son petit déjeuner, se plaint de douleurs abdominales généralisées et de douleurs intenses au site de la plaie, pâleur, diaphorèse. —
8 h 45		(I) Démérol 100 mg I.M. administré dans le bras gche. ————
		(R) Se dit mieux, mais pas complètement soulagée.
9 h 30	Soins d'hygiène	(D) Refuse de faire sa toilette: trop souffrante.
10 h		(I) Bain complet au lit.(R) Repose de 10 h 10 à 12 h.
10 h	Modification des signes vitaux (fièvre)	(D) Peau chaude ———— (I) Signes vitaux: T° 39,2 °C, pouls 90 par minute, respiration 22 par minute, T. A. 160/90. Dr Michaud prévenu; viendra plus tard. ————

Dans l'exemple qui précède, l'infirmière a noté tout ce qui était important dans la journée. Normalement, la toilette ne devrait pas être mentionnée (elle devrait apparaître sur le formulaire des observations courantes). Elle y figure seulement en raison du refus de la malade, ce qui est une particularité. Un trait est tiré au bout de chaque ligne pour éviter que quelqu'un d'autre ne fasse des ajouts. Pour le dernier «Focus» ou cible, il y a des données et des interventions, mais pas de résultats. C'est possible. L'infirmière doit toutefois s'efforcer de respecter le DIR, c'est-à-dire indiquer les observations objectives et subjectives (si possible), les interventions et les résultats. Le nombre des données, des interventions et des résultats peut varier. Il se peut qu'il n'y ait pas de résultat à indiquer, mais il y a toujours des données et, généralement, des interventions. Rappelons que ces notes sur l'évolution doivent absolument être utilisées en concomitance avec un formulaire pour les observations courantes, qui tient compte de tous les autres soins donnés, et d'une fiche pour les médicaments.

Les rapports verbaux

En plus de la documentation écrite concernant l'état de la personne et les soins qui lui sont administrés, l'infirmière ou l'étudiante doit aussi, à la fin de son quart de travail, fournir de l'information verbale aux membres de l'équipe de soins qui prennent la relève. En outre, l'étudiante qui quitte le service, parfois avant la fin du quart de travail, doit aussi faire un rapport à l'infirmière responsable. Tous ces renseignements visent à faire une synthèse de l'état de la personne au moment du départ de l'infirmière ou de l'étudiante en mettant en lumière les éléments d'amélioration ou de détérioration; ils indiquent les soins qui ont été administrés et les traitements en cours (par exemple, un soluté, une sonde avec un sac de drainage, etc.). Ils expliquent aussi parfois que des interventions n'ont pu être faites en raison de l'état de la personne ou parce qu'elle était en radiologie ou en consultation dans d'autres services.

Bibliographie

BENNER, Patricia (1995). *De novice à expert*. Montréal, ERPI.

BRASSARD, Yvon (1989). *Apprendre à rédiger des notes d'observations au dossier*. Tomes 1 et 2. Montréal, Loze-Dion Éditeur.

BRUNNER, Lillian S. et SUDDARTH, Doris S. (1990). *Soins infirmiers en médecine et chirurgie*. Montréal, Éditions du Renouveau Pédagogique.

BULECHEK, Gloria M. et McCLOSKEY, Joanne C. (1985). *Nursing Interventions*. Philadelphia, W. B. Saunders.

BURKE, Laura J. et MURPHY, Judy (1988). *Charting by Exception a Cost-Effective, Quality Approach*. New York, John Wiley & Sons.

DOENGES, Marilynn E. et MOORHOUSE , Mary Frances (1992). *Application of Nursing Process and Nursing Diagnosis: An Interactive Text*. Philadelphia, F. A. Davis.

DREYFUS, S. E. et DREYFUS, H. L. (1980). *A Five Stage Model of the Mental Activities Involved in Directed Skill Acquisition*, cité dans Patricia Benner (1995). *De novice à expert*. Montréal, ERPI.

FRENETTE LECLERC, Claire-Andrée (janvier 1992). «Sur la route de l'expertise». *Nursing Québec*, p. 48–53.

GARDNER, Dane L. (1985). «Presence» dans Gloria M. Bulechek et Joanne C. McCloskey (1985). *Nursing Interventions*. Philadelphia, W. B. Saunders.

GOUVERNEMENT DU QUÉBEC. *Code des professions*. Québec. L.R.Q.c. C–26, a. 91.

IYER, Patricia *et al.* (1986). *Nursing Process and Nursing Diagnosis*. Philadelphia, W. B. Saunders.

IYER, Patricia W. et CAMP, Nancy (1995). *Nursing Documentation. A Nursing Process Approach*. St. Louis, Mosby.

JOINT COMMISSION ON ACCREDITATION OF HEALTH ORGANIZATIONS [JCAHO] (1988). *Accreditation Manual for Hospitals*. Chicago, JCAHO.

LAMPE, S. (1988). *Focus Charting*. Minneapolis, Creative Nursing Management.

Le BOTERF, Guy (1994). *De la compétence: essai sur un attracteur étrange*. Paris, Les Éditions d'Organisation.

LEFEBVRE, Monique et DUPUIS, Andrée (1993). *Le Jugement clinique en soins infirmiers*. Montréal, ERPI.

MILLER, Emmy (1989). *How to Make Diagnosis Work. Administrative and Clinical Strategies*. Norwalk, Conn., Appleton & Lange.

ORDRE DES INFIRMIÈRES ET INFIRMIERS DU QUÉBEC (1980). *Règlement des actes infirmiers, Règlement des actes médicaux*, Ordre des infirmières et infirmiers du Québec.

PHANEUF, Margot (1985). *La Démarche scientifique*. Montréal, McGraw-Hill.

POTTER, Patricia A. et PERRY, Anne G. (1989). *Soins infirmiers*. Montréal, Éditions du Renouveau Pédagogique.

YURA, Helen et WALSH, Mary B. (1983). *Human Needs and the Nursing Process*. Vol. 3. Norwalk, Conn., Appleton–Century–Crofts.

ZDERAD, L. T. (1978). *From Here and Now Theory*. New York, National League for Nursing.

L'évaluation, étape 5 de la démarche de soins

Objectifs terminaux

Dans sa planification des soins, l'étudiante prendra conscience:

1° de l'importance de l'étape de l'évaluation pour améliorer l'état de la personne;

2° de la nécessité de l'évaluation pour assurer des soins de qualité.

Objectifs intermédiaires

De façon plus spécifique, l'étudiante sera capable:

1° de définir l'évaluation comme dernière étape de la démarche de soins;

2° de préciser les buts de l'évaluation;

3° d'expliquer le processus de l'évaluation;

4° de déterminer quoi évaluer;

5° d'expliquer comment évaluer;

6° de préciser quand évaluer;

7° d'expliquer l'importance de l'évaluation de la démarche de soins pour évaluer la qualité des soins.

L'évaluation des résultats ou l'atteinte des objectifs constitue la dernière étape de la démarche de soins. C'est une étape assez complexe qui réunit un ensemble d'éléments. Elle consiste à porter un jugement sur l'état de la personne soignée par rapport aux objectifs fixés. Dans le cadre de la démarche de soins, elle représente une obligation professionnelle, mais, dans un sens plus large, elle touche l'évolution même de l'infirmière vers la prise en charge de ses responsabilités de soignante et vers ce qu'Anne-Marie Polet-Masset appelle la «conquête de l'autonomie» (1993, p. 15-26). Elle peut se définir ainsi:

Évaluation

L'évaluation est un jugement comparatif systématique de l'état de la personne, porté au moment de l'échéance, en considérant les objectifs fixés. En mesurant le progrès accompli, l'infirmière peut se rendre compte des résultats obtenus et de l'efficacité de ses actions.

L'évaluation peut se faire de diverses façons: dans une approche étiologique, on peut se demander si la cause du problème a été enrayée; on peut aussi s'interroger sur les résultats obtenus à chacune des interventions ou encore considérer les manifestations de dépendance (signes et symptômes) et voir si elles ont disparu. Toutes ces façons de faire sont valables, mais, traditionnellement, l'évaluation consiste plutôt à apprécier l'atteinte de l'objectif. Cette forme d'évaluation est plus globale et plus rapide. De plus, dans certains cas, l'objectif est accompagné d'un pronostic qui permet de relativiser les résultats à la lumière des difficultés prévues.

Rappelons que, dans le plan de soins, l'infirmière a fixé une échéance pour chaque objectif. Au moment de l'évaluation, elle doit donc s'interroger sur les résultats obtenus à la suite de ses interventions. Cette réflexion critique sur les effets de son action manifeste qu'elle endosse sa responsabilité professionnelle quant à la progression de la personne vers un mieux-être.

Les buts de l'évaluation

L'évaluation vise notamment à assurer des soins de qualité en vérifiant continuellement la pertinence des interventions au regard des résultats. Elle permet non seulement de porter un jugement sur l'atteinte d'un objectif, mais surtout de s'améliorer constamment. Pour offrir des soins de qualité, il faut les évaluer, c'est-à-dire être toujours à la recherche des lacunes et des moyens pour les corriger.

Buts de l'évaluation
- Vérifier l'atteinte des objectifs.
- Chercher à connaître ce qui pourrait être amélioré.
- Corriger le cours de l'action.
- Assurer des soins de qualité.

Le processus de l'évaluation

Pour comprendre les rouages de cette étape, il est nécessaire de la disséquer pour mieux l'analyser. Elle consiste d'abord à recueillir des données sur l'état de la personne au moment de l'évaluation d'un objectif. Supposons que le problème est l'anxiété de la personne avant une intervention chirurgicale et que l'objectif est formulé ainsi: «Exprimer sa capacité de faire face à la situation. À évaluer avant l'intervention». Peu de temps avant cette intervention, l'infirmière doit observer la personne afin de constater son niveau d'anxiété et l'interroger afin de savoir comment elle se perçoit face à cette situation. En somme, elle recueille des données pour étayer son jugement.

Elle considère ensuite l'objectif fixé et le compare avec la situation actuelle. Cette étape de l'évaluation se fait en mesurant l'écart entre l'état réel de la personne et celui que l'infirmière visait par ses interventions.

La dernière partie de ce processus consiste ensuite à porter un jugement sur l'atteinte ou la non-atteinte de l'objectif.

Voici, en résumé, les étapes du processus d'évaluation:

- observation et collecte de données;
- mesure du progrès accompli pour atteindre l'objectif;
- jugement sur l'atteinte ou la non-atteinte de l'objectif.

Le jugement peut prendre diverses formes. L'infirmière peut arriver à la conclusion que l'objectif a été atteint, c'est-à-dire que l'état de la personne s'est amélioré comme il était prévu, que les signes et les symptômes ont disparu. Dans ce cas, il n'est plus nécessaire de considérer cet objectif dans la démarche de soins.

L'infirmière pourrait aussi juger que certains signes et certains symptômes ont disparu, mais qu'il en existe encore. Elle pourrait alors conclure que cet objectif est en voie d'être atteint et qu'il faut le poursuivre en repoussant l'échéance. Elle pourrait aussi conclure qu'il est en voie d'être atteint à la condition d'apporter certaines modifications. Dans ces cas, l'objectif est reporté au plan de soins, avec les modications nécessaires.

Si la plupart des signes et des symptômes subsistent, l'infirmière est forcée de reconnaître que l'objectif n'a pas été atteint. Dans ce cas, elle peut décider de conserver cet objectif et de repousser l'échéance ou de fixer un nouvel objectif. Elle doit cependant s'interroger sur les raisons de cet échec. L'état de santé physique ou psychologique de la personne s'est-il détérioré? L'objectif était-il trop exigeant ou irréaliste? Les interventions étaient-elles appropriées? Ont-elles vraiment été faites? Sinon, pourquoi? Les réponses à ces questions sont précieuses, car l'évaluation entraîne une mise à jour du plan de soins. Ces réponses permettront de formuler d'autres hypothèses de diagnostics infirmiers et de redresser le plan de soins s'il y a lieu.

Rappelons que l'évaluation de l'atteinte de l'objectif est influencée par le pronostic de l'infirmière. Si le pronostic est réservé et que l'objectif ne soit pas atteint, ce n'est pas vraiment significatif; il faut simplement le poursuivre. Mais si le pronostic est bon ou excellent et que l'objectif ne soit pas atteint, il faut s'interroger sérieusement.

> **Conclusions à tirer à la suite d'un jugement sur un objectif**
> Objectif
> * Atteint.
> * En voie d'être atteint: à poursuivre;
>   à modifier.
> * Non atteint: à poursuivre;
>   à remplacer.

L'évaluation est un processus sérieux qui doit être documenté. Il ne suffit pas de dire si l'objectif est atteint ou non, il faut aussi, lorsque la chose est possible, inscrire quelques indices révélateurs dans le plan de soins: il y a même une colonne réservée à cet effet. Les figures 10.1 et 10.2 présentent un plan de soins standard qui a trait à la peur reliée à une incapacité d'affronter la réalité du traitement (biopsie de la peau). La figure 10.1 indique, dans la colonne de l'évaluation, que l'objectif est en voie d'être atteint. La figure 10.2 apporte un complément à cette évaluation en décrivant l'état de la personne au moment de l'évaluation.

Quoi évaluer?

Même si l'objectif demeure le premier élément à évaluer, il n'est pas le seul. Dans certains cas, l'infirmière doit élargir son évaluation à l'ensemble du processus suivi parce que la situation n'évolue pas. De plus, il est toujours important d'évaluer la satisfaction de la personne soignée.

L'évaluation des autres composantes du plan de soins

Il arrive parfois que l'évaluation de la situation ne réponde pas aux attentes de l'infirmière: les objectifs ne sont pas atteints et l'évaluation des résultats n'explique pas les raisons de cette stagnation. Dans un cas semblable, il faut aller au-delà de l'objectif et examiner les interventions, le diagnostic infirmier et même les données sur lesquelles il se fonde. Les interventions ne sont peut-être pas appropiées ni assez personnalisées ou bien le diagnostic infirmier est erroné. L'état de la personne peut aussi s'être modifié au point que tout le processus mis en branle devient inefficace. Il faut alors le repenser entièrement. Cette situation est rare, mais elle se présente parfois.

L'évaluation de la satisfaction de la personne

Comme l'objectif concerne d'abord la personne, il est normal de la consulter pour savoir si l'on a atteint les résultats escomptés. Marie-Françoise Collière (1994, p. 25), citant Virginia Henderson, écrit à ce propos: «L'observation continue et l'interprétation des réactions du malade, confrontées à la façon dont le malade envisage l'aide qui lui est nécessaire et l'action qui en découle, sont garantes de la meilleure efficacité des soins.»

Cette consultation se fait simplement en posant quelques questions comme: «Vous étiez bien anxieuse; comment vous sentez-vous maintenant? Trouvez-vous que notre aide est efficace? Souhaiteriez-vous autre chose?»

Ces questions permettent non seulement de juger si l'objectif a été atteint, mais aussi de décider du cours de l'action future, c'est-à-dire voir si l'objectif doit être conservé tel quel, modifié ou remplacé. Elles servent en somme à mettre le plan de soins à jour.

Figure 10.1

Exemple de plan de soins standard complété par une évaluation

Diagnostic infirmier: peur

Relié à:
☑ incapacité d'affronter le traitement

Manifesté par:
☐ expression verbale de crainte
☐ anxiété
☐ diaphorèse
☐ tachypnée
☐ tachycardie
☐ difficultés du sommeil
☐ irritabilité

Objectif(s) (priorités)	Échéance	Interventions	Horaire	Évaluation
Exprimer sa capacité de faire face à son traitement. Pronostic: ☐ bon	12-01	1. ☑ Se mettre à l'écoute de la personne pour bien comprendre sa peur et lui manifester de la compréhension. 2. ☑ Ne pas raisonner la personne ni minimiser ses craintes; la peur cède rarement aux arguments cognitifs. 3. ☐ Être présente et prendre le temps de dialoguer. Se montrer chaleureuse et la toucher. 4. ☑ Expliquer comment contrôler ses pensées terrifiantes: technique «stop». 5. ☑ Procéder à une séance de relaxation quotidienne accompagnée de visualisations apaisantes. 6. ☐ Assurer la présence des proches. Signature: _M. Martin, inf._	15 h	Objectif en voie d'être atteint, à poursuivre Date: 12-01

Figure 10.2

Diagnostic infirmier: Peur R/A incapacité d'affronter la réalité du traitement (biopsie de la peau)

Interventions	Horaire	Évaluation
1. ☑ Amener la personne à expliquer sa perception du traitement et à exprimer ses craintes. **2.** ☐ Clarifier avec elle les perceptions erronées et les lui souligner. **3.** ☑ Expliquer clairement et simplement le traitement, sans la tromper et sans fournir trop de détails. **4.** ☑ L'assurer de notre présence en temps opportun.		État au moment de l'évaluation de l'objectif: Se dit encore anxieuse. Éprouve encore un peu de difficulté à dormir. Date: _____ *12-01* _____ _____ *M. Martin, inf.* _____ Signature

> **Les éléments de l'évaluation**
> - L'atteinte de l'objectif ou les résultats obtenus.
> - L'ensemble du processus suivi.
> - La satisfaction de la personne.

Comment évaluer?

L'infirmière procède à l'évaluation en observant le comportement de la personne (par exemple, elle voit si elle a bon appétit, si elle dort bien, si elle est détendue, etc.), en s'entretenant avec elle (elle se met à l'écoute et pose des questions) et parfois aussi en consultant le dossier (elle vérifie la fréquence des selles, le bilan liquidien, et elle parcourt les notes des autres infirmières).

> **Les sources de l'évaluation**
> - L'observation du comportement de la personne.
> - L'entretien avec la personne.
> - La consultation du dossier.

Quand évaluer?

Nous avons vu que les énoncés des objectifs comportent une échéance pour l'évaluation. Ils portent la mention «à évaluer le...» ou «d'ici X jours ou X heures». Rappelons que cette échéance ne signifie pas toujours que l'on croit avoir atteint l'objectif à ce moment; elle peut signifier que l'on estime ce moment approprié pour porter un jugement sur la situation. Par conséquent, si l'objectif n'est pas atteint, il ne faut pas considérer cela comme un échec. Dans ce cas, comme dans tous ceux où les résultats se font attendre, il faut simplement maintenir l'objectif dans le plan de soins.

L'évaluation partielle des objectifs pris séparément et la révision de tous les objectifs du plan de soins

L'objectif doit être évalué au moment prévu dans le plan de soins. Cela signifie que les objectifs d'un plan de soins peuvent être évalués à des moments différents. Certains sont alors conservés, d'autres modifiés ou remplacés. C'est une bonne façon de procéder, mais l'infirmière risque parfois de perdre de vue l'ensemble de la situation. Cela est particulièrement vrai lorsque les soins s'étalent sur une assez longue période. Aussi est-il recommandé de fixer un temps pour réviser l'ensemble des objectifs et du plan de soins.

Le délai entre les révisions globales peut être fixé par chaque établissement selon la durée de l'hospitalisation. Pour les soins aigus, il peut être égal à la durée moyenne des séjours, soit de cinq à six jours. Cela signifie que l'infirmière doit évaluer le plan de soins globalement tous les cinq ou six jours. Naturellement, si le séjour est plus court, l'évaluation doit se faire avant le départ de la personne afin d'établir le plan de départ. Si certains objectifs n'ont pas été atteints, l'infirmière peut fournir des indications qui permettront à la personne de les atteindre par elle-même. Pour les soins à long terme, ce délai peut être beaucoup plus long.

L'évaluation peut se faire à tout moment

L'évaluation est la dernière étape de la démarche de soins, mais elle ne constitue pas pour autant une étape à part. Comme nous l'avons vu aux autres chapitres, l'évaluation d'un objectif chevauche parfois la collecte des données ou la planification d'un autre objectif. La démarche est un processus dynamique toujours en mouvance.

L'évaluation de la démarche de soins et l'évaluation de la qualité des soins

L'évaluation, dernière étape de la démarche de soins, s'inscrit dans la politique générale de l'évaluation de la qualité des soins. Dans cette optique, l'évaluation n'est plus considérée du point de vue de l'infirmière qui évalue individuellement les résultats obtenus. Il s'agit d'un concept beaucoup plus large qui vise à assurer la qualité des soins. Cette préoccupation, déjà assez ancienne, est maintenant largement répandue. L'Oganisation mondiale de la santé lançait d'ailleurs un mot d'ordre à cet effet. Dans sa campagne sur la «Santé pour tous en l'an 2000», elle préconisait que, dans les années 1990, tous les états membres devaient avoir instauré des mécanismes efficaces pour assurer la qualité des soins (Jacquery, Thayse et Maas, 1994, p. 158).

Cette évaluation s'appelle l'«Audit de qualité» des soins infirmiers. Elle consiste à prendre en considération ce qui est fait et ce qui est mis en œuvre pour améliorer les soins. C'est «un examen méthodique (généralement indépendant) en vue de déterminer si les activités et les résultats relatifs à la qualité satisfont aux dispositions préétablies et si ces conditions sont mises en œuvre de façon efficace et apte à atteindre les objectifs» (Rothan-Tondeur, nov. 1994, p. 137–138).

Cette évaluation globale de tout ce qui se fait pour un groupe de malades puise largement dans l'information fournie par la collecte des données, le plan de soins et les autres formulaires utilisés pour faciliter l'organisation des soins. Ce processus fait donc voir la nécessité pour l'infirmière de maîtriser la planification, la coordination et la documentation des soins.

L'évaluation de la démarche de soins et le développement de la métacognition

On ne peut séparer complètement l'évaluation de la démarche de soins d'un processus métacognitif de retour sur soi et sur son action. La métacognition est un concept relativement récent issu des travaux sur les théories «cognitivistes» de l'apprentissage, notamment ceux de J. H. Flavell (1979, p. 21–30). Selon cet auteur, la métacognition recouvre deux aspects principaux: les connaissances métacognitives (prise de conscience par la personne de ses sentiments, de ses attitudes et de ses actions dans une situation donnée) et le contrôle que l'on exerce sur son activité mentale et affective (gestion de soi afin d'apporter des correctifs à son action). Pour Louise Lafortune et Lise St–Pierre (1994, p. 33–34) les connaissances métacognitives se divisent en trois catégories: les connaissances sur la personne elle-même (en l'occurrence l'étudiante ou l'infirmière), sur la tâche accomplie et sur les stratégies utilisées.

Cette auto–évaluation dépasse le questionnement sur le savoir et le savoir-faire, et porte davantage sur le savoir-être. C'est là que la métacognition comme prise de conscience de soi et de son expérience en qualité d'être pensant et agissant prend toute son importance. Ainsi, l'étudiante peut se demander: «Pourquoi n'ai-je pas réussi à motiver cette personne? Ai-je été assez chaleureuse? Me suis-je montrée stimulante? Étais-je suffisamment à l'écoute? Ai-je profité de tous mes contacts avec la personne pour approfondir ma collecte des données? Quels moyens ai-je utilisés?» etc. Ce questionnement personnel permet à l'infirmière d'améliorer son comportement. Cette réflexion critique manifeste sa maturité et son autonomie professionnelle. De plus, elle permet d'établir des liens importants avec l'actualisation de soi, concept majeur en soins infirmiers.

Bibliographie

BRUNNER, Lillian S. et SUDDARTH, Doris S. (1990). *Soins infirmiers en médecine et chirurgie.* Montréal, Éditions du Renouveau Pédagogique.

BURKE, Laura J. et MURPHY, Judy (1988). *Charting by Exception a Cost-Effective, Quality Approach.* New York, John Wiley & Sons.

COLLIÈRE, Marie-Françoise (1994). *La Nature des soins infirmiers.* Montréal, ERPI.

DOENGES, Marilynn E. et MOORHOUSE, Mary Frances (1992). *Application of Nursing Process and Nursing Diagnosis: An Interactive Text.* Philadelphia, F. A. Davis.

FLAVELL, J. H. (1979). «Metacognition and Cognitive Monitoring». *American Psychologist,* n° 34, p. 21-30.

IYER, Patricia *et al.* (1986). *Nursing Process and Nursing Diagnosis.* Philadelphia, W. B. Saunders.

IYER, Patricia W. et CAMP, Nancy (1995). *Nursing Documentation. A Nursing Process Approach.* St. Louis, Mosby.

JACQUERY, Agnès, THAYSE, Claude et MAAS, Ann (1994). «L'Assurance de la qualité des soins infirmiers: méthodologie». *Recherche en soins infirmiers,* p. 158.

JOINT COMMISSION ON ACCREDITATION OF HEALTH ORGANIZATIONS [JCAHO] (1988). *Accreditation Manual for Hospitals.* Chicago, JCAHO.

LAFORTUNE, Louise et ST-PIERRE, Lise (1994). *Les Processus mentaux et les Émotions dans l'apprentissage.* Montréal, Les Éditions Logiques.

MILLER, Emmy (1989). *How to Make Diagnosis Work. Administrative and Clinical Strategies.* Norwalk, Conn., Appleton & Lange.

PHANEUF, Margot (1985). *La Démarche scientifique.* Montréal, McGraw-Hill.

POIRIER-COUTANSAIS, Geneviève (1994). «La Qualité: pourquoi? comment?» *Recherche en soins infirmiers, Méthodologie,* novembre, p. 150-157.

POLET-MASSET, Anne-Marie (1993). *Développer son autonomie en soins infirmiers.* Montréal, Gaëtan Morin, Éditeur.

POTTER, Patricia A. et PERRY, Anne G. (1989). *Soins infirmiers.* Montréal, Éditions du Renouveau Pédagogique.

ROTHAN-TONDEUR, Monique (1994). «Quick Audit et Very Quick Audit». *Recherche en soins infirmiers,* p. 137-138.

YURA, Helen et WALSH, Mary B. (1983). *Human Needs and the Nursing Process.* Vol. 3. Norwalk, Conn., Appleton-Century-Crofts.

11

Les problèmes en collaboration et les protocoles de soins

Objectifs terminaux

1° L'étudiante se familiarisera avec le concept de problème en collaboration; elle verra son utilité et ses applications.

2° Elle s'inspirera de ce type de diagnostic pour compléter et préciser son plan de soins.

3° Elle intégrera au besoin les protocoles de soins appropriés.

Objectifs intermédiaires

De façon plus spécifique, l'étudiante sera capable:

1° de définir ce qu'est un problème en collaboration;

2° d'établir une distinction claire entre un diagnostic infirmier et un problème en collaboration;

3° de décrire les types d'intervention en rapport avec un problème en collaboration;

4° d'expliquer les avantages du concept de problème en collaboration;

5° de se familiariser avec la liste des problèmes en collaboration;

6° d'utiliser le concept de problème en collaboration à bon escient;

7° de définir un protocole de soins;

8° de décrire les avantages d'utiliser des protocoles de soins;

9° d'expliquer comment on peut utiliser un protocole de façon plus humaine.

Les problèmes en collaboration

Au chapitre précédent, nous avons vu que le diagnostic infirmier amène la soignante à faire des actions autonomes liées à la réaction de la personne face à un problème de santé ou à un problème existentiel. Dans ces cas, toutes les interventions recommandées dans le plan de soins relèvent du domaine infirmier et n'exigent nullement l'intervention du médecin.

Ainsi, lorsque l'infirmière formule un diagnostic de «Constipation R/A régime pauvre en fibres», les interventions qui s'articulent autour de ce diagnostic sont du domaine infirmier. Bien sûr, rien n'empêche le médecin de prescrire un laxatif, mais cela ne change pas le diagnostic infirmier et les interventions de la soignante demeurent toujours autonomes. À ce rôle autonome s'ajoute simplement une action de collaboration qui consiste à administrer le laxatif. Il doit être bien clair qu'un diagnostic infirmier, tel que nous l'avons expliqué précédemment, ne devient jamais un «problème en collaboration».

Il y a parfois confusion entre «problème en collaboration» et «fonctions professionnelles de collaboration». Par son statut professionnel, l'infirmière est toujours en situation de collaboration avec le médecin. Toutefois, certaines décisions et certaines actions, appelées «actions autonomes», dépendent uniquement d'elle. Pour d'autres interventions elle doit faire appel au médecin qui posera un diagnostic et prescrira un traitement.

Ainsi, il ne revient pas à l'infirmière de diagnostiquer une phlébite et d'en prescrire le traitement. Cependant, les actions autonomes de surveillance et de prévention des complications, de même que celles qui visent à assurer le confort de la personne, relèvent de l'infirmière. Aussi tout problème que l'infirmière ne peut ni déterminer ni traiter seule, mais où elle peut et doit intervenir de façon autonome en accomplissant des actions liées à la pathologie et à ses complications est appelé «problème en collaboration».

Problème en collaboration

Un problème en collaboration est un jugement clinique porté sur des complications liées à certaines pathologies ou à leur traitement que l'infirmière ne peut diagnostiquer seule, mais qu'elle doit déceler et sur lesquelles elle peut intervenir de différentes façons. Elle peut suivre les recommandations du médecin, planifier des interventions autonomes seule ou en collaboration avec le médecin, ou encore d'autres interventions autonomes liées à des diagnostics infirmiers propres à la situation.

Les différences entre un diagnostic infirmier et un problème en collaboration

La principale différence entre un problème traité en collaboration et un problème traité uniquement selon le diagnostic infirmier tient au fait que ce dernier permet seulement des interventions liées à la réaction de la personne face à sa maladie (anxiété, peur, douleur, difficulté à libérer ses voies respiratoires, perturbation de l'estime de soi, détresse spirituelle, etc.), tandis que le problème en collaboration permet des interventions autonomes aussi, mais d'abord liées à la pathologie et à ses complications, puis aux diagnostics infirmiers. Naturellement, il y a toujours des interventions prescrites.

Selon Lynda J. Carpenito (1995, p. 40), les interventions infirmières se divisent en deux catégories: les interventions prescrites par l'infirmière et les interventions prescrites par le médecin. Dans une situation de pathologie relativement simple, traitée selon le diagnostic infirmier, seules les interventions prescrites par l'infirmière apparaissent dans le plan de soins. Les médicaments et les traitements qui en sont le pendant médical sont inscrits sur des formulaires particuliers.

Dans une situation de pathologie plus sérieuse où peuvent survenir des complications et où le problème est traité en collaboration, on trouve aussi des interventions prescrites par l'infirmière, mais, cette fois, elles touchent la maladie elle-même et ses complications (surveillance de symptômes, rapports d'investigation, de position, de **monitorage** et de soins divers). Ces interventions peuvent être planifiées en collaboration avec le médecin. Comme dans le diagnostic infirmier, les médicaments et certains traitements particuliers (solutés, transfusions, etc.) sont inscrits sur des fiches spéciales.

MONITORAGE
Surveillance faite à l'aide d'un moniteur électronique. (Ex.: monitorage cardiaque)

«Pour le diagnostic infirmier comme pour le problème en collaboration, la soignante décide seule de ses interventions infirmières, mais la nature de ses décisions diffère» (Carpenito, 1995, p. 40). Dans le diagnostic infirmier, l'infirmière prescrit elle-même la plupart de ses interventions, alors que dans le problème en collaboration elle peut le faire de concert avec le médecin.

Pour Lynda Carpenito, la différence entre ces deux processus diagnostiques réside en bonne partie dans ce qu'elle appelle le «traitement principal». Ce traitement principal, selon elle, constitue l'ensemble des interventions qui contribuent le plus à la guérison ou à l'évolution de la personne vers un mieux-être. Ainsi, dans le cas d'une personne chez qui l'on a posé un diagnostic infirmier d'«Altération de la mobilité physique R/A la douleur post-opératoire», les interventions autonomes de changement de position, de lever progressif, de marche, d'enseignement de la toux protégée, de gestion de la douleur constituent le traitement majeur. L'administration de la médication pour soulager la douleur et l'installation d'un soluté pour réhydrater la personne, qui sont des interventions prescrites par le médecin, sont essentielles, bien sûr, mais elles ne peuvent, dans ce cas, être considérées comme le traitement principal.

ILÉUS PARALYTIQUE
Occlusion intestinale due à l'arrêt du péristaltisme.

CHOC SEPTIQUE
État de choc déclenché par un agent pathogène.

En revanche, pour un problème d'**iléus paralytique** consécutif à une pneumonie, par exemple, le monitorage de l'hyperthermie, les mesures pour faire baisser la fièvre, la surveillance de symptômes de **choc septique** ou d'autres symptômes (absence de bruits intestinaux, rigidité abdominale, nausées, vomissements) sont des actions infirmières autonomes, mais, dans ce cas, l'administration de l'oxygène, la physiothérapie pulmonaire, les expectorants et les mucolytiques, les solutés, les examens radiologiques (pulmonaires, abdominaux), l'interprétation des tests de laboratoire (sang, expectorations), la ventilation assistée, etc., constituent le traitement principal.

Les possibilités fonctionnelles des deux types de processus diagnostiques diffèrent aussi. Dans le diagnostic infirmier, le diagnostic peut être actuel ou potentiel, c'est-à-dire qu'il vise à prévenir le problème. Quand il s'agit d'un problème en collaboration, il n'est plus question de prévenir; il faut observer la personne afin de déceler rapidement le problème et d'empêcher son aggravation.

Une autre différence entre le diagnostic infirmier et le problème en collaboration tient au fait qu'il n'est pas nécessaire de fixer des objectifs pour le traitement d'un problème en collaboration puisque l'initiative principale revient au médecin et non pas à l'infirmière.

Cette absence d'objectifs entraîne des répercussions sur l'évaluation. En effet, les résultats sont alors jugés à partir des valeurs biologiques normales (température, pression artérielle, formule sanguine, disparition des signes et des symptômes). C'est la différence entre l'état de la personne et ces normes qui permet de juger de l'adéquation des interventions.

Il existe aussi une différence dans l'énoncé. Le problème en collaboration, contrairement au diagnostic infirmier, précise le nom d'une pathologie ou d'une difficulté liée au traitement que l'on exprime en ajoutant «complication possible» (CP). Par exemple, thrombose veineuse profonde, complication possible (CP): embolie pulmonaire, ou encore effets toxiques des anticoagulants, CP: hémorragie (Carpenito, 1995, p. 39).

En somme, un problème en collaboration est plus lié à la pathologie, et les interventions autonomes de l'infirmière sont plutôt de nature médicale tandis que, dans le diagnostic infirmier, les interventions touchent la réaction de la personne face à un problème de santé ou à un problème existentiel. Le tableau 11.1 résume les différences entre ces deux processus diagnostiques.

Tableau 11.1 Différences entre un diagnostic infirmier et un problème en collaboration

DIAGNOSTIC INFIRMIER	PROBLÈME EN COLLABORATION
• Le diagnostic infirmier entraîne des actions liées à la réaction de la personne face à sa maladie (anxiété, peur, douleur, etc.).	• Le problème en collaboration entraîne aussi des interventions autonomes qui s'attaquent d'abord à la pathologie et qui touchent ensuite les diagnostics infirmiers.
• Dans une situation de pathologie sans complication, traitée selon un diagnostic infirmier, seules les interventions prescrites par l'infirmière apparaissent dans le plan de soins.	• Dans une situation de pathologie où peuvent survenir des complications, les interventions prescrites par l'infirmière apparaissent aussi dans le plan de soins, mais elles touchent la maladie elle-même (surveillance, position, etc.) et elles peuvent être planifiées en collaboration avec le médecin.
• Dans un diagnostic infirmier, l'infirmière prescrit seule les interventions.	• Dans un problème en collaboration, le traitement principal est prescrit par le médecin ou établi en collaboration avec lui.
• Le diagnostic infirmier peut être actuel ou potentiel et viser alors à prévenir le problème. Dans ce cas, la cause est remplacée par des facteurs de risque.	• Dans un problème en collaboration, il faut observer la personne afin de déceler rapidement le problème et éviter une aggravation. Les facteurs de risque laissent entrevoir les complications.
• L'évaluation se fait sur l'atteinte des objectifs. La différence entre l'état souhaité et l'état au moment de l'évaluation permet de juger de l'adéquation des interventions.	• Les résultats sont jugés à partir des valeurs biologiques normales (température, pression artérielle, formule sanguine, disparition des signes et des symptômes). C'est la différence entre l'état de la personne et ces normes qui permet de juger de l'adéquation des interventions.

Dans les situations où le problème est traité en collaboration, il n'y a pas véritablement de cause à mettre en évidence; il faut plutôt se pencher sur les risques de complication. La mise en situation que nous verrons plus loin présente un cas de thrombophlébite avec possibilité d'embolie pulmonaire chez une femme de 42 ans. Il y a plusieurs facteurs de risque à considérer: la prise d'anovulants, le tabagisme, l'obésité, la sédentarité et la présence de varices.

Les types d'interventions dans un problème en collaboration

Lorsque l'infirmière traite un problème en collaboration, elle doit appliquer trois types d'interventions:

- les interventions prescrites par le médecin (médication, traitement);
- les interventions autonomes centrées sur la réaction de la personne face à la maladie ou à la situation (provenant de diagnostics infirmiers joints au problème en collaboration);
- les interventions autonomes liées à la pathologie et à ses complications; elles sont établies par l'infirmière, seule ou en collaboration avec le médecin (surveillance, position, etc.).

Le plan de soins établi pour traiter un problème en collaboration ressemble à un protocole de soins où sont inscrites les surveillances et les interventions liées à la pathologie. C'est en quelque sorte un aide-mémoire (établi, au besoin, en collaboration avec le médecin) pour rappeler ce qu'il faut faire. L'infirmière rédige, ou choisit s'il s'agit d'un plan standard, les interventions pertinentes dans une situation donnée.

La coexistence d'un problème en collaboration, de diagnostics infirmiers et de problèmes infirmiers

Généralement, un plan de soins ne comporte pas uniquement un problème en collaboration; des diagnostics infirmiers liés à la réaction de la personne face à sa maladie y sont joints. Ainsi, chez une personne qui souffre d'un iléus, on peut poser des diagnostics infirmiers d'anxiété, de manque de connaissances, de perturbation des habitudes de sommeil, de douleur, etc. Il faut respecter l'ordre de priorité établie pour les diagnostics infirmiers, mais le problème en collaboration doit passer au premier rang des préoccupations. En somme, c'est toute la situation qui est traitée comme un problème en collaboration.

Mise en situation

Vous prenez soin de Mme Robert, une secrétaire mariée, mère de trois enfants. Elle est âgée de 42 ans et mène une vie plutôt sédentaire. Depuis la naissance de son dernier enfant, elle a développé des varices particulièrement apparentes sur la jambe gauche. Elle souffre d'un léger embonpoint (environ 10 kg); elle fume une vingtaine de cigarettes par jour et prend des anovulants depuis six ans. À la suite d'un long voyage en automobile il y a trois jours, elle a ressenti une vive douleur à la jambe gauche et a commencé à se sentir mal. Elle a 38,4 °C de fièvre, sa pression artérielle est de 150/80, sa pulsation est de 100 par minute et sa fréquence respiratoire, de 20 par minute. Le pouls pédieux de gauche est peu palpable et le signe d'Homans est positif à gauche. La jambe est œdémateuse, surtout dans la partie **distale**: la peau est cyanosée et froide. Le **Doppler** montre une diminution du flot sanguin fémoral. Le médecin a posé un diagnostic de thrombophlébite profonde gauche.

Il a prescrit des tests de coagulation sanguine et un anticoagulant (héparine); il a recommandé le repos au lit. De plus, il a prescrit de l'indométhacine contre la douleur, l'inflammation et la fièvre, de la streptokinase pour réduire le caillot, de même que des enveloppements chauds et humides de la jambe gauche. Compte tenu du tabagisme, de la prise d'anovulants sur une longue période et des varices importantes, une embolie est toujours à craindre. C'est pourquoi vous élaborez un plan de soins en conséquence et décidez de traiter cette situation comme un problème en collaboration auquel s'ajoutent certains diagnostics infirmiers.

DISTALE
Partie la plus éloignée du corps. (Ex.: les orteils ou le pied pour le membre inférieur)

DOPPLER
Appareil utilisé en médecine pour mesurer la vitesse de circulation du sang.

Au point de vue du problème en collaboration, vous avez pensé à certaines hypothèses: diminution de l'irrigation tissulaire, œdème pulmonaire, hémorragie liée à l'administration de l'héparine. Après avoir vérifié votre hypothèse auprès d'une infirmière d'expérience, vous retenez l'œdème pulmonaire en raison des facteurs de risque importants que présente cette personne.

Pour poser les diagnostics infirmiers, vous avez considéré les hypothèses suivantes:

- douleur;
- anxiété;
- peur;
- hyperthermie;
- excès du volume liquidien;
- altération de la mobilité physique.

Après avoir analysé et confirmé les hypothèses de diagnostics infirmiers, vous avez décidé de retenir, pour le moment, la «douleur» et l'«anxiété» qui vous semblent les problèmes majeurs dans cette situation. La peur sera touchée par le diagnostic «d'anxiété». L'hyperthermie et l'excès de volume liquidien seront traités par les interventions suggérées pour le problème en collaboration (surveillance, frictions, position, enveloppements, etc.). Quant à l'altération de la mobilité physique, elle ne représente pas un problème important pour cette personne actuellement, car les «Activités de la vie quotidienne» (utilisation du bassin de lit, aide pour les soins d'hygiène) sont planifiées en conséquence. Les restrictions visant à éviter la mobilisation du caillot figurent dans le traitement du problème en collaboration.

Il faut se rappeler qu'il ne s'agit là que de pistes de solution. Dans une situation, il n'y a jamais d'absolu, jamais de solution miracle. Il faut tenter d'offrir les meilleurs soins possible et éviter les duplications, les pertes de temps et d'énergie. La figure 11.1 présente le plan de soins élaboré à la suite de l'analyse et de l'interprétation des hypothèses. Elle est suivie du tableau 11.2 qui constitue une fiche d'inscription des médicaments et des traitements.

Figure 11.1

Exemple de plan de soins personnalisé comportant un problème en collaboration et des diagnostics infirmiers

Diagnostic infirmier/ problème en collaboration	Objectifs	Interventions	Horaire	Évaluation
Thrombophlébite CP: embolie pulmonaire FR: tabagisme, anovulants, varices, obésité, sédentarité Priorité 1		• Surveiller l'apparition des signes et des symptômes d'embolie pulmonaire: douleur thoracique très vive, dyspnée, agitation, cyanose, tachycardie, hypotension, etc. • Expliquer à la personne la nécessité de ne pas trop bouger pour éviter que le caillot ne se déplace. • Ne pas masser la jambe atteinte. • Mentionner de signaler tout de suite la présence d'expectorations légèrement rosâtres. • Prendre les signes vitaux aux quatre heures. • Mesurer l'œdème au niveau du genou deux fois par jour afin d'avoir des valeurs comparatives. • Voir le protocole d'administration intraveineuse de la streptokinase. • Suivre les résultats des tests de coagulation.	10 h, 14 h, 18 h, 22 h 10 h, 20 h	
Douleur R/A la diminution du retour veineux Priorité 3	Exprimer la diminu-tion de la douleur. À évaluer dans six heures. Pronostic: bon	• Ne pas trop lever la tête du lit pour favoriser le drainage des membres inférieurs. • Placer la jambe gauche en position un peu surélevée. • Mentionner de ne pas croiser les jambes. Placer un arceau aux pieds.		
Anxiété R/A la crainte du déplacement du caillot Priorité 2	Exprimer la diminu-tion de son anxiété. À évaluer le... Pronostic: bon	• Permettre à la personne d'exprimer sa peur. Expliquer que des mesures sont prises pour empêcher le caillot de progresser. Assurer une présence fréquente afin de rassurer. • Bien expliquer chacun des traitements avant leur application, de même que les mesures pour soulager la douleur. • Faire pratiquer une technique de relaxation chaque jour. Signature: Marcelle Rémi, inf.		

Tableau 11.2 Médicaments et traitements

NOM: Mᵐᵉ ÉLISE ROBERT   **N° DE CHAMBRE: 645**

Médication	Horaire	Dates 10-05	10-06	10-07	10-08
Héparine 8 000 UI/8 h I.V.	8 h, 16 h, 24 h	8 h, 16 h, 24 h	8 h		
Indométhacine 25 mg 3 fpj.	8 h, 16 h, 24 h	8 h, 16 h, 24 h	8 h		
Streptokinase 100 000 UI/h, I.V. pour 72 heures	9 h (10-06 au 10-09)		9 h		
Traitements					
Enveloppements chauds et humides de la jambe gche, 15 min/3 h	9 h, 12 h, 15 h, 18 h, 21 h, 24 h	9 h, 12 h, 15 h, 18 h, 21 h, 24 h	9 h, 12 h		

Signature:
Marcelle Rémi, inf.

Dans le plan de soins de la figure 11.1, on remarque, parmi les interventions: voir le protocole d'administration intraveineuse de la streptokinase. Cela signifie que les interventions relatives à ce traitement figurent sur un formulaire déjà préparé que l'on peut joindre au plan de soins plutôt que de les réécrire. On remarque aussi que les médicaments et les traitements sont inscrits sur un formulaire particulier. Il en existe différents types. Celui-ci en est un exemple.

Un plan de soins peut comporter des jugements cliniques de diverses natures: diagnostics infirmiers, problèmes infirmiers et problèmes en collaboration. Le schéma qui suit en donne un aperçu:

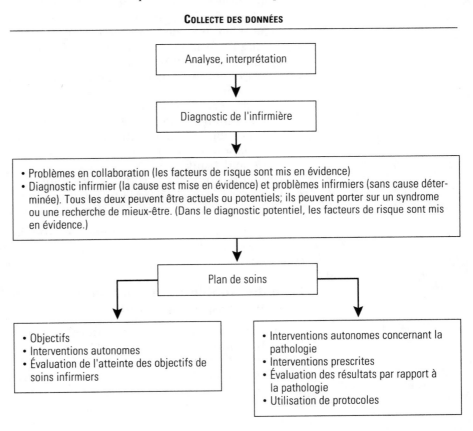

Les avantages d'utiliser le problème en collaboration

Certaines personnes se demandent pourquoi créer une autre catégorie de jugement clinique. Il est vrai que, en exerçant les fonctions autonomes liées au diagnostic infirmier et en exécutant les ordonnances médicales, nous pouvons intervenir dans de nombreuses situations. Pourtant, certains aspects du travail de l'infirmière demeurent obscurs; ils n'entrent pas dans la planification des soins et offrent peu de visibilité professionnelle. Ils sont plus difficiles à évaluer et ne peuvent garantir ni la qualité ni la continuité des soins.

Voici un résumé des principaux avantages de l'utilisation des problèmes en collaboration pour le malade et pour l'infirmière.

- Servir de guide aux infirmières moins familières avec certains problèmes de santé complexes ou certains traitements.
- Assurer une meilleure continuité des soins touchant la pathologie et ses complications par une planification plus rigoureuse.
- Fournir des soins de meilleure qualité en fonction des interventions se rapportant à la pathologie et à la réaction du malade.
- Constituer un aide-mémoire efficace pour l'ensemble des soins.
- Humaniser les soins à caractère plus technique et scientifique en les administrant de façon plus personnalisée.
- Rendre le travail de l'infirmière plus efficace.
- Rendre l'infirmière plus consciente des complications possibles d'une maladie ou d'un traitement et éviter une aggravation.
- Valoriser le travail de l'infirmière en ce qui concerne le traitement et la prévention des risques de complication.
- Mieux intégrer les fonctions autonomes et les fonctions de collaboration de l'infirmière en joignant, dans une même planification, des diagnostics infirmiers autonomes et des problèmes en collaboration avec le médecin et avec d'autres membres de l'équipe de soins.
- Permettre un meilleur contrôle des soins.
- Favoriser l'évaluation de la qualité des soins.
- Fournir des données précieuses pour le calcul de la charge de travail.

Les pages qui suivent présentent une liste des problèmes en collaboration dressée par Lynda J. Carpenito et complétée dans un ouvrage intitulé *Diagnostic infirmier et Rôle autonome de l'infirmière* (Phaneuf et Grondin, 1994).

Liste de problèmes en collaboration en médecine et chirurgie et dans quelques spécialités

1. Complications potentielles: cardio–vasculaires
   - Choc cardiogénique
   - Choc hypovolémique
   - Diminution de l'irrigation tissulaire (préciser: cardiopulmonaire, cérébrale, gastro–intestinale, périphérique, rénale)
   - Diminution du débit cardiaque
   - Embolie gazeuse
   - Embolie graisseuse
   - Hypertension
   - **Insuffisance coronarienne**
   - Insuffisance vasculaire périphérique
   - Phlébite
   - Risque élevé de dysfonctionnement neurovasculaire périphérique
   - Thrombo–embolie
   - Troubles du rythme

2. Complications potentielles: respiratoires
   - Atélectasie
   - Dépendance d'une ventilation mécanique
   - Embolie pulmonaire
   - Épanchement pleural

INSUFFISANCE CORONARIENNE
Circulation réduite dans les artères coronaires.

VENTILATION ASSISTÉE
Respiration soutenue
par un appareil.

- Incapacité de maintenir une respiration spontanée
- Intolérance au sevrage de la **ventilation assistée**
- Nécrose de la trachée
- Œdème laryngé
- Œdème pulmonaire aigu
- Perturbation des échanges gazeux
- Pneumothorax
- Spasme laryngé

3. Complications potentielles: rénales/urinaires
   - Oligurie
   - Perforation de la vessie
   - Rétention urinaire aiguë

4. Complications potentielles: digestives
   - Ascite
   - Éviscération
   - Hémorragie digestive
   - Hyperbilirubinémie
   - Iléus paralytique
   - Occlusion intestinale
   - Ulcère de Curling
   - Ulcère de stress

5. Complications potentielles: métaboliques/immunitaires
   - Acidose/Alcalose
   - Anasarque
   - Balance azotée négative
   - Déséquilibre électrolytique
   - Hyperglycémie (acidocétose)
   - Hyperthermie (grave)
   - Hyperthyroïdie
   - Hypoglycémie
   - Hypothermie (grave)
   - Hypothyroïdie
   - Réaction allergique
   - Rejet de greffe
   - Septicémie

6. Complications potentielles: locomotrices
   - Fracture de stress
   - Luxation
   - Ostéoporose

7. Complications potentielles liées à la grossesse
   - Éclampsie
   - Hémorragie utérine
   - Hypertension de la grossesse
   - Risque de mort fœtale

8. Complications potentielles: neurologiques/sensitives
   - Augmentation de la pression intra-oculaire
   - Compression de la moelle épinière
   - Convulsions
   - Dysréflexie

- Hypertension intracrânienne
- Parésie/Paresthésie/Paralysie
- Ulcère de cornée

9. Complications potentielles: hématologiques
- Anémie
- Polyglobulie
- Thrombopénie

10. Complications potentielles liées au traitement
- Anticoagulants: hémorragie
- Antinéoplasiques: leucopénie

Les problèmes en collaboration en psychiatrie

La liste qui précède ne présente aucun problème en collaboration en psychiatrie. Pourtant, il existe, là aussi, des situations où des complications sérieuses peuvent survenir et où l'infirmière doit exercer des fonctions autonomes en rapport avec la pathologie ou le traitement.

Les problèmes en collaboration ont été largement développés par Lynda J. Carpenito pour les soins généraux. Cependant, la question est différente pour les soins psychiatriques. Néanmoins, nous proposons certains problèmes que nous avons relevés dans les milieux psychiatriques que nous pourrions situer en collaboration.

Liste des problèmes en collaboration en psychiatrie

1. Complications potentielles des encéphalopathies
   (d'origine sidéenne, hypertensive, etc.)
   - Délirium
   - Psychose

2. Complications potentielles liées aux états d'intoxication
   - Psychose cocaïnique
   - Syndrome de sevrage alcoolique

3. Complications potentielles liées aux états affectifs perturbés
   - Crise de panique
   - Tentative de suicide

4. Complications potentielles de perturbations aiguës du processus de pensée
   - Désorganisation schizophrénique
   - État catatonique
   - État paranoïde

5. Complications potentielles liées aux effets de médicaments
   - Réaction au Dilantin (phénytoïne)
   - Syndrome malin des neuroleptiques

Sans être exhaustive, cette liste peut tout de même s'avérer fort utile. Imaginons que vous vous occupez d'un jeune sidéen: il est triste et désespéré; il voit tout en noir et ne veut pas mourir. Vous pouvez très bien vous occuper de son état dépressif d'une part, en posant des diagnostics infirmiers tels que le «Sentiment d'impuissance» ou la «Perte d'espoir» qui vous conduiront à des interventions susceptibles de l'aider et d'autre part, en administrant le traitement prescrit. Cependant, s'il menaçait de développer une encéphalopathie, votre rôle comprendrait alors trois volets: administrer le traitement prescrit, planifier des actions autonomes liées à la pathologie et à ses complications, et élaborer certains diagnostics infirmiers. Afin de mieux comprendre, examinons une autre situation.

Mise en situation

André est un jeune homme de 26 ans qui souffre de **schizophrénie**. Il traverse des périodes de rémissions, au cours desquelles les symptômes sont suffisamment contrôlés pour lui permettre de travailler dans une usine d'emballage. Peu de temps après son retour au travail, une grève s'est amorcée, entraînant des manifestations où se mêle un peu de violence. Très vulnérable, André est vite devenu extrêmement anxieux; il s'est mis à trembler de tout son corps, à délirer, etc. On l'a transporté à l'hôpital. À son arrivée, le faciès est figé, le regard, vide; il semble absent, comme coupé du monde extérieur. Il adopte des attitudes bizarres; il n'émet que de rares propos incompréhensibles et s'agite un peu par moments. Vous savez qu'il a déjà présenté des manifestations de **stupeur catatonique** dans le passé. Vous administrez les **neuroleptiques** et l'**antipsychotique** prescrits et vous élaborez votre plan de soins pour un problème en collaboration: schizophrénie, CP: stupeur catatonique.

SCHIZOPHRÉNIE
Maladie mentale, psychose délirante chronique caractérisée par une discordance de la pensée, de la vie émotionnelle et de la relation avec le monde extérieur.

STUPEUR CATATONIQUE
Manifestation aiguë de la schizophrénie où la personne est mutique, délirante, et où son corps adopte des postures bizarres et rigides.

Dans une situation semblable, les diagnostics infirmiers sont posés à partir des hypothèses suivantes:

- risque élevé de déficit du volume liquidien;
- anxiété;
- risque élevé de déficit nutritionnel;
- risque élevé d'accident;
- perturbation des interactions sociales;
- perturbation chronique de l'image de soi;
- peur;
- perturbation de l'identité personnelle;
- altération de la perception;
- altération des opérations de la pensée.

Après avoir analysé et validé ces hypothèses dans un volume de référence, vous retenez, pour le moment, le «Risque de déficit du volume liquidien» et la «Peur». Vous établissez alors le plan de soins qui est reproduit à la page suivante (figure 11.2).

Les protocoles de soins

NEUROLEPTIQUE
Classe de médicaments agissant sur le système nerveux.

ANTIPSYCHOTIQUE
Médication administrée dans les psychoses pour réduire les délires et les hallucinations.

Les problèmes en collaboration touchent des pathologies complexes qui requièrent souvent l'utilisation d'instruments appelés «protocoles de soins».

Protocole de soins

Document qui décrit les principes, les consignes et les techniques que les infirmières doivent suivre pour donner certains soins particuliers.

Ces protocoles de soins sont généralement réunis dans un cahier mis à la disposition de l'infirmière. Le terme «protocole» vient de deux mots grecs: *prôtos* qui signifie «premier» et *kollaô* qui signifie «coller». À l'origine, il désignait le premier feuillet d'un rouleau servant à la communication écrite. Avec le temps, le sens s'est élargi et il désigne maintenant l'ensemble des règles établies dans un domaine donné. Dans les milieux de soins, il

Figure 11.2

Exemple de plan de soins personnalisé incluant un problème en collaboration psychiatrique

Diagnostic infirmier	Objectif(s)	Échéance	Interventions	Horaire	Évaluation
Schizophrénie CP: stupeur catatonique FR: crises antérieures de stupeur, personnalité schizoïde, environnement social perturbé[1] Priorité 1			• Surveiller les possibilités d'accidents et de blessures. • Insister pour le faire uriner. • Stimuler à manger/faire manger au besoin. • Offrir de petits repas/offrir des suppléments alimentaires liquides. • Aider pour les soins d'hygiène. • Si agité, mettre sous contention, en surveillant de près. • Surveiller les points de pression et la circulation en raison des postures bizarres. • Changer de position aux deux heures. • Surveiller la déshydratation. • Lorsqu'une chose est à faire, se montrer ferme et ne pas lui donner le choix.	10 h, 15 h 8 h, 10 h, 12 h, 14 h, 16 h, etc.	
Risque élevé de déficit du volume liquidien R/A troubles de la pensée. Priorité 2	Conserver des tissus bien hydratés. Conserver une diurèse normale. Pronostic: bon	10-24 10-24	• Hydrater à raison de 1 500 mL par jour, au besoin, faire boire. • Surveiller la concentration/la quantité de l'urine. Au besoin, introduire un cathéter.		
Peur R/A perceptions terrifiantes Priorité 3	Manifester un comportement plus calme: faciès détendu, regard expressif, sans période d'agitation. Pronostic: réservé	10-26	• Rassurer par une présence régulière et exprimer notre compréhension de sa peur (même s'il s'est enfermé dans le mutisme). Lui mentionner que nous sommes là pour l'aider s'il éprouve un besoin de protection. • Lui dire que nous comprenons sa terreur, mais que nous ne voyons pas ce qu'il voit. • Le ramener doucement à la réalité. • Être à l'affût de crises soudaines de violence. Signature: Lise Babin, inf.		

1. William R. Dubin et Kenneth, J. Weiss, *Psychiatric Emergencies*. Springhouse, Penn., Springhouse Corporation, 1991, p. 94-99.

existe des protocoles opératoires, des protocoles de chimiothérapie, etc., mais il en existe aussi pour chacune des techniques appliquées dans les établissements de santé.

Un protocole est construit selon une séquence définie à la suite d'une recherche pour déterminer le meilleur cheminement possible. Il repose sur des connaissances en anatomie, en physiologie et en pathologie, et sur des principes d'asepsie, d'efficacité et d'efficience. «Un protocole ne peut déroger à cette construction scientifique sous peine de perdre son titre de protocole et de s'appeler fiche technique ou *check list*» (Formarier, 1994, p. 127). Le protocole fournit à l'infirmière des connaissances et un savoir-faire immédiatement applicables à des techniques particulières ou à des soins complexes ou inhabituels.

Les types de protocoles de soins

Il existe deux grands types de protocoles: les protocoles fermés, dont toutes les étapes doivent être respectées, sans en ajouter ni en omettre; et les protocoles ouverts, qui fournissent des principes de base qu'il faut appliquer selon la situation. Le protocole de l'injection intramusculaire, par exemple, est un protocole en partie ouvert: la longueur de l'aiguille, la profondeur et parfois même l'angle de l'injection varient selon le degré d'obésité ou de maigreur de la personne. Dans un cas semblable, le protocole sert de référence. Le raisonnement qui est à la base des protocoles ouverts est de type «si, alors», c'est-à-dire que, s'il y a présence de tel ou tel facteur, alors la conduite à tenir est celle-ci... Le protocole ne laisse jamais toute latitude à l'infirmière: il doit fournir des indications suffisamment précises pour guider l'action.

Les avantages d'utiliser des protocoles de soins

Les protocoles permettent d'améliorer l'efficacité des soins en indiquant à l'infirmière des principes, une ligne de conduite et une séquence dont les actions ont été testées et prouvées. De plus, ils favorisent l'uniformisation des soins et des techniques, réduisant ainsi les risques de multiplier les essais et erreurs pour appliquer une technique complexe ou moins connue. Ils contribuent par le fait même à la qualité des soins. Les protocoles présentent aussi un aspect d'efficacité puisqu'ils permettent une rationalisation du matériel. En fournissant des bases solides pour l'application d'une technique ou d'un soin, ils participent au développement du caractère scientifique des soins infirmiers. Ils contribuent au corpus de connaissances qui constituent le fondement de la profession et servent à la formation des futures infirmières.

Voici, en résumé, les avantages d'utiliser des protocoles de soins:

- Améliorer l'efficacité des soins en indiquant à l'infirmière des principes et une séquence dont les actions ont été testées et prouvées.
- Favoriser l'efficacité par une certaine uniformisation des soins.
- Limiter les essais et erreurs dans l'application d'une technique complexe ou moins connue de l'infirmière.
- Apporter une contribution à la qualité des soins.
- Augmenter l'efficacité en permettant une rationalisation du matériel.
- Participer au développement du caractère scientifique des soins infirmiers.

- Contribuer au corpus de connaissances qui constituent le fondement de la profession.
- Servir à la formation des futures infirmières.
- Fournir une base pour l'évaluation de certains soins.

L'utilisation des protocoles et l'humanisation des soins

Les protocoles visent la précision technique et l'efficacité, mais les avantages humains qu'ils entraînent ne sont pas négligeables. La sûreté et la précision d'un geste technique font souvent la différence entre une intervention rapide et sécuritaire, qui minimise la douleur et l'inconfort, et une intervention lente et hésitante, comprenant des risques d'erreurs, et provoquant douleur et anxiété chez la personne soignée.

En dépit des avantages intrinsèques des protocoles, il faut les appliquer en se rappelant toujours que la personne, avec ses appréhensions, ses réactions de peur, sa sensibilité et sa douleur, demeure l'objet des soins. Le but premier est le mieux–être de la personne: il faut donc utiliser les protocoles en les fondant sur des principes d'écoute, d'acceptation de ses réactions et de compréhension empathique.

Mise en situation

Mme Lapointe a été opérée pour une tumeur au larynx qui a nécessité une **trachéotomie**. C'est une personne de 55 ans, alerte et active, mère de deux grands enfants. Depuis quelques années, elle souffre d'hypertension, sa pression artérielle est constamment autour de 190/100. Depuis l'intervention, sa pulsation est rapide (entre 100 et 110) et dysrythmique. Il lui arrive, à l'occasion, de faire des crises d'angine, et un diagnostic d'insuffisance coronarienne a déjà été posé. Elle est nerveuse et souffrante. Malgré l'analgésique (Démérol), elle arrive difficilement à dormir.

La difficulté de se faire comprendre la chagrine; elle indique fréquemment, de façon non verbale, qu'elle n'accepte pas de se voir comme cela.

TRACHÉOTOMIE
Ouverture pratiquée dans la trachée avec insertion d'un tube qui permet de respirer.

Dans cette situation, vous pouvez formuler les hypothèses suivantes:

- difficulté à se garder en santé;
- anxiété;
- douleur;
- perturbation des habitudes de sommeil;
- altération de la communication verbale;
- sentiment d'impuissance;
- perturbation de l'image corporelle;
- perturbation de l'estime de soi.

Deux jours après l'intervention, vous rédigez un plan de soins en formulant un problème en collaboration: «insuffisance cardiaque; complication possible: œdème pulmonaire» (en raison de son état cardiaque et de son hypertension); vous ajoutez ensuite les hypothèses que vous avez retenues et confirmées pour formuler les diagnostics infirmiers d'«Anxiété R/A une altération de l'image corporelle», de «Perturbation des habitudes de sommeil R/A la douleur» et de «Manque de connaissances des soins de la trachéotomie». Vous retenez une autre hypothèse de diagnostic infirmier qui reste à confirmer: «Sentiment d'impuissance». Le plan de soins, à la figure 11.3, montre l'intégration de ces diagnostics infirmiers et d'un protocole portant sur les soins de la trachéotomie.

Figure 11.3

Exemple de plan de soins comportant un problème en collaboration, des diagnostics infirmiers et la mention du protocole des soins de trachéotomie dans les interventions

Diagnostics infirmiers/ problèmes en collaboration	Objectifs	Interventions	Horaire	Évaluation
Troubles cardio-vasculaires. CP: œdème pulmonaire FR: hypertension, insuffisance coronarienne Priorité 1		• Surveiller l'apparition de signes d'œdème pulmonaire: cyanose, dyspnée, tachycardie, toux productive et expectorations rosées. • Changer de position aux deux heures. Voir à favoriser l'oxygénation. • Si dyspnée importante, placer en position demi-assise avec les jambes en position déclive. • Surveiller les signes vitaux aux quatre heures et les résultats des tests hémodynamiques.	8 h, 10 h, 14 h, etc. 8 h, 12 h, 16 h, etc.	
Anxiété R/A difficulté respiratoire, à l'altération de l'image corporelle, à la difficulté de communiquer ses besoins Priorité 2	Se dire moins anxieuse. À évaluer le... Pronostic: bon	• Réserver 10 minutes par jour pour faire exprimer les sentiments sur l'altération de l'image corporelle. Manifester de l'empathie. Faire pratiquer une technique de relaxation une fois par jour. Placer la cloche d'appel à la portée. Faire communiquer par gestes. • Enseigner une technique de visualisation pour aider au soulagement de la douleur et à l'endormissement. • Administrer la médication analgésique en l'accompagnant d'un massage et du toucher thérapeutique. • Appliquer les soins de trachéotomie aux quatre à six heures ou au besoin. • Voir protocole des soins de trachéotomie.		
Perturbation des habitudes de sommeil R/A la douleur, aux difficultés respiratoires Priorité 3	Dormir calmement sans interruption. À évaluer le... Pronostic: bon	• Enseigner une technique de visualisation pour aider au soulagement de la douleur et à l'endormissement. • Administrer la médication analgésique en l'accompagnant d'un massage et du toucher thérapeutique. • Appliquer les soins de trachéotomie si présence de sécrétions. • Voir protocole des soins de trachéotomie.		

Figure 11.3 *(suite)*

Diagnostics infirmiers/ problèmes en collaboration	Objectifs	Interventions	Horaire	Évaluation
Manque de connaissances des moyens de communication en présence d'une trachéotomie Sentiments d'impuissance (H)	Appliquer adéquatement les moyens de communication. À évaluer le...	• Enseigner à parler en inspirant et en plaçant un doigt sur l'ouverture du tube. Si présence d'un ballon, le dégonfler. • Fournir un calepin ou une ardoise pour écrire.		

Le plan de soins qui précède mentionne de consulter le protocole de soins de la trachéotomie. La fiche contenant ce protocole fait partie d'un cahier que l'infirmière peut lire avant de donner des soins. Lorsque ceux-ci doivent être répétés, il est utile de photocopier le protocole et de joindre une copie au dossier de la personne. Ainsi, l'infirmière n'est pas obligée de réécrire les interventions dans son plan de soins. C'est une économie de temps et d'énergie. Elle doit cependant mentionner l'utilisation du protocole dans son plan de soins. Le texte qui suit présente un exemple de protocole de soins applicable au plan de soins de Mme Lapointe.

Le protocole des soins de trachéotomie

Les soins de trachéotomie sont un ensemble de procédés qui assurent la perméabilité de la trachée chez une personne qui a subi une trachéotomie. Ces soins doivent être exécutés aux quatre à six heures ou plus fréquemment s'il y a lieu. Il faut expliquer à la personne le but et le processus du traitement, et solliciter sa collaboration. Au cours du traitement, il faut toujours surveiller l'apparition de signes d'anxiété accrue ou de détresse respiratoire chez la personne. Il faut toujours conserver le mandrin à la portée, au cas où la canule externe serait expulsée accidentellement. Dans ce cas, il faut introduire le mandrin dans la canule externe pour la remettre en place. Il faut aussi toujours garder l'appareil de succion à la portée.

STOMA (STOMIE)
Ouverture de dérivation d'un conduit naturel.

Buts du traitement
- Permettre le libre passage de l'air dans la trachée et assurer le confort de la personne.
- Prévenir l'infection au siège du **stoma.**
- Prévenir l'infection pulmonaire.

Signes qui indiquent la nécessité des soins

Il faut éviter d'irriter la muqueuse de la trachée par des soins trop fréquents. La manifestation des signes suivants indique la nécessité du traitement.
- Respiration bruyante.
- Respiration superficielle ou dyspnée.
- Tachycardie et tachypnée.
- Agitation, angoisse.
- Cyanose.

SOINS
1. Placer la personne en position semi-Fowler.
2. Retirer le pansement souillé.
3. Utiliser une technique stérile: nettoyer le site avec du peroxyde d'hydrogène; enlever toutes sécrétions. En cas de sécrétions séchées et de formation de croûtes, appliquer une compresse trempée dans une solution de sérum physiologique et laisser ramollir avant de nettoyer (De Groot et Damato, 1987, p. 87-88).
4. Bien examiner les tissus au pourtour de l'incision pour déceler tout signe d'inflammation ou d'infection (œdème, rougeur, sensibilité accrue).
5. La trachéotomie comprend la mise en place d'un tube ou canule externe (de plastique pour la canule Shiley ou de métal) dans laquelle est insérée une canule amovible pour le nettoyage.

Retirer la canule interne et la nettoyer en l'immergeant dans une solution de peroxyde d'hydrogène; rincer à l'eau stérile.

6. Avant de réinsérer la canule interne, suggérer à la personne de tousser afin de permettre une succion superficielle et éviter les succions profondes. Sinon, procéder à l'aspiration des sécrétions par l'orifice de la canule externe (Zander *et al.*, 1978, p. 375-376).

7. Réinsérer la canule interne dans le tube de la canule externe. Le temps écoulé avant la réinsertion de la canule ne doit pas dépasser de cinq à six minutes afin d'éviter l'accumulation de sécrétions sur les parois intérieures de la canule externe.

8. Refaire un pansement sec avec de la gaze pliée en U sous le rebord de la canule trachéale afin de former un coussinet pour le cou. (Ne pas couper la compresse afin d'éviter la présence de fils qui s'effilochent et qui pourraient être aspirés.) On peut aussi appliquer un «Stomahesive» découpé en forme de C et placé sous le bord de la canule pour protéger la peau et établir une barrière pour les sécrétions (Walsh, Persons et Wieck, 1987, p. 538).

9. Les attaches souillées de sécrétions doivent être changées. Attacher avec un nœud (non pas avec une boucle) en laissant l'espace de deux doigts entre les attaches et le cou. Placer le nœud sur le côté et non derrière la tête où il pourrait gêner la personne (Walsh, Persons et Wieck, 1987, p 537).

10. Profiter des soins de trachéotomie pour assurer les soins buccaux. La diminution de la salive peut être cause d'inconfort et entraîner la **gingivite** et la mauvaise haleine (*Teaching Patient with Chronic Conditions*, 1987, p. 342-345).

GINGIVITE
Inflammation, infection des gencives.

B *ibliographie*

CAINE, Randy, McKAY BUFALINO, Marion et McKAY BUFALINO, Patricia (1987). *Nursing Care Planning Guides for Adults*. Baltimore, Williams and Wilkins.

CARPENITO, Lynda J. (1993). *Nursing Diagnosis. Application to Clinical Practice*. 5ᵉ édition. Philadelphia, J. B. Lippincott.

CARPENITO, Lynda J. (1995). *Diagnostics infirmiers*. 5ᵉ édition. Montréal, ERPI.

De GROOT, Kemba D. et DAMATO, Marilyn B. (1987). *Critical Care*. Norwalk, Conn., Appleton & Lange.

DOENGES, M. E. et MOORHOUSE, M. F. (1992). *Application of Nursing Process and Nursing Diagnosis: An Interactive Text*. Philadelphia, F. A. Davis.

DUBIN, William R. et WEISS, Kenneth J. (1991). *Psychiatric Emergencies*. Springhouse, Penn., Springhouse Corporation.

FORMARIER, Monique (novembre 1994). *Recherche en soins infirmiers. Spécial méthodologie*.

GRONDIN, Louise et PHANEUF, Margot (1995). *Mémento de l'infirmière: utilisation des diagnostics infirmiers*. Paris, Maloine.

McFARLAND, Gertrude K. et McFARLANE, Elizabeth A. (1995). *Traité de diagnostic infirmier*. Montréal, ERPI.

MINISTÈRE DE LA SANTÉ ET DE L'ACTION HUMANITAIRE (mai 1992). «Protocoles de soins infirmiers». *Guide du service infirmier*, nᵒ 4.

PHANEUF, Margot (1985). *La Démarche scientifique*. Montréal, McGraw-Hill.

PHANEUF, Margot et GRONDIN, Louise (1994). *Diagnostic infirmier et Rôle autonome de l'infirmière*. Paris, Maloine.

PUDERBAUCH, Ulrich, WEYLAND CANALE, Suzanne et WENDEL, Sharon Andrea (1989). *Nursing Care Planning Guide*. Philadelphia, W. B. Saunders.

SPRINGHOUSE (1992). *Teaching Patient with Chronic Conditions*. Springhouse, Penn., Springhouse Corporation.

WALSH, Joleen, PERSONS, Carol B. et WIECK, Lynn (1987). *Home Health Care Nursing*. Philadelphia, J. B. Lippincott.

ZANDER, Karen *et al.* (1978). *Patient Teaching*. St. Louis, Mosby.

L'enseignement à la personne soignée

Objectifs terminaux

1° L'étudiante prendra conscience des aspects humain, professionnel et légal de l'enseignement au client.

2° Elle planifiera son enseignement en tenant compte des besoins, des expériences, des limites et des ressources de la personne.

Objectifs intermédiaires

De façon plus spécifique, l'élève sera capable:

1° de définir l'enseignement au client;

2° de montrer l'importance du rôle d'éducatrice de l'infirmière;

3° d'expliquer la philosophie sur laquelle se fonde l'enseignement au client;

4° d'établir le parallèle entre le processus de démarche de soins et celui de l'enseignement au client et de voir leurs jonctions;

5° d'expliquer les engagements légaux de l'éducation de la clientèle;

6° d'énumérer quelques principes pédagogiques utiles à l'enseignement;

7° de décrire le processus de l'enseignement au client:

- définir les facteurs qui influencent l'apprentissage de la personne malade;
- rédiger des objectifs d'apprentissage;
- expliquer quelques stratégies pédagogiques;
- expliquer comment évaluer l'apprentissage;

Objectifs intermédiaires (suite)

8° de rédiger un plan d'enseignement en suivant toutes les étapes du processus;

9° d'expliquer comment enseigner à des personnes qui ont des limites visuelles, auditives, cognitives, etc.;

10° d'expliquer comment enseigner à des clientèles particulières: enfants, personnes âgées;

11° d'élaborer un plan d'enseignement adéquat.

L'enseignement au client

L'enseignement au client est un processus qui se déroule entre l'enseignante et la personne soignée. Il implique un type particulier de communication, appelée «communication pédagogique», qui a pour but d'enrichir ou d'approfondir les connaissances de la personne sur son état de santé et le traitement de sa maladie. Cet enseignement peut être spontané ou structuré à l'avance; il peut s'adresser à une personne ou à un groupe. Il touche, selon les cas, des éléments de nature cognitive, affective et psychomotrice.

> **Enseignement au client**
>
> Intervention professionnelle par laquelle l'infirmière établit un processus pédagogique qui fournit à la personne soignée, à la famille ou à un groupe de l'information sur la maladie, sa prévention et son traitement en vue d'amener la personne à prendre conscience de ses capacités d'autonomie et à prendre en charge son évolution vers un mieux-être.

L'infirmière, éducatrice de la santé

Depuis le début du siècle, les infirmières ont intégré l'enseignement à la personne soignée et à la famille à leurs fonctions professionnelles (*Patient Teaching Manual*, 1987, p. 1). De nos jours, des changements dans la perception de la santé et dans l'organisation des soins rendent cet enseignement encore plus précieux. En effet, les gens deviennent plus conscients de la possibilité et de la nécessité de prévenir la maladie et de l'importance de rester en santé. Le virage ambulatoire qui amène les personnes malades à retourner très rapidement dans leur famille rend l'éducation absolument essentielle.

La philosophie sur laquelle se fonde l'éducation de la personne soignée

L'enseignement au client repose sur certains postulats philosophiques essentiels à son développement. De façon globale, il vise à aider les personnes ou les groupes à acquérir les outils qui leur permettent de devenir responsables de leur propre bien-être (Waring Rorden, 1987, p. 11).

Cette philosophie nous amène à réitérer certains principes déjà énoncés pour la démarche de soins considérée dans une perspective humaniste, principes qui permettent de passer des intentions philosophiques aux interventions de formation. Il faut d'abord insister sur la nécessité de placer la personne soignée au cœur de nos préoccupations, pour l'éducation comme pour toutes les interventions, et de la considérer dans son «entièreté». Il faut aussi faire ressortir les notions de respect de la personne, d'écoute de l'autre et de compréhension. La connaissance est libératrice, dit-on: pour la personne soignée, elle doit libérer de la dépendance par rapport à l'autre et permettre l'évolution vers l'autonomie et la prise en charge de soi.

En somme, cette philosophie nous dirige vers un type d'enseignement non directif dont les principes de Rogers définissent les grands axes. Toutefois, les principes «rogériens» s'appliquent plutôt selon l'esprit que selon la lettre, c'est-à-dire que l'enseignante doit d'abord considérer la personne et ce qu'elle vit avant de déterminer les connaissances à transmettre. Mais les exigences pratiques de ce type d'apprentissage se traduisent dans l'action. On peut synthétiser ce phénomène par cette boutade rapportée par Julius Eitington (1990, p. 11): «L'apprentissage n'est pas un sport de spectateur.»

L'enseignement au client et la démarche de soins

Il existe un lien étroit entre l'enseignement au client et la démarche de soins. Le processus de l'enseignement est structuré de la même manière que celui de la démarche de soins: il commence par une collecte de données sur la personne et ses besoins d'apprentissage; ces données sont ensuite analysées, puis les apprentissages sont planifiés, appliqués, réalisés et évalués. Le plan de soins renferme souvent, sinon toujours, des éléments d'éducation: de l'information sur la maladie, la médication, les traitements, des enseignements limités. Il peut comprendre d'autres renseignements plus formels concernant certaines techniques, par exemple, des techniques de soutien pendant la toux ou des techniques de relaxation et même des programmes de formation en bonne et due forme. Ainsi la démarche de soins et l'enseignement au client sont deux processus différents, mais interreliés.

Les engagements légaux de l'enseignement au client

Plusieurs lois et règlements qui régissent la profession d'infirmière traitent de l'enseignement à la personne soignée. La Loi sur les infirmières et infirmiers du Québec stipule, à la section 7 de l'article 37, que «L'infirmière et l'infirmier peuvent, dans l'exercice de leur profession, renseigner la population sur les problèmes d'ordre sanitaire». La Charte des droits et libertés de la personne du Québec précise, à l'article 44, p. 8, que «Toute personne a droit à l'information». Ce droit à être informé est aussi mentionné dans le droit des clients de l'Association des consommateurs du Canada et dans les chartes des droits des malades de nombreux centres hospitaliers.

En France, la Charte du patient hospitalisé dans les hôpitaux publics de Paris stipule: «Afin que le patient puisse participer pleinement aux choix thérapeutiques qui le concernent et à leur mise en œuvre quotidienne, les médecins et le personnel paramédical participent à l'information du malade, chacun dans son domaine de compétence» (annexe du 6 mai 1995, circulaire ministérielle n° 95-22, art. III, p. 4).

Les principes d'éthique nous placent devant l'obligation du consentement éclairé de la personne à toute forme d'intervention (Roy *et al.*, 1995, p. 124). On peut élargir ce concept à l'infirmière qui, elle aussi, fait des gestes auxquels le malade doit souscrire. Or, on ne peut parler de consentement sans information, et le terme «éclairé» prend ici tout son sens. Judith Waring Rorden (1987, p. 10-11) va même plus loin en alléguant que, par un consentement éclairé, sur la base de l'information reçue, une personne donne à une autre la permission de la toucher. Cette affirmation entraîne des répercussions importantes sur le travail quotidien de l'infirmière: elle signifie qu'il est nécessaire de constamment expliquer à la personne les soins qu'on s'apprête à lui donner. À cet égard, aux États-Unis, en 1980, la Joint Commission on Accreditation of Health Organizations (p. 14-15) définissait les droits à l'information de la personne soignée dans ces termes: «Le patient a droit à une participation raisonnablement informée aux décisions concernant ses soins de santé. Cela devrait être fondé sur des explications de sa condition et de tous les procédés techniques proposés.»

En conclusion, nous pouvons dire que l'enseignement au client n'est pas un libre choix de l'infirmière, mais une obligation professionnelle liée à la qualité et à la responsabilité des soins. Cet enseignement devient encore plus important à l'heure du virage ambulatoire où de nombreux malades doivent poursuivre leur traitement à domicile. Son importance est aussi primordiale à une époque où certaines administrations hospitalières se tournent vers de nouveaux concepts de gestion des soins tels que le suivi systématique des clientèles (méthode de planification, de coordination et d'évaluation de l'efficience et de l'efficacité des soins) qui s'appuie sur le rôle accru de l'infirmière clinicienne pour qui l'éducation des personnes soignées est un objectif fondamental.

La communication pédagogique

L'enseignement au client suppose un type particulier de relation avec la personne soignée où la communication fonctionnelle et la relation d'aide sont intimement reliées. La collecte des données sur les besoins de connaissances de la personne, ses capacités, ses limites et les facteurs susceptibles d'influencer son apprentissage exige, comme toute autre collecte de données, des habiletés d'observation et d'entrevue. En outre, l'enseignement doit se dérouler dans un climat de respect, d'acceptation et de compréhension qui sont des caractéristiques de la relation d'aide. Le comportement de l'infirmière, sa façon de communiquer, la clarté de ses propos sont des éléments importants. En fait, toute sa manière d'être influence son enseignement.

Quelques principes pédagogiques

Comme tout enseignement, l'enseignement au client doit respecter certains principes pédagogiques. En voici quelques-uns qui s'avèrent particulièrement utiles.

a) Inciter la personne à participer le plus possible à l'élaboration des objectifs, à la planification de l'horaire, à la synthèse des connaissances enseignées, etc., afin de susciter sa motivation, mais aussi afin de l'amener à faire ses propres représentations de ce qu'elle doit apprendre. La représentation mentale est une organisation cognitive structurée de la connaissance transmise. Elle est faite d'un noyau de connaissances et d'un ensemble de liens avec d'autres réalités et d'autres concepts qui lui sont extérieurs (Charlier, 1989, p. 59).

b) Choisir le moment approprié. Éviter les moments où la personne est très souffrante ou très fatiguée.

c) Voir au confort de la personne pendant l'enseignement. Être attentive à sa fatigue, à son inconfort ou à ses malaises (nausées, douleurs, essoufflement, etc.). Selon son état, prévoir des périodes de repos.

d) Toujours partir de ce que la personne connaît pour aller vers ce qu'elle ne connaît pas encore. Cela suppose que ce qu'elle sait a déjà été clairement établi.

e) Rattacher l'explication d'une abstraction au concret par des comparaisons, des exemples, des schémas, des dessins, des métaphores, etc.

f) Toujours commencer par les éléments plus simples pour aller vers les plus complexes.

g) Tirer parti du style d'apprentissage de la personne. Ainsi, si elle est plus à l'aise avec des méthodes visuelles, utiliser des transparents (acétates), des textes, des affiches, etc.

h) Utiliser un langage simple et des phrases courtes. Éviter le jargon médical. Toujours expliquer les termes spécialisés qui sont essentiels à l'enseignement. Sophie Courau (1993, p. 56) explique que la clé de l'enseignement est l'adaptation à la personne à qui l'on enseigne, mais elle ajoute que cela est insuffisant. Pour que le vocabulaire soit un véritable outil de stimulation, il doit être varié et vivant.

i) Faire des répétitions intentionnelles afin d'aider la personne à mieux comprendre et à mieux retenir les explications.

j) Rendre l'apprentissage signifiant en le reliant aux expériences de la personne. Donner des exemples qui ont un rapport avec sa vie ou faire faire des applications dans des conditions identiques à celles qu'elle vit chez elle.

k) Faire des mises en application aussitôt que possible après l'exposé théorique. La pensée, dit-on, est indissociable de l'action. «L'esprit est ce qu'il fait» écrivait T. Brameld (1956) cité par Vivianne De Landsheere (1992, p. 17).

l) Vérifier souvent la compréhension de l'apprenant par des questions ouvertes ou des mises en application.

m) Livrer fréquemment des commentaires, par exemple, dire à la personne: «C'est bien cela, continuez» ou encore «Ce n'est pas tout à fait comme ça. Si vous voulez, nous allons reprendre».
Utiliser des renforcements positifs pour l'encourager. Ex.: «Ça va bien, continuez» ou «Votre pansement est magnifique».

n) Respecter le rythme d'apprentissage de la personne. Certains malades prennent plus de temps que d'autres pour comprendre, pour s'exprimer ou pour faire les gestes attendus.

o) Échelonner l'enseignement sur plusieurs séances afin d'éviter la fatigue ou la saturation et de permettre un meilleur apprentissage.

p) Rendre l'apprentissage agréable en manifestant compréhension, gaieté et humour.

q) Se rappeler de ne pas trop exiger de la personne pour ne pas lui occasionner de stress ni ternir son image d'elle-même.

L'encadré suivant résume les qualités essentielles de la communication pédagogique.

Qualités essentielles de la communication pédagogique

- Être claire et précise.
- Éviter le jargon médical.
- Recourir à des phrases courtes et à des mots simples.
- Faire des répétitions intentionnelles pour faciliter la compréhension et la mémorisation.

De plus, l'enseignante doit:

- être attentive à certains signes (fatigue, malaises, douleurs, difficulté à respirer) et en tenir compte;
- suivre le rythme d'apprentissage et d'élocution de la personne. La personne âgée ou sous médication peut avoir un rythme ralenti;
- surveiller la compréhension de la personne par l'expression de sa figure et lui poser fréquemment des questions ouvertes ou lui faire faire les gestes requis;
- s'adapter aux limites de la personne: limites auditives, visuelles, intellectuelles;
- se montrer chaleureuse et patiente;
- ne pas trop exiger de la personne pour ne pas lui causer de stress ni blesser son amour-propre;
- utiliser de fréquents renforcements positifs (ex.: C'est bien. Vous y arrivez. C'est formidable!);
- recourir à de nombreux exemples concrets;
- à la fin de l'exposé, faire une courte synthèse afin de permettre à la personne de retenir les points principaux. Pour Sophie Courau, la conclusion est comme la signature de la formation.

L'enseignement, un processus structuré

Même si l'enseignement informel et spontané a une valeur certaine, il vaut toujours mieux le structurer, c'est-à-dire le planifier. Mais qu'il soit planifié ou informel, il doit plus ou moins suivre les étapes qui établissent le parallèle avec la démarche de soins. Cette organisation de l'enseignement s'inscrit dans l'orientation systémique qui structure le présent ouvrage.

Première étape

La collecte des données   Avant de recueillir des données pour cerner les besoins de connaissances de la personne et les facteurs susceptibles d'influencer l'apprentissage, l'enseignante doit d'abord identifier ce que la personne connaît déjà. C'est particulièrement vrai pour une personne malade depuis assez longtemps. Elle a sans doute déjà reçu de l'enseignement ou elle s'est peut-être informée elle-même. Des questions délicates permettent à l'infirmière d'évaluer les expériences passées de la personne et les connaissances acquises sur son problème de santé, sur le stade de son développement (grossesse, allaitement, ménopause, etc.) ou sur le traitement.

Il lui faut ensuite identifier les facteurs qui risquent d'influencer l'apprentissage. R. Droz et M. Richelle (1976, p. 363) ont écrit: «On n'enseigne pas n'importe quoi à n'importe qui, n'importe quand. Un certain nombre de facteurs se conjuguent aux mécanismes d'acquisition soit dans un sens favorable, soit dans un sens restrictif.» Ces facteurs sont les suivants:

a) le degré de compréhension de la langue utilisée par l'infirmière;
b) la disposition de la personne, sa motivation à apprendre et, dans certains cas, sa fidélité au traitement. La motivation est une composante primordiale de la dimension affective si importante en éducation. Louise Lafortune et Lise St-Pierre (1994, p. 45-46) la définissent ainsi: «Un ensemble de désirs et de volonté qui pousse la personne à accomplir une tâche ou à viser un objectif qui correspond à un besoin»;
c) ses capacités intellectuelles: état de conscience, mémoire, rythme d'apprentissage, effet des médicaments;
d) son état physique: fatigue, douleur, somnolence, facilité à accomplir les gestes nécessaires, etc.;
e) son état psychologique: anxiété, inquiétude, peur, chagrin, degré de confiance dans le système de soins et dans le personnel, stade d'adaptation à la maladie;
f) son degré d'éducation, l'influence de sa culture et de sa religion sur sa perception de la santé, de la maladie et du traitement, son statut économique, son occupation (travail, école, etc.);
g) son réseau de soutien: parents, amis qui peuvent l'aider, au besoin, à appliquer le traitement.

Deuxième étape

L'analyse de l'information recueillie   Comme pour la démarche de soins, cette étape d'analyse aboutit à un diagnostic infirmier, celui de «Manque de connaissances R/A un sujet donné». D'autres diagnostics infirmiers peuvent aussi refléter un manque de connaissances, mais cette fois comme cause du problème: «Allaitement inefficace», «Constipation», «Déficit et excès nutritionnels», «Difficulté à se maintenir en santé», «Gestion inefficace du programme thérapeutique», «Incapacité de s'adapter à un changement dans l'état de santé», «Non-observance», «Risque d'infection», «Risque élevé de perturbation de l'attachement parent-enfant». Tous ces diagnostics infirmiers peuvent avoir pour cause un «manque de connaissances».

Après avoir réuni tous les éléments pertinents, l'analyse permet de déterminer l'enseignement dont la personne a besoin, les attitudes que l'on doit développer et les stratégies à adopter.

Troisième étape

La planification de l'enseignement   «Planifier une session de formation, c'est faire le plan détaillé de tout ce qu'il y a lieu de prévoir pour permettre sa réalisation; c'est progressivement dégager une vision de plus en plus claire de la session, intégrant d'une manière coordonnée tous les éléments qui devront être pris en considération et fixer les étapes précises de leur mise en œuvre» (De Ketele *et al.*, 1989, p. 41). Voici en quoi consiste cette étape.

a) Élaborer des objectifs d'apprentissage simples qui indiquent ce que l'on veut que la personne apprenne. Les objectifs d'apprentissage sont semblables aux objectifs de soins, dans leur présentation, sauf qu'ils concernent toujours la compréhension de la personne, sa capacité d'énumérer, d'expliquer, d'identifier certains éléments de connaissance ou de faire certains gestes. L'objectif d'apprentissage est une intention pédagogique qui indique ce que la personne devra connaître ou ce qu'elle sera capable de faire à la suite d'un enseignement.

Exemple: Le client sera capable

- d'énumérer quatre aliments contenant du calcium;
- d'expliquer comment il doit faire son pansement humide;
- d'injecter lui-même son insuline en respectant la posologie et les règles de l'asepsie;
- de procéder au bain du bébé en respectant les règles de l'hygiène pédiatrique.

Quelques termes peuvent faciliter l'énoncé des objectifs cognitifs, affectifs et psychomoteurs: adopter un comportement, une attitude, appliquer un principe, une règle, calculer un dosage, choisir des aliments, énumérer, expliquer, différencier, distinguer, dresser une liste, faire un pansement, identifier, injecter, nommer, préparer, reconnaître, se sensibiliser à..., accepter de..., respecter, se donner une injection, utiliser un appareil, etc.

b) Préciser et organiser le contenu à enseigner. Après avoir décidé du contenu à enseigner, il faut l'organiser dans un ordre logique, par séquences qui correspondent à l'étendue de la matière, aux capacités de la personne et au temps disponible.

c) Choisir des méthodes pédagogiques. Il existe plusieurs stratégies d'enseignement. L'infirmière peut fournir elle-même les explications nécessaires dans des exposés structurés (utilisés surtout avec les grands groupes). Toutefois, l'interaction est à peu près inexistante dans ce type d'enseignement. Il y a aussi les entretiens familiers qui se déroulent d'une façon détendue, un peu comme une conversation, un dialogue avec la personne: c'est une stratégie à privilégier. L'infirmière peut lui remettre des textes, des dépliants, des photocopies, des photos et ajouter un complément d'information. Elle peut aussi utiliser un enseignement programmé qui transmet l'information par petites tranches et qui permet à la personne de vérifier elle-même si elle a compris en répondant à des questions dont les réponses apparaissent dans le texte. La démonstration de techniques de pansements et de soins divers est aussi très utilisée. Des stratégies telles que le jeu de rôle, la simulation et le jeu chez l'enfant permettent une approche moins conventionnelle de l'enseignement. Les méthodes audio-visuelles (transparents, films, vidéo, diapositives), lorsqu'elles sont disponibles, sont des compléments utiles (Riopelle, Grondin, Phaneuf, 1988, p. 208-235).

d) Dresser la liste des ressources du milieu (appareils, textes, livres, illustrations, films, jeux, dessins) et tenir compte des contraintes (contraintes d'horaire, par exemple).

Quatrième étape

L'exécution du plan d'enseignement Cette étape suppose un type parti-culier de communication où interviennent la personnalité, la façon d'être et les connaissances de l'infirmière. La soignante doit faire preuve de sou-plesse dans l'exécution de son plan d'enseignement, car des changements dans l'état du malade ou dans l'organisation des soins sont toujours possi-bles et peuvent venir bouleverser le plan prévu.

Cinquième étape

L'évaluation de l'apprentissage À cette étape, l'infirmière évalue ce que la personne a retenu de l'enseignement et ce qu'elle est capable de faire à la suite de cet enseignement. Cette étape permet de constater si les objec-tifs d'apprentissage ont été atteints, de vérifier l'efficacité de l'enseigne-ment et de le compléter s'il y a lieu, ou de déterminer d'autres objectifs. Cette évaluation se fait en posant des questions verbales ou écrites ou encore en invitant la personne à faire une démonstration de ce qu'elle a appris (ex.: se donner une injection, refaire un pansement, etc.).

L'évaluation de l'enseignement Après avoir évalué l'enseignement, il est important de recueillir l'appréciation de la personne. Cette étape n'est pas obligatoire, mais elle demeure intéressante pour l'enseignante qui veut s'améliorer. Cette évaluation peut se faire en demandant à la personne de livrer quelques commentaires par écrit ou en lui adressant quelques ques-tions, par exemple: «Qu'est-ce que vous avez aimé de cet enseignement?» «Qu'est-ce que vous avez moins aimé?» «Avez-vous trouvé les explications claires?» «Quelles modifications auriez-vous appréciées?»

L'étape de l'évaluation de la satisfaction de la personne conclut le pro-cessus systémique amorcé avec la collecte des données (intrants), l'analyse et la planification (traitement de l'information) et l'évaluation de l'appren-tissage ou produit (extrants), terminé par la régulation (évaluation de l'enseignement) qui permet d'ajuster, d'améliorer le processus (Lapointe, 1995, p. 51).

Le plan d'enseignement

En résumé, le plan d'enseignement est composé des parties suivantes:

- l'identification des besoins d'apprentissage (ce que la personne sait déjà et ce qu'elle doit apprendre);
- l'identification des facteurs qui influencent l'apprentissage;
- l'élaboration, selon les besoins, des objectifs d'ordre:
  - cognitif;
  - affectif;
  - psychomoteur;
- l'organisation du contenu;
- le choix des formules pédagogiques;
- la préparation du matériel pédagogique;
- le choix du moment;
- l'application du plan d'enseignement;
- l'évaluation de l'apprentissage de la personne;
- l'évaluation de l'enseignement par la personne.

Mise en situation

M. Mercure est âgé de 50 ans et il souffre de problèmes pulmonaires sérieux depuis quelques mois. Il est présentement en observation et doit subir une bronchoscopie; cet examen l'inquiète beaucoup. M. Mercure est alerte intellectuellement et désire connaître ce qu'on doit lui faire. Il est un peu sourd et porte des lentilles cornéennes.

Vous préparez un plan d'enseignement pour ce monsieur. Comme il est assez sourd, il faudra prendre des mesures particulières. Vous décidez de faire un exposé informel en utilisant un schéma des bronches et des photos tirées d'un livre trouvé à l'unité de soins. Comme la bronchoscopie est prévue pour le lendemain, vous devez donner l'enseignement et faire l'évaluation au cours de la même journée. Sans cette contrainte, vous auriez pu donner l'enseignement au fil des contacts avec le malade et faire de même pour l'évaluation.

Tableau 12.1   Plan d'enseignement

Nom de la personne: M. Pierre Mercure
Diagnostic infirmier: Manque de connaissances sur la bronchoscopie
Facteurs qui influencent l'apprentissage et mesures à prendre: Assez sourd. Il faut se placer bien en face de lui et bien articuler. Des notes écrites peuvent l'aider.

Objectif d'apprentissage	Contenu de l'enseignement	Stratégies pédagogiques, moyens	Enseignement Date	Évaluation Date
Préciser le but de la bronchoscopie.	• Permettre de visualiser directement les voies respiratoires, de prélever certains tissus afin de poser un diagnostic.	Exposé informel, schéma des bronches et photos		
Expliquer la préparation à la bronchoscopie.	• Enlever les lentilles cornéennes. • Expliquer la prémédication: injection (atropine) pour diminuer les sécrétions et un anxiolytique pour l'aider à demeurer calme pendant l'examen. Il doit être à jeun.			
Décrire la position pendant l'examen.	• Décubitus dorsal et hypertension du cou. Il devra respirer par le nez.			
Expliquer le type d'anesthésie utilisé.	• Anesthésique topique vaporisé dans le pharynx, sur l'épiglotte, sur les cordes vocales et dans le nez pour diminuer les réflexes et l'inconfort. Le goût est désagréable.			
Décrire la procédure de bronchoscopie.	• Introduction du bronchoscope lubrifié dans la gorge. Sensation de plénitude dans la gorge, mais possibilité de respirer. De l'oxygène sera administré par le bronchoscope.			

Tableau 12.1 *(suite)*

Objectif d'apprentissage	Contenu de l'enseignement	Stratégies pédagogiques, moyens	Enseignement Date	Évaluation Date
Énumérer les soins après l'examen.	• Signes vitaux. Position sur le côté ou semi-Fowler jusqu'à ce que le réflexe de déglutition revienne. À jeun pendant deux heures ou jusqu'à ce que ce réflexe soit revenu. L'enrouement ne sera que passager. De la glace concassée, des pastilles ou des gargarismes pourront l'aider. Un bronchodilatateur pourra être prescrit.		07-12 P. Baron, inf.	07-12 P. Baron, inf.

Le plan d'enseignement peut être préparé pour un individu ou pour un groupe. Il peut être exécuté par une seule infirmière ou par l'équipe de soins. Il faut se rappeler qu'il fait partie de la démarche de soins et que plusieurs soignantes peuvent y participer comme elles participent à l'exécution du plan de soins.

L'enseignement fait par une équipe d'infirmières

L'enseignement exige du temps. Dans une équipe où il est bien implanté, il est possible de le répartir entre plusieurs infirmières travaillant sur différents quarts horaires. Cet enseignement par équipe paraît une solution au manque de temps. Avec les séjours de plus en plus courts et les cas de plus en plus lourds, les infirmières doivent trouver des moyens de donner des soins de qualité égale en moins de temps. Aussi cette forme d'enseignement devient–elle fort avantageuse. Une infirmière peut préparer le plan d'enseignement avec des objectifs clairs et quelques éléments de contenu. Chaque soignante peut alors faire de l'enseignement et apposer sa signature sous les éléments qu'elle a touchés. Il en est de même pour l'évaluation. Une infirmière peut communiquer l'information au sujet d'un objectif; une autre se charge d'évaluer la compréhension de la personne et appose sa signature dans la colonne de l'évaluation (Phaneuf, 1985, p. 152–155).

Les sujets d'enseignement

L'infirmière peut aborder des sujets extrêmement variés. La personne peut avoir besoin de mieux comprendre le problème de santé dont elle souffre et de savoir comment poursuivre son traitement, mais elle peut aussi avoir besoin de connaître certains moyens de prévention ou des façons de faire et d'être pour se maintenir en santé. L'enseignement peut porter sur une pathologie diagnostiquée par le médecin et un traitement prescrit, mais aussi sur des malaises que quelques conseils appropriés peuvent contribuer à soulager. Examinons le cas suivant.

Mise en situation

Mme Berthio, âgée de 48 ans, a subi une intervention pour l'insertion d'une prothèse dans la hanche. Elle se rétablit bien et elle est sur le point de retourner chez elle. Toutefois, depuis son intervention, elle est très nerveuse et se plaint souvent de brûlures d'estomac. Les examens radiologiques n'ont rien révélé de particulier; le médecin lui a prescrit un antiacide, mais la douleur revient souvent.

Vous l'interrogez sur son alimentation et vous constatez qu'elle boit deux tasses de café à chaque repas (chez elle, elle en boit encore plus); en outre, vous remarquez qu'elle fume environ un paquet de cigarettes par jour et qu'elle ignore comment atténuer son problème stomacal.

Soucieuse d'exercer votre rôle d'éducatrice, vous préparez un plan d'enseignement qui pourra être exécuté par toute l'équipe étant donné le peu de temps dont chaque infirmière dispose.

L'enseignement est organisé ainsi: vous, Denise Marsan, avez préparé le plan d'enseignement et vous avez communiqué à Mme Berthio l'information relative aux trois premiers objectifs tout en l'aidant à faire sa toilette. Vous avez aussi évalué les deux premiers objectifs à ce moment. Le lendemain, vous évaluez l'objectif sur la nicotine en même temps que vous expliquez les effets des antiacides. L'infirmière de soirée livrera l'information sur le stress, la relaxation et la position à adopter pour dormir, et elle se chargera de l'évaluer.

Tableau 12.2   Plan d'enseignement d'équipe

Nom de la personne: Mme Denise Berthio
Diagnostic infirmier: Manque de connaissances sur le contrôle des brûlures d'estomac
Facteurs qui influencent l'apprentissage et mesures à prendre: Mme Berthio est motivée à apprendre, mais elle se sent souvent dépressive. Il faut l'encourager, la stimuler.

Objectifs d'apprentissage	Contenu de l'enseignement	Stratégies pédagogiques, moyens	Enseignement Date	Évaluation de l'atteinte de l'objectif Date
Expliquer les causes possibles des brûlures d'estomac.	• Relâchement du sphincter gastro-œsophagien	Exposé informel et schéma de l'estomac	07-10	07-10
Identifier les aliments qui peuvent causer le malaise.	• Café, thé, aliments épicés, chocolat, menthe, agrumes, aliments gras ou crus, repas lourd		07-10	07-10
Expliquer l'effet de la nicotine.	• Augmente le relâchement du sphincter gastro-œsophagien.		07-10 D. Marsan, inf.	07-11 D. Marsan, inf.

Tableau 12.2 *(suite)*

Objectifs d'appren-tissage	Contenu de l'enseignement	Stratégies pédagogiques, moyens	Enseignement Date	Évaluation de l'atteinte de l'objectif Date
Indiquer l'importance des mesures de contrôle du stress.	• Effets du stress. Enseignement d'une technique de relaxation		07-11	07-11
Expliquer les mesures à prendre au coucher.	• Position avec tête légèrement élevée (15 cm à 20 cm) • Éviter de manger dans la soirée. Évite le reflux œsophagien.		07-11 P. Marois, inf.	07-11 P. Marois, inf.
Énumérer les effets des anti-acides.	• Neutralisation de l'acidité stomacale • Protection de la muqueuse • Effet antiseptique		07-11 D. Marsan, inf.	07-12 D. Marsan, inf.

Les types de plans d'enseignement

Le plan d'enseignement peut prendre divers aspects. Il peut être très vaste et toucher l'ensemble des problèmes de la personne. Il est alors divisé en plusieurs unités. C'est ce que l'on appelle un «programme d'enseignement». Le programme comprend des plans d'enseignement touchant les différents aspects du problème de la personne. Par exemple, le programme d'une personne souffrant de difficultés respiratoires pourrait comporter des plans relatifs:

• à la prévention des infections;
• à la connaissance des allergènes;
• aux moyens de prévention de la dyspnée;
• au régime et à l'hydratation;
• à la médication et aux autres traitements.

Les plans d'enseignement standard

Pour alléger sa tâche, l'infirmière peut utiliser des plans d'enseignement déjà préparés qu'elle n'a qu'à personnaliser selon les besoins du malade. Il s'agit de plans standard tout comme les plans de soins standard dont nous avons déjà parlé. Le tableau 12.3 présente un exemple de plan standard.

Tableau 12.3 Plan d'enseignement pour la personne qui souffre d'asthme

Nom de la personne:
Diagnostic infirmier: Manque de connaissances sur:
Facteurs qui influencent l'apprentissage:

Objectifs d'apprentissage	Contenu de l'enseignement	Stratégies pédagogiques, moyens	Enseignement Date	Évaluation de l'atteinte de l'objectif Date
Expliquer ce qu'est l'asthme.	• Maladie chronique caractérisée par des épisodes d'inflammation, de constriction des bronches et de production de mucus	Exposé informel et schéma des bronches		
Préciser les facteurs déclencheurs.	• Les infections, l'exposition à des allergènes, des facteurs émotifs, des changements de température: froid, humidité	Liste d'allergènes		
Énumérer les symptômes de l'asthme.	• Dyspnée, anxiété, bruit respiratoire, épuisement, incapacité de se reposer, présence de mucus épais, tirage			
Expliquer les buts du traitement.	• Maintenir une oxygénation optimale, diminuer la toux et le mucus, traiter l'infection, prévenir les crises aiguës.			
Indiquer les mesures préventives.	• Éviter les irritants respiratoires: fumée, poil, plume, parfum, poudre, pollen, poussière, etc.			
Décrire le traitement prescrit.	Médication: • O_2, gestion du stress, petits repas équilibrés		Signature:	Signature:

L'apprentissage autodidacte

L'autodidacte est celui qui s'instruit par lui-même. Cette façon d'apprendre peut être mise à profit dans l'enseignement au client. En effet, l'infirmière peut faire de l'éducation en remettant à la personne des documents qui traitent de certains problèmes de santé fréquents et qui expliquent des mesures de prévention ou de traitement. Le client pourra y puiser de l'information simple et utile, ce qui requiert peu d'intervention de la part de l'infirmière. Pour amener la personne à satisfaire ses besoins et à poursuivre son traitement de façon autonome dans un contexte où l'infirmière dispose souvent de peu de temps pour faire de l'éducation, ces documents offrent de nombreux avantages. Ils peuvent constituer de petites unités d'apprentissage sous forme de feuillets explicatifs ou sous forme d'enseignements programmés.

L'infirmière sera de plus en plus appelée à travailler à domicile, et ces plans d'apprentissage autodidactes pourront être d'un grand secours. Dans un service donné, si les infirmières peuvent préparer chacune quelques plans d'enseignement répondant aux besoins de leur clientèle, elles accumuleront une véritable banque d'informations où elles pourront puiser en temps opportun.

Cependant, il faut souligner l'importance de ne pas laisser la personne faire ces apprentissages complètement seule. L'infirmière doit souvent ajouter de l'information ou fournir des explications et, comme pour tout enseignement, elle doit aussi vérifier si la personne a compris.

Le plan d'apprentissage qui suit peut être utilisé en obstétrique, chez les personnes âgées ou chez toute autre personne qui manque de calcium. C'est une petite unité explicative.

Tableau 12.4 Renseignements sur les aliments riches en calcium

Objectif à évaluer par l'infirmière:

La personne sera capable de reconnaître et de choisir sur un menu des aliments riches en calcium.

Madame / Monsieur,

Il est important d'avoir un régime suffisamment riche en calcium. Le calcium est nécessaire à plusieurs fonctions de l'organisme; il sert notamment à la production de l'énergie, à la croissance et au maintien de la santé des os. Si vous avez des questions, n'hésitez pas à les poser à votre infirmière.

TENEUR EN CALCIUM DE CERTAINS ALIMENTS		
Aliment	**Quantité**	**Calcium (en mg)**
Lait entier	250 mL	289
Navet cru	120 mL	246
Navet cuit	120 mL	58
Fromage cheddar	30 g	211
Saumon en conserve	100 g	196
Haricots blancs	120 mL	144
Tofou	100 g	128
Amandes	80 mL	127
Fromage cottage	100 g	94
Brocoli frais	100 g	88
Chou cru (râpé)	240 mL	49
Orange	1 petite	41
Œuf	1 gros	29

Tableau 12.4 *(suite)*

TENEUR EN CALCIUM DE CERTAINS ALIMENTS		
Aliment	Quantité	Calcium (en mg)
Gruau	240 mL	21
Pain de blé entier	1 tranche	20
Nouilles aux œufs	240 mL	16
Banane	1 petite	8
Pomme	1 petite	7

Le plan d'enseignement au départ du malade

Compte tenu de la courte durée des séjours, le plan d'enseignement que l'on remet à la personne lorsqu'elle quitte l'hôpital prend une importance encore plus grande. En outre, le virage ambulatoire nous place devant une autre réalité que les infirmières dans les CLSC connaissaient déjà et qui est de plus en plus répandue: l'enseignement que doit recevoir la personne malade ou sa famille pour la poursuite d'un traitement à domicile. Des malades sérieusement atteints ou récemment opérés doivent maintenant retourner chez eux très tôt et voir à leur traitement eux-mêmes ou avec l'aide de leurs proches. L'infirmière doit donc préparer la personne ou un membre de sa famille à affronter cette réalité et l'aider à réussir.

Le plan d'enseignement au moment du départ est extrêmement important pour assurer la continuité des soins. Il comporte les mêmes étapes que pour tout enseignement, mais les éléments de la collecte des données sont un peu différents. Pour le reste, il est en tous points semblable aux autres plans d'enseignement.

La collecte des données

La collecte des données du plan d'enseignement au moment du départ doit permettre d'évaluer:

- les capacités de la personne à reprendre ses activités et son degré d'autonomie pour la poursuite du traitement;
- ses besoins précis de connaissances pour éviter les complications, poursuivre le traitement et arriver à un mieux-être optimal;
- les ressources humaines et financières dont elle dispose (aide de la part de l'entourage, aide familiale, moyens financiers et pratiques pour les déplacements, etc.).

Le plan de congé doit tenir compte:

- de l'âge de la personne;
- des complications survenues pendant l'hospitalisation et qui peuvent rendre le retour à la santé plus difficile (ex.: des difficultés respiratoires, une infection de la plaie, etc.);
- des problèmes de santé déjà existants (ex.: diabète);

- du statut économique et social de la personne (La personne vit–elle seule? De quels moyens dispose–t–elle?);
- de l'état psychologique au moment du départ.

Selon le problème de santé, le plan de congé devrait renseigner la personne sur certains paramètres.

Certains éléments liés au problème de santé:

- les précautions à prendre (ex.: éviter les allergènes, surveiller les signes d'infection, prendre soin de ses pieds, etc.);
- le régime à adopter ou à poursuivre;
- les habitudes de vie à modifier (ex.: cesser de fumer, faire de l'exercice, etc.);
- les médicaments à prendre et leur mode d'administration: oral, topique, en injection, etc.; la posologie, les principales interactions, les effets secondaires possibles, et surtout la médication analgésique;
- les signes et les symptômes à rapporter au médecin;
- les traitements à poursuivre: O_2, exercices, spirométrie, relaxation, etc., ou surveillance de certains paramètres vitaux: prendre la température, la pulsation, mesurer la pression artérielle.

Certains éléments directement liés à la chirurgie:

- la surveillance des signes d'infection de la plaie;
- les manifestations de fièvre;
- le retour aux activités normales, la reprise des activités sexuelles;
- les traitements, les pansements, ou les soins reliés à la plaie ou à la présence d'un tube (ex.: caractéristiques du liquide drainé à rapporter au médecin).

Les consultations médicales et autres rendez–vous:

- date, heure, lieu du prochain rendez–vous médical;
- date, heure, lieu des rendez–vous pour les analyses et les tests ou pour la consultation d'autres professionnels.

L'enseignement et les consignes à suivre entre les visites de l'infirmière à domicile

À la fin d'une visite, l'infirmière qui assure le suivi à domicile doit laisser des consignes claires sur la prise de la médication, les mesures d'asepsie et de prévention, et fournir des indications pour certains traitements et même pour la surveillance de certains paramètres vitaux. En somme, elle est tenue de poursuivre l'enseignement selon l'évolution de l'état de la personne et, au besoin, d'écrire certaines recommandations.

Compte tenu de la très grande variété de problèmes auxquels l'infirmière à domicile doit faire face, elle peut avoir besoin de certains paramètres pour orienter son enseignement. L'encadré qui suit présente un exemple de fiche technique dont la soignante peut s'inspirer pour faire de l'enseignement. Elle n'a qu'à choisir les renseignements qu'elle juge pertinents pour la personne dont elle prend soin. Un ensemble de telles fiches techniques peut constituer une véritable banque d'informations utiles pour l'enseignement à la personne soignée.

Renseignements sur la médication anticoagulante

Expliquer :

1. LE BUT DE LA MÉDICATION: Prévenir une embolie ou une thrombophlébite chez une personne à risque, réduire le thrombus chez une personne qui souffre d'embolie ou de thrombophlébite ou qui a fait un infarctus.

2. SON ADMINISTRATION: Par voie orale pour le Coumadin et le Sintrom. Pour l'héparine, enseigner l'administration sous-cutanée ou intramusculaire selon l'ordonnance.

3. LES EFFETS SECONDAIRES POSSIBLES:
   à surveiller
   - Pour l'héparine: saignements des gencives, hématurie, selles noires, sang dans les crachats, saignements plus abondants lors des règles ou d'une blessure. Fragilité aux **épistaxis** et aux **ecchymoses**.
   - Pour le Sintrom et le Coumadin: les mêmes que pour l'héparine, plus diarrhée, fatigue, nausées, maux de gorge et légère perte de cheveux.

4. LES INTERACTIONS: La personne doit éviter l'Aspirine et les autres anti-inflammatoires non stréroïdiens tels que l'ibuprofène (Advil, Motrin, etc.) qui peuvent augmenter les risques d'hémorragie (à moins d'une ordonnance médicale à cet effet). Avec le Coumadin et le Sintrom, il faut aussi éviter l'alcool, l'acétaminophène (Tylenol, Atasol, etc.) et les fortes doses de vitamines «A» et de vitamine «E». La personne doit aussi maintenir un bon apport d'aliments à haute teneur en vitamine K [chou, chou-fleur, pois, mélasse, jaune d'œuf, huile de soya et de poisson] (Laquatra et Gerlach, 1990, p. 34–35). Elle doit aussi consommer un peu de gras, car celui-ci est essentiel à la transformation de la vitamine K. Il est à noter que les aliments recommandés ici peuvent être contre-indiqués pour certaines personnes.

5. LES TESTS DE CONTRÔLE: De fréquentes analyses de sang devront être faites pour vérifier l'efficacité du médicament; il s'agit de simples prises de sang. Préciser où et quand auront lieu ces tests.

6. LES PRÉCAUTIONS DIVERSES: Aviser la personne que, si elle omet une dose du médicament, elle ne doit pas doubler la dose la fois suivante. Il faut lui recommander d'éviter les sports violents et toute activité où elle pourrait se blesser, d'utiliser une brosse à dents souple, de porter des gants pour certains travaux dangereux et de faire attention en se rasant. Pour la femme, il faut mentionner que le Sintrom et le Coumadin ne sont pas sécuritaires pendant la grossesse et qu'il vaut mieux éviter de devenir enceinte pendant ce traitement. Le port d'un bracelet d'alerte médicale est aussi à recommander.

ÉPISTAXIS
Saignement nasal.

ECCHYMOSE
Petite accumulation de sang sous la peau.

L'enseignement à des clientèles diverses

Enseigner à la personne malade est un défi, mais le faire auprès de clientèles particulières telles que les enfants, les personnes âgées et les personnes qui présentent des limites intellectuelles ou sensorielles en est un encore plus grand. Aussi est-il utile de mentionner certaines particularités de la communication pédagogique avec ces personnes.

L'enseignement à l'enfant

L'enseignement à l'enfant présente des exigences particulières. Il faut:

- s'assurer qu'il corresponde au développement cognitif et psychomoteur de l'enfant;
- tenir compte de son anxiété, de sa peur et de son sentiment de séparation d'avec les siens;
- utiliser des termes qui lui sont familiers;
- adopter une posture à sa portée (position assise, accroupie ou penchée au besoin);
- utiliser le jeu le plus souvent possible (poupée, dessin, marionnettes, ourson, mime, etc.).

L'enseignement à la personne âgée

L'enseignement à la personne âgée possède aussi ses exigences. Il faut:

- respecter le rythme de la personne même si celui-là est très lent;
- tenir compte de ses limites sensorielles;
- voir à ce que les textes soient écrits en gros caractères;
- tenir compte de l'affaiblissement de la mémoire;
- donner peu d'information à la fois;
- faire des répétitions intentionnelles;
- laisser à la personne un aide-mémoire (une liste, un dépliant, etc.) après avoir vérifié délicatement sa capacité de lire.

L'enseignement à la personne qui présente des limites particulières

La personne en perte d'autonomie au point de vue intellectuel

La personne confuse ou désorientée est un défi de taille pour l'infirmière enseignante. Cette personne doit quand même faire des apprentissages. Aussi est-il important de développer une approche particulière pour lui enseigner. Il faut:

- évaluer sa capacité d'apprendre afin de mieux orienter l'enseignement;
- l'appeler par son nom;
- se placer près de la personne, face à elle et toucher son bras ou sa main pour attirer son attention;
- insister pour qu'elle nous regarde en répétant son nom;
- utiliser des termes simples et des phrases courtes;
- bien articuler et parler lentement;
- communiquer seulement quelques consignes à la fois;
- faire des répétitions intentionnelles pendant l'enseignement et même revenir à la charge un peu plus tard;
- la rassurer et la féliciter souvent;
- avoir des exigences qui ne dépassent pas ses possibilités.

La personne qui présente une limite visuelle

L'enseignement à la personne aveugle ou demi-voyante doit mettre l'accent sur l'audition et les sensations tactiles. Les explications verbales doivent être claires et succinctes. Au moment du départ, un enregistrement sur une cassette audio peut permettre à cette personne de réécouter les instructions et de les mémoriser. On doit aussi recourir le plus possible à la manipulation psychomotrice.

La personne qui présente une limite auditive

L'enseignement à la personne atteinte de surdité doit se faire en recourant à ses capacités visuelles. Il faut se placer bien en face d'elle et bien articuler, sans crier. Les écrits sont évidemment d'un grand secours. Il faut s'assurer fréquemment que la personne suit l'enseignement. Les dessins et les gravures sont aussi très utiles.

B *ibliographie*

BRAMELD, T. (1956). *Toward a Reconstructed Philosophy of Education*. New York, The Dryden Press.

CHARLIER, Evelyne (1989). *Planifier un cours, c'est prendre des décisions*. Bruxelles, De Boek.

CLAUSSE (1990). *Philosophie et Contenu d'un cours de morale laïque*. Liège, Colin-Bourrelier.

COURAU, Sophie (1993). *Les Outils de base du formateur*. Paris, ESF.

De KETELE, Jean-Marie (1989). *Guide du formateur*. Bruxelles, De Boek.

De LANDSHEERE, Vivianne (1992). *L'Éducation et la Formation*. Paris, Presses Universitaires.

DONNAY, Jean et CHARLIER, Evelyne (1990). *Comprendre les situations de formation*. Bruxelles, De Boek.

DROZ, R. et RICHELLE, M. (1976). *Manuel de psychologie*. Bruxelles, Mardaga.

EITINGTON, Julius (1990). *Utiliser les techniques actives en formation*. Paris, Les Éditions d'Organisation.

GOUVERNEMENT DU QUÉBEC (1989). *Loi sur les infirmières et infirmiers du Québec*. Version consolidée. Montréal, Ordre des infirmières et infirmiers du Québec.

JACKSON, Janet E. et JOHNSON, Elizabeth A. (1988). *Patient Education in Home Care*. Rockville, Maryland, Aspen Publication.

JOINT COMMISSION ON ACCREDITATION OF HEALTH ORGANIZATIONS [JCAHO] (1988). *Accreditation Manual for Hospitals*. Chicago, JCAHO.

KREPS, Gary L. et THORNTON, Barbara (1984). *Health Communication*. New York, Longman.

LAFORTUNE, Louise et ST-PIERRE, Lise (1994). *Les Processus mentaux et les Émotions dans l'apprentissage*. Montréal, Les Éditions Logiques.

LAPOINTE, Jacques, Jean (1995). *La Conduite d'une étude de besoin en éducation et en formation*. Québec, Presses de l'Université du Québec.

LAQUATRA, Ida Marie et GERLACH, Mary Jo (1990). *Nutrition in Clinical Nursing*. Albany, New York, Delmar Publishers.

MOSBY INFOBASE (1995). *Medical/Surgical a Programmed...* St. Louis, Mosby.

NADON, Michèle et THIBAULT, Claire (1993). *Le Suivi systématique des clientèles*. Montréal, Ordre des infirmières et infirmiers du Québec.

NORTHOUSE, Peter et NORTHOUSE, Laurel (1985). *Health Communication, a Handbook for Professionals*. Englewood Cliffs, N. J., Prentice-Hall.

O'HARE, Patricia A. et TERRY, Margaret A. (1988). *Discharge Planning*. Rockville, Maryland, Aspen Publication.

PHANEUF, Margot (1985). *La Démarche scientifique*. Montréal, McGraw-Hill.

RIOPELLE, L., GRONDIN, L. et PHANEUF, M. (1988). *Enseignement à la clientèle*. Montréal, McGraw-Hill.

ROGERS, Carl (1971). *Liberté pour apprendre*. Paris, Dunod.

ROY, David J. *et al.* (1995). *La Bioéthique, ses fondements et ses controverses*. Montréal, ERPI.

SPRINGHOUSE (1987). *Patient Teaching*. Springhouse, Penn., Nurse's Reference Library.

SPRINGHOUSE (1987). *Patient Teaching Manual*. Springhouse, Penn.

SPRINGHOUSE (1992). *Teaching Patient with Acute Conditions*. Springhouse, Penn.

SPRINGHOUSE (1992). *Teaching Patient with Chronic Conditions*. Springhouse, Penn., Springhouse Corporation.

WALSH, Joleen, PERSONS, Carol B. et WIECK, Lynn (1987). *Home Health Care Nursing*. Philadelphia, J. B. Lippincott.

WARING RORDEN, Judith (1987). *Nurses as Health Teachers*. St. Louis, W. B. Saunders.

ZANDER, Karen *et al.* (1978). *Patient Teaching*. St. Louis, Mosby.

Bibliographie

ACKLEY, Betty J. et LADWIG, Gail B. (1993). *Nursing A Guide to Diagnosis Planning Care Handbook*. St. Louis, Missouri, Mosby.

ADAM, Evelyn (1991). *Être infirmière*. Laval, Éditions Études Vivantes.

ALFARO, Rosalinda (1990). *Démarche de soins. Mode d'emploi*, traduit et adapté par Anne Pietrasik. Paris, Lamarre.

AMEGAN, Samuel (1987). *La Créativité en pratique et en action*. Montréal, Presses Universitaires de l'UQAM.

ANDREEWSKI, E. *et al.* (1991). *Systémique et Cognition*. Paris, Dunod.

ASPINAL, M. J. (1976). «Nursing Diagnosis – The Week Link». *Nursing Outlook*, vol. 23, p. 433–437.

BATES, B. (1987). *A Guide to Physical Examination and History Taking*. Philadelphia, J. B. Lippincott.

BENNER, Patricia (1995). *De novice à expert*. Montréal, ERPI.

BENNER CARSON, Verna (1989). *Spiritual Dimensions of Nursing Practice*. Philadelphia, W. B. Saunders.

BERGER, Louise et MAILLOUX-POIRIER, Danielle (1989). *Personnes âgées: une approche globale*. Montréal, Études Vivantes.

BERTRAND, Yves (1991). *Théories contemporaines de l'éducation*. Laval, Éditions Agence d'Arc.

BILLIER-REKEL, M., DUMONT, C. et FIMA, O. (mars 1994). «Diagnostic infirmier, où en sommes-nous?» *La Recherche en soins infirmiers*. Paris, Publications ARSI.

BIZIER, Nicole (1992). *De la pensée au geste*. Montréal, Décarie Éditeur.

BLONDEAU, Danielle (1986). *De l'éthique à la bioéthique: repères pour les soins infirmiers*. Montréal, Gaëtan Morin.

BOISVERT, Cécile (décembre 1990). «Démarche de soins, Diagnostic infirmier. Le diagnostic infirmier. Le passé, le présent, l'avenir». *Infirmière enseignante*, nº 10, 20e année.

BRADLEY, J. et EDINBERG, M. A. (1982). *Communication in the Nursing Context*. Norwalk, Conn., Appleton-Century-Crofts.

BRAMELD, T. (1956). *Toward a Reconstructed Philosophy of Education*. New York, The Dryden Press.

BRANDSFORD, John et STEIN, Barry (1984). *The IDEAL Problem Solver*. New York, Freeman and Company.

BRASSARD, Yvon (1989). *Apprendre à rédiger des notes d'observations au dossier*. Tomes 1 et 2. Montréal, Loze-Dion Éditeur.

BRIEN, Robert (1995). *Sciences cognitives*. Québec, Presses de l'Université du Québec.

BROWN, Patricia (1984). *Fundamentals of Nursing. A Frame Work for Practice*, Instructors Manual. Boston, Little Brown Co.

BRUNEAU-MORIN, D. et PHANEUF, M. (1991). *Stuctures pédagogiques pour le programme de soins infirmiers 180.01*. Tomes 1, 2 et 3. Saint-Jean-sur-Richelieu, Collège de Saint-Jean-sur-Richelieu.

BRUNNER, Lillian S. et SUDDARTH, Doris S. (1990). *Soins infirmiers en médecine et chirurgie*. Montréal, Éditions du Renouveau Pédagogique.

BULECHEK, Gloria M. et McCLOSKEY, Joanne C. (1985). *Nursing Interventions*. Philadelphia, W. B. Saunders.

BULLOUGH, Bonnie (1983). «Career Ladder in Nursing» dans Norma L. Chaska [s. la dir. de] (1983). *A Time to Speak*. New York, McGraw-Hill.

BURKE, Laura J. et MURPHY, Judy (1988). *Charting by Exception a Cost-Effective, Quality Approach*. New York, John Wiley & Sons.

CAINE, Randy, McKAY BUFALINO, Marion et McKAY BUFALINO, Patricia (1987). *Nursing Care Planning Guides for Adults*. Baltimore, Williams and Wilkins.

CAPRA, Fritjof (1983). *Le Temps du changement*. Monaco, Le Rocher.

CARNEVALI, D. L. et THOMAS, M. D. (1993). *Diagnostic Reasoning and Treatment Decision Making in Nursing*. Philadelphia, J. B. Lippincott.

CARPENITO, Lynda J. (1990). *Diagnostic infirmier. Du concept à la pratique clinique*, traduit par Catherine Collet. 2e édition française. Paris, Medsi/McGraw-Hill.

CARPENITO, Lynda J. (1993). *Nursing Diagnosis. Application to Clinical Practice*. 5e édition. Philadelphia, J. B. Lippincott.

CARPENITO, Lynda J. (1995). *Diagnostics infirmiers*. 5e édition. Montréal, ERPI.

CHALKER, Rebecca et WHITMORE, Kristene E. (1990). *Overcoming Bladder Disorders*. Toronto, Harper and Row.

CHANGEUX, J.-P. (1983). *L'Homme neuronal*. Paris, Fayard.

CHARLIER, Evelyne (1989). *Planifier un cours, c'est prendre des décisions*. Bruxelles, De Boek.

CLAUSSE, A. (1990). *Philosophie et Contenu d'un cours de morale laïque*. Liège, Colin-Bourrelier.

COLLIÈRE, Marie-Françoise (1982). *Promouvoir la vie. De la pratique des femmes soignantes aux soins infirmiers*. Paris, InterÉditions.

COLLIÈRE, Marie-Françoise (1994). *La Nature des soins infirmiers*. Montréal, ERPI.

COMBS, A., RICHARD, A. C. et RICHARD, F. (1976). *Perceptual Psychology: A Humanistic Approach to the Study of Persons*. New York, Harper and Row.

CONWAY, Mary (1983). «Prescription for Profession-alization» dans Norma L. Chaska [s. la dir. de] (1983). *A Time to Speak*. New York, McGraw-Hill.

COURAU, Sophie (1993). *Les Outils de base du formateur*. Paris, ESF.

DECI, E. et RYAN, R. M. (1987). «The Support of Autonomy and the Control of Behavior». *Journal of Social Psychology*, 53, p. 1024–1037.

DeGROOT, Kemba D. et DAMATO, Marilyn B. (1987). *Critical Care*. Norwalk, Conn., Appleton & Lange.

De KETELE, Jean-Marie (1989). *Guide du formateur*. Bruxelles, De Boek.

De LANDSHEERE, Vivianne (1992). *L'Éducation et la Formation*. Paris, Presses Universitaires.

DÉSILETS, Jean et ROY, Daniel (1984). *L'Apprentissage du raisonnement*. HRW, coll. Les Éditions parallèles.

(1985). *Dictionnaire de la philosophie*. Paris, P.U.F.

DOENGES, Marilynn E. et MOORHOUSE, Mary Frances (1992). *Application of Nursing Process and Nursing Diagnosis: An Interactive Text*. Philadelphia, F. A. Davis.

DOENGES, Marilynn E. et MOORHOUSE, Mary Frances (1993). *Nurse's Pocket Guide. Nursing Diagnosis with Interventions*. 4e édition. Philadelphia, F. A. Davis.

DOENGES, Marilynn E., TOWNSEND, Mary C. et MOORHOUSE, Mary Frances (1995). *Psychiatric Care Plans*. 2e édition. Philadelphia, F. A. Davis.

DONNAY, Jean et CHARLIER, Evelyne (1990). *Comprendre les situations de formation*. Bruxelles, De Boek.

DREYFUS, H. L. et DREYFUS, S. E. (1985). *Mind over Machine*. New York, MacMillan, The Free Press, cité par P. Benner et C. A. Tanner (janvier 1987) dans «How Expert Nurses Use Intuition». *American Journal of Nursing*, p. 23–31.

DREYFUS, S. E. et DREYFUS, H. L. (1980). *A Five Stage Model of the Mental Activities Involved in Directed Skill Acquisition*, cité dans Patricia Benner (1995). *De novice à expert*. Montréal, ERPI.

DROZ, R. et RICHELLE, M. (1976). *Manuel de psychologie*. Bruxelles, Mardaga.

DUBIN, William R. et WEISS, Kenneth J. (1991). *Psychiatric Emergencies*. Springhouse, Penn., Springhouse Corporation.

EITINGTON, Julius (1990). *Utiliser les techniques actives en formation*. Paris, Les Éditions d'Organisation.

ELLIOT, P. (1972). *The Sociology of the Professions*. London, The MacMillan Press.

ELSTEIN, A. et BORDAGE, G. (1979). «Psychology of Clinical Reasoning». *Health Psychology*. San Francisco, Jossey Bass.

ERICKSON, E. H. (1968). *Identity, Youth and Crisis*. New York, Norton.

FLAVELL, J. H. (1979). «Metacognition and Cognitive Monitoring». *American Psychologist*, no 34, p. 21–30.

FORMARIER, Monique (novembre 1994). *Recherche en soins infirmiers. Spécial méthodologie*.

FORMARIER, Monique (1995). «Opérationnalisation des concepts: soins, qualité, évaluation. Soins infirmiers: repères méthodologiques». *La Recherche en soins infirmiers*. Paris, Publications ARSI.

FORTINASH, Katrine M. et HOLODAY-WORRET, Patricia A. (1995). *Psychiatric Nursing Care Plans*. New York, Mosby.

FOUCAULT, M. (1978). *Naissance de la clinique, une archéologie du regard médical*. Paris, P.U.F.

FRENETTE LECLERC, Claire-Andrée (janvier 1992). «Sur la route de l'expertise». *Nursing Québec*, p. 48–53.

FREY, Velma C., HOCKETT, C. et MOIST, G. (1990). *Guide pratique de diagnostics infirmiers. Diagnostics infirmiers et plan de soins*. Montréal, Lidec.

FRYNS, G. et PAQUET, C. (1995). *Réforme de l'enseignement infirmier au Grand-Duché de Luxembourg*. Mémoire présenté à la Faculté ouverte pour enseignants, éducateurs et formateurs (F. O. P. A.) de l'Université catholique de Louvain-la-Neuve, Belgique.

FUNK, Sandra G. (1989). *Key Aspects of Comfort*. New York, Springer Publishing Co.

GARDNER, Dane L. (1985). «Presence» dans Gloria M. Bulechek et Joanne C. McCloskey (1985). *Nursing Interventions*. Philadelphia, W. B. Saunders.

GARNIER, M. et DELAMARE, J. (1989). *Dictionnaire des termes de médecine*. Paris, Maloine.

GERGEN, Kenneth J., GERGEN, Mary M. et JUTRAS, Sylvie (1992). *Psychologie sociale*. Laval, Études Vivantes.

GETTRUST, Kathy V. et BRABEC, Paula D. (1992). *Nursing Diagnosis in Clinical Practice*. New York, Delmar Publishers.

GODEFROID, Jo (1987). *Psychologie: science humaine*. Montréal, Études Vivantes.

GODEFROID, Jo (1991). *Psychologie: science humaine*. Édition revue et corrigée. Laval, Études Vivantes.

GODEFROID, Jo (1993). *Les Fondements de la psychologie: science humaine et science cognitive*. Laval, Études Vivantes.

GORDON, Marjory (1989). *Diagnostic infirmier. Méthodes et applications*. Paris, Medsi.

GORDON, Marjory (1993–1994). *Manual of Nursing Diagnosis*. 6e édition. St. Louis, Missouri, Mosby.

GOUVERNEMENT DU QUÉBEC. *Code des professions*. Québec. L.R.Q.c. C-26, a. 91.

GOUVERNEMENT DU QUÉBEC (1989). *Loi sur les infirmières et infirmiers du Québec*. Version consolidée. Montréal, Ordre des infirmières et infirmiers du Québec.

GRONDIN, L., LUSSIER, R. J., PHANEUF, M. et RIOPELLE, C. L. (1990). *Planification des soins infirmiers, Modèle d'interventions autonomes*. Laval, Études Vivantes.

GRONDIN, Louise et PHANEUF, Margot (1995). *Mémento de l'infirmière: utilisation des diagnostics infirmiers*. Paris, Maloine.

GROUPE DÉMARCHE (1987). *Programme de développement de la pensée formelle*. Tome 2: *Approche pédagogique*. Québec, Collège de Limoilou.

GROVE, T. G. (1991). *Dyadic Interaction*. Dubuque, J. A. William Brown.

HALL, L. E. (1955). «Quality of Nursing Care» dans *Public Health News*.

HALLORAN, Edward J. (1995). *A Virginia Henderson Reader.* New York, Springer Publishing Co.

HELMS, Janet (1985). «Active Listening» dans G. M. Bulechek et J. C. McCloskey (1985). *Nursing Interventions.* Philadelphia, W. B. Saunders.

HENDERSON, V. (1964). «The Nature of Nursing». *American Journal of Nursing.* Vol. 64, n° 8, p. 62–68.

HENDERSON, V. (1994). *La Nature des soins infirmiers.* Présentation des textes chronologiques, biographiques et notes explicatives de Virginia Henderson colligés par Marie-Françoise Collière. Montréal, Erpi.

HENDERSON, V. et NITE, G. (1978). *The Principles and Practice of Nursing.* New York, MacMillan.

HUXLEY, Aldous (1958). *The Perennial Philosophy.* Londres, Fontana Books.

INTERNATIONAL COUNCIL OF NURSES [ICN] (1993). *Nursing's Next Advance: An International Classification for Nursing Practice* (ICNP). Genève, Suisse.

IYER, Patricia W. et CAMP, Nancy (1995). *Nursing Documentation. A Nursing Process Approach.* St. Louis, Mosby.

IYER, Patricia W., TAPTICH, Barbara J. et BERNOCCHI-LOSEY, Donna (1986). *Nursing Process and Nursing Diagnosis.* Philadelphia, W. B. Saunders.

JACKSON, Janet E. et JOHNSON, Elizabeth A. (1988). *Patient Education in Home Care.* Rockville, Maryland, Aspen Publication.

JACQUERY, Agnès, THAYSE, Claude et MAAS, Ann (1994). «L'Assurance de la qualité des soins infirmiers: méthodologie». *Recherche en soins infirmiers,* p. 158.

JOHNSON, Dorothy E. (1959). «A Philosophy for Nursing Diagnosis». *Nursing Outlook.* Vol. 7, n° 4, p. 198–200.

JOHNSON, Dorothy E. (1980). «The Behavioral System Model for Nursing» dans J. R. Riehl et Callista Roy. *Conceptual Models for Nursing Practice.* 2e édition. New York, Appleton–Century–Crofts.

JOHNSON, J. T. (1972). *Profession and Power.* London, The MacMillan Press.

JOINT COMMISSION ON ACCREDITATION OF HEALTH ORGANIZATIONS [JCAHO] (1988). *Accreditation Manual for Hospitals.* Chicago, JCAHO.

KÉROUAC, Suzanne *et al.* (1994). *La Pensée infirmière.* Laval, Études Vivantes.

KERSHAW, Betty et SALVAGE, Jane (1986). *Models for Nursing.* New York, John Wiley & Sons.

KREPS, G. L. et QUERY, J. L. (1990). *Health Communication and Interpersonal Competence* dans G. M. Phillips et J. T. Woods [s. la dir. de]. *Speech Communication.* Carbondale, Southern Illinois University Press.

KREPS, L. Gary et THORNTON, Barbara C. (1984). *Health Communication.* New York, Longman.

LAFORTUNE, Louise et ST-PIERRE, Lise (1994). *Les Processus mentaux et les Émotions dans l'apprentissage.* Montréal, Les Éditions Logiques.

LAMPE, S. (1988). *Focus Charting.* Minneapolis, Creative Nursing Management.

LANGEVIN HOGUE, Lise (1986). *Communiquer, un art qui s'apprend.* Saint-Hubert, Québec, Les Éditions Un monde différent.

LAPOINTE, Jean-Jacques, (1995). *La Conduite d'une étude de besoin en éducation et en formation.* Québec, Presses de l'Université du Québec.

LAQUATRA, Ida Marie et GERLACH, Mary Jo (1990). *Nutrition in Clinical Nursing.* Albany, New York, Delmar Publishers.

LAROUCHE, René (1987). *La Sociologie des professions.* Québec, Département de sociologie de l'Université Laval.

Le BOTERF, Guy (1994). *De la compétence: essai sur un attracteur étrange.* Paris, Les Éditions d'Organisation.

LEBRUN, Jean-Pierre (1993). *De la maladie médicale.* Bruxelles, De Boeck.

LEE, W. (1971). *Decision Theory and Human Behavior.* New York, Wiley.

LEFEBVRE, Monique et DUPUIS, Andrée (1993). *Le Jugement clinique en soins infirmiers.* Montréal, ERPI.

LEGENDRE, Rénald (1983). *L'Éducation totale.* Montréal, Éditions Ville–Marie/Fernand Nathan.

LEMAY, Sylvie et DUQUETTE, André (décembre 1995). «Prédicteurs de la collaboration infirmière-médecin, perceptions d'infirmières de soins intensifs» dans *Recherche en soins infirmiers.*

LE MOIGNE, Jean-Louis (1990). *La Modélisation des systèmes complexes.* Paris, Dunod.

LEPPANEN MONTGOMERY, Carol (1991). *Healing through Communication.* New York, Sage Publications.

LIPKIN B., Gladys et COHEN, Roberta G. (1991). *Effective Approaches to Patient's Behavior.* New York, Springer Publishing Co.

LYSAUGHT, Jerome B. (1981). *Action in Affirmation: Toward an Unambiguous Profession of Nursing.* New York, McGraw-Hill.

MAGER, Robert F. (1969). *Pour éveiller le désir d'apprendre.* Paris, Gauthier-Villars.

MASLOW, Abraham (1943). *A Theory of Human Motivations, Psychological Review.*

MAYERS, M. (1983). *A Systemic Approach to the Nursing Care Plan.* Norwalk, Conn., Appleton–Century–Crofts.

McFARLAND, Gertrude K. et McFARLANE, Elizabeth A. (1995). *Traité de diagnostic infirmier.* Montréal, ERPI.

McLEAN, P. D. (1973). *A Tribune Concept of the Brain and the Behavior.* Toronto, The Hincks Memorial Lecture, p. 6–66.

MILLER, Emmy (1989). *How to Make Diagnosis Work. Administrative and Clinical Strategies.* Norwalk, Conn., Appleton & Lange.

MILLER, John P. (1988). *The Holistic Curriculum.* Toronto, Oise Press.

MINISTÈRE DE LA SANTÉ ET DE L'ACTION HUMANITAIRE (mai 1992). «Protocoles de soins infirmiers». *Guide du service infirmier,* n° 4.

MONNIG, Regina L. (1983). «Professional Territoriality» dans Norma L. Chaska [s. la dir. de] (1983). *A Time to Speak.* New York, McGraw-Hill.

MONTGOMERY DOSSEY, Barbara *et al.* (1988). *Holistic Nursing.* Rockville, Maryland, Aspen Publication.

MORGAN, Clifford (1974). *Introduction à la psychologie.* Montréal, McGraw-Hill.

MORIN, Edgar (1982). *Science avec conscience.* Paris, Fayard.

MOSBY INFOBASE (1995). *Medical/Surgical a Programmed...* St. Louis, Mosby.

NADON, Michèle et THIBAULT, Claire (1993). *Le Suivi systématique des clientèles.* Montréal, Ordre des infirmières et infirmiers du Québec.

NEWELL, A. et SIMON, H. (1972). *Human Problem Solving.* Englewood Cliffs, N. J., Prentice-Hall.

NORTHOUSE, Peter G. et NORTHOUSE, Laurel L. (1985). *Health Communication, a Handbook for Professionals.* Englewood Cliffs, N. J., Prentice-Hall.

O'CONNOR, Andrea (1983). «Continuing Education for Nursing Leaders» dans Norma L. Chaska [s. la dir. de] (1983). *A Time to Speak.* New York, McGraw-Hill.

OGER-STEFANINK, Annick (1987). *La communication c'est comme le chinois, cela s'apprend.* Paris, Rivages.

O'HARE, Patricia A. et TERRY, Margaret A. (1988). *Discharge Planning.* Rockville, Maryland, Aspen Publication.

ORDRE DES INFIRMIÈRES ET INFIRMIERS DU QUÉBEC (1980). *Règlement des actes infirmiers, Règlement des actes médicaux.* Montréal, O.I.I.Q.

ORDRE DES INFIRMIÈRES ET INFIRMIERS DU QUÉBEC (1985). *Normes et Critères de compétence pour les infirmières et infirmiers.* Montréal, O.I.I.Q.

ORDRE DES INFIRMIÈRES ET INFIRMIERS DU QUÉBEC (1996). *Perspective de l'exercice de la profession d'infirmière.* Montréal, O.I.I.Q.

ORLANDO, Ida (1979). *La Relation dynamique infirmière-client,* Montréal, HRW.

PAGANO, Michael P. et RAGAN, Sandra L. (1992). *Communication Skills for Professional Nurses.* London, Sage Publications.

PARSONS, T. (1958). *Definition of Health and Illness in the Light of American Values and Social Structure.* E. G. Jaco ed. cité dans Dorothy L. Sexton (1990). *Nursing Care of the Respiratory Patient.* Norwalk, Conn., Appleton & Lange.

PARSONS, T. (1971). «The Professions: Reports and Opinions» dans *American Sociological Review,* p. 547-559.

PHANEUF, Margot (1985). *La Démarche scientifique.* Montréal, McGraw-Hill.

PHANEUF, Margot (1992). *Modèles pour l'enseignement collégial, 2ᵉ partie: modèles, stratégies et techniques.* Thèse présentée à la faculté des études supérieures de l'Université de Montréal pour l'obtention du doctorat en didactique.

PHANEUF, Margot et GRONDIN, Louise (1994). *Diagnostic infirmier et Rôle autonome de l'infirmière.* Paris, Maloine.

POIRIER-COUTANSAIS, Geneviève (1994). «La Qualité: pourquoi? comment?» *Recherche en soins infirmiers, Méthodologie,* p. 150-157.

POLET-MASSET, Anne-Marie (1993). *Développer son autonomie en soins infirmiers.* Montréal, Gaëtan Morin, Éditeur.

POTTER, Patricia A. et PERRY, Anne G. (1989). *Soins infirmiers.* Montréal, Éditions du Renouveau Pédagogique.

PSIUK, Thérèse (juin 1995). «Le Raisonnement diagnostic dans l'activité quotidienne de l'infirmière. La Recherche». *La Recherche en soins infirmiers.* Paris, Publications ARSI.

PUDERBAUCH, Ulrich, WEYLAND CANALE, Suzanne et WENDEL, Sharon Andrea (1989). *Nursing Care Planning Guide.* Philadelphia, W. B. Saunders.

RAIFFA, H. (1970). *Decision Analysing.* Reading, Mass., Addison-Wesley.

RIOPELLE, L., GRONDIN, L. et PHANEUF, M. (1984). *Soins infirmiers, un modèle centré sur les besoins de la personne.* Montréal, McGraw-Hill.

RIOPELLE, L., GRONDIN, L. et PHANEUF, M. (1987). *Répertoire des diagnostics infirmiers selon le modèle conceptuel de Virginia Henderson.* Montréal, McGraw-Hill.

RIOPELLE, L., GRONDIN, L. et PHANEUF, M. (1988). *Enseignement à la clientèle.* Montréal, McGraw-Hill.

RITZER, Georges (1972). *Man and his Work.* New York, Meredith, cité dans René Larouche (1987). *La Sociologie des professions.* Québec, Département de sociologie de l'Université Laval.

ROBINSON, L. (1983). *Psychiatric Nursing.* Philadelphia, W. B. Saunders.

ROGERS, Carl (1971). *Liberté pour apprendre.* Paris, Dunod.

ROGERS, Martha E. (1990). «Nursing Science of Unitary, Irreducible Human Being». Mise à jour en 1990 dans *Vision of Rogers Science-base Nursing.* National League for Nursing Publisher, nº 15, p. 2285.

ROSNAY, Joël de (1975). *Le Macroscope.* Paris, Éditions du Seuil.

ROTHAN-TONDEUR, Monique (1994). «Quick Audit et Very Quick Audit». *Recherche en soins infirmiers,* p. 137-138.

ROY, Callista (1976). «The Impact of Nursing Diagnosis». *American Operating Room, Nursing Journal,* vol. 21, nº 5, p. 1023-1030.

ROY, David J. *et al.* (1995). *La Bioéthique, ses fondements et ses controverses.* Montréal, ERPI.

SEXTON, Dorothy L. (1990). *Nursing Care of the Respiratory Patient.* Norwalk, Conn., Appleton & Lange.

SIMON, H. (1979). «Information Processing Models of Cognition». *Annual Review of Psychology.*

SKEMP, R. R. (1979). «Intelligence Learning in Action» cité dans Denise Bruneau-Morin et Margot Phaneuf (1991). *Structures pédagogiques pour le programme des soins infirmiers,* 180.01. Tome 2. Saint-Jean-sur-Richelieu, Collège Saint-Jean-sur-Richelieu.

SPENCE, A. P. et MASON, E. B. (1983). *Anatomie et Physiologie.* Montréal, Éditions du Renouveau Pédagogique.

SPRINGHOUSE (1987). *Patient Teaching.* Springhouse, Penn., Nurse's Reference Library.

SPRINGHOUSE (1987). *Patient Teaching Manual.* Springhouse, Penn.

SPRINGHOUSE (1992). *Teaching Patient with Acute Conditions.* Springhouse, Penn.

SPRINGHOUSE (1992). *Teaching Patient with Chronic Conditions.* Springhouse, Penn., Springhouse Corporation.

SYLVAIN, Hélène (1994). *Apprendre à mieux diagnostiquer.* Laval, Éditions Études Vivantes.

TAPTICH, B. J., IYER, P. W. et BERNOCCHI-LOSEY, D. (1989). *Nursing Diagnosis and Care Planning.* Philadelphia, W. B. Saunders.

TAYLOR, C. M. et SPARKS, S. M. (1993). *Diagnostics infirmiers. Guide pour le plan de soins.* 3ᵉ édition, traduit et adapté par Lina Rahal et Danielle Schmouth Valois. Montréal/Paris, Décarie/Maloine.

THOMAS, K. (1976). *Conflict and Conflict Management,* cité dans D. L. Carnevali et M. D. Thomas (1993). *Diagnostic Reasoning and Treatment Decision Making in Nursing.* Philadelphia, J. B. Lippincott.

THOMPSON, L. E. (janvier 1987). «When Caring is the Only Cure». *Nursing,* p. 58-59.

TIMBAL-DUCLAUX, Louis (1986). *L'Écriture créative.* Paris, Ritz.

TORRANCE (1972). AMEGAN, S. (1987). *Pour une pédagogie active et créative.* Montréal, Presses Universitaires de l'UQAM.

TROCHMÉ-FABRE, Hélène (1987). *J'apprends, donc je suis.* Paris, Éditions d'Organisation.

VALLERAND, Robert J. et THILL, Edgar E. (1993). *Introduction à la psychologie de la motivation.* Laval, Études Vivantes.

WALSH, Joleen, PERSONS, Carol B. et WIECK, Lynn (1987). *Home Health Care Nursing.* Philadelphia, J. B. Lippincott.

WARING RORDEN, Judith (1987). *Nurses as Health Teachers.* St. Louis, W. B. Saunders.

WESLEY, Ruby L. (1995). *Nursing Theories and Models.* Springhouse, Penn., Springhouse Corporation.

YURA, Helen et WALSH, Mary B. (1978). *Human Needs and the Nursing Process.* Vol. 1. Norwalk, Conn., Appleton-Century-Crofts.

YURA, Helen et WALSH, Mary B. (1982). *Human Needs and the Nursing Process.* Vol. 2. Norwalk, Conn., Appleton-Century-Crofts.

YURA, Helen et WALSH, Mary B. (1983). *Human Needs and the Nursing Process.* Vol. 3. Norwalk, Conn., Appleton-Century-Crofts.

ZANDER, Karen *et al.* (1978). *Patient Teaching.* St. Louis, Mosby.

ZDERAD, L. T. (1978). *From Here and Now Theory.* New York, National League for Nursing.